P9-CSE-052

LES THIBAULT

V

ŒUVRES DE ROGER MARTIN DU GARD

nrf

ŒUVRES ROMANESQUES

DEVENIR (1908).
JEAN BAROIS (1913).
CONFIDENCE AFRICAINE (1931).
VIEILLE FRANCE (1933).
LES THIBAULT (1922-1939).

Nouvelle édition en 7 volumes :

I.   Le Cahier gris. — Le Pénitencier.
II. La belle Saison. — La Consultation.
III. La Sorellina. — La Mort du Père.
IV. L'Été 1914 *(début)*.
V.   L'Été 1914 *(suite)*.
VI. L'Été 1914 *(fin)*.
VII. Épilogue.

ŒUVRES THÉATRALES

LE TESTAMENT DU PÈRE LELEU, *farce paysanne* (1920).
LA GONFLE, *farce paysanne* (1928).
UN TACITURNE, *drame* (1932).

ESSAIS

NOTES SUR ANDRÉ GIDE (1913-1951).

AUTRES ÉDITIONS

Collection « A la Gerbe » in-8° :

JEAN BAROIS (2 *vol.*).
LES THIBAULT (9 *vol.*).

Édition illustrée :

LES THIBAULT (2 *vol. grand in-8°*).
   (*Illustrations de* Jacques Thévenet).

Bibliothèque de la Pléiade :

ŒUVRES COMPLÈTES (2 *vol.*).

ROGER MARTIN DU GARD

LES THIBAULT

V

L'ÉTÉ 1914

**

GALLIMARD
5, rue Sébastien-Bottin, Paris VIIe

SEPTIÈME PARTIE

(SUITE)

Vanheede allait sortir, et il se confectionnait, comme chaque matin, une tasse de café sur son réchaud à pétrole, lorsque Jacques, sans avoir pris le temps d'aller déposer son bagage dans sa chambre, vint frapper à sa porte.

— « Quoi de nouveau à Genève ? » fit-il joyeusement, en laissant choir son sac sur le carreau.

L'albinos, au fond de la pièce, plissait les yeux dans la direction du visiteur, qu'il reconnut à sa voix.

— « Baulthy ! Déjà de retour ? »

Il s'avançait vers Jacques, tendant vers lui ses petites mains d'enfant.

— « Bonne mine », fit-il en dévisageant de près le voyageur.

— « Oui », reconnut Jacques, « ça va ! »

C'était vrai. Contre toute attente, cette nuit de voyage avait été mieux que bonne : libératrice. Seul dans son compartiment, il avait pu s'allonger, s'endormir presque aussitôt ; et il ne s'était éveillé qu'à Culoz, reposé, plein d'ardeur, exceptionnellement heureux même, comme délivré d'il ne savait quoi. A la portière, en respirant à larges traits l'air matinal, tandis que le premier soleil achevait de dissiper au fond des vallées les ouates laissées par la nuit, il s'était penché sur lui-même, cherchant à s'expliquer cette joie intérieure, dont, ce matin, il se trouvait comblé. « Fini », s'était-il dit, « de se débattre dans la confusion des idées, des doctrines ; un but précis s'offre enfin : l'action directe contre la guerre ! » Certes, l'heure était grave ; décisive, sans doute. Mais, lorsqu'il faisait le bilan des impressions qu'il rapportait de Paris, la fermeté de la position du socialisme français, l'accord des chefs, réalisé autour de Jaurès et soutenu par sa combativité optimiste, la soudure qui semblait se faire entre l'activité des syndicats et celle du Parti, tout contribuait à accroître sa confiance dans la force invincible de l'Internationale.

— «.Asseyez-vous là », dit Vanheede, en rabattant les draps sur le lit défait. (Il ne s'était jamais décidé à tutoyer Jacques.) « Nous allons partager le café... Tout a bien marché? Racontez! Qu'est-ce ça est qu'on dit; là-bas? »

— « A Paris? Ça dépend... Dans le public, personne ne sait, personne ne s'inquiète. C'est effarant : les journaux ne s'occupent que du procès Caillaux, du voyage triomphal de M. Poincaré, — et des vacances!... On dit, d'ailleurs, qu'un mot d'ordre a été donné à la presse française : ne pas attirer l'attention sur les affaires balkaniques, pour ne pas compliquer la tâche des diplomates... Mais, dans le Parti, on se démène! Et, ma foi, on a tout l'air de faire bonne besogne! Le problème de la grève générale est nettement remis au premier plan. Ce sera la plate-forme française au congrès de Vienne. Evidemment, le point d'interrogation, c'est la position que prendront les social-démocrates : ils sont d'accord, en principe, pour reprendre la question. Mais... »

— « Nouvelles d'Autriche? » questionna Vanheede, en posant sur la table de nuit, encombrée de livres, un verre à dents plein de café.

— « Oui. Nouvelles assez bonnes, si elles sont exactes. Hier soir, à l'*Huma*, on paraissait sûr que la note autrichienne à la Serbie n'aurait pas un caractère agressif. »

— « Baulthy », fit soudain Vanheede, « je suis content, ça me fait bon de vous voir! »

Il souriait pour excuser son interruption. Il reprit aussitôt :

— « Ici, Bühlmann est venu. Il a raconté une histoire qui vient des bureaux de la Chancellerie, à Vienne; et ça prouverait, au contraire, que les desseins de l'Autriche sont diaboliques... et très prémédités... Tout est corrompu! » conclut-il sombrement.

— « Explique-moi ça, mon petit Vanheede », lança Jacques.

Le ton marquait moins de curiosité que de bonne humeur et d'affection. Vanheede dut le sentir, car il vint en souriant s'asseoir près de Jacques, sur le lit :

— « Ça est que, cet hiver, des médecins, appelés auprès de François-Joseph, ont diagnostiqué une affection des voies respiratoires... Une maladie incurable... Tellement grave, que l'Empereur doit mourir avant la fin de l'année. »

— « Eh bien... *requiescat!* » murmura Jacques, qui, pour l'instant, n'avait aucune disposition à prendre les choses au sérieux. Il avait roulé son mouchoir autour du verre pour ne pas se brûler les doigts, et il buvait, à petites gorgées, le breuvage limoneux fabriqué par Vanheede. Par-dessus le verre, son regard incrédule et amical était fixé sur le visage pâle aux cheveux ébouriffés.

— « Attendez », repartit Vanheede, « ça est maintenant que l'histoire se corse... Le résultat de la consultation aurait été aussitôt communiqué au Chancelier... Berchtold aurait alors convoqué, dans sa propriété, différents hommes d'Etat, pour un conciliabule secret, une sorte de conseil de la Couronne. »

— « Oh! oh », fit Jacques, amusé.

— « Là, ces messieurs — parmi lesquels Tisza, Forgach, et le chef d'Etat-Major Hötzendorf, — auraient raisonné comme ça : la mort de l'Empereur, vu l'état actuel des choses, va déclencher en Autriche de terribles difficultés intérieures. Même si le régime de la double monarchie reste debout, l'Autriche sera affaiblie pour longtemps; l'Autriche devra, pour longtemps, renoncer à abattre la Serbie; et il faut abattre la Serbie, pour l'avenir de l'Empire. Comment faire? »

— « Hâter l'expédition contre la Serbie, avant la mort du vieux? » dit Jacques, qui suivait plus attentivement.

— « Oui... Mais certains vont plus loin encore... »

Jacques regardait Vanheede parler, et, devant cette frimousse d'ange aveugle, il était frappé, une fois de plus, du contraste qu'offraient cette enveloppe frêle et la force têtue qu'on sentait, par instants, tel un noyau dur, au centre de cette pâte incolore. « Ce petit Vanheede », songea-t-il, en souriant. Il se rappelait que, le dimanche, au bord du lac, dans les auberges, il avait plusieurs fois vu l'albinos, au milieu d'une discussion politique passionnée, quitter brusquement la table : — « Tout est vil, tout est corrompu ! » — pour aller seul, comme un gamin, faire un tour de balançoire.

— « ... Certains vont plus loin encore », poursuivait Vanheede, de sa voix flûtée. « Ils disent que l'attentat de Sarajevo aurait été organisé par des agents provocateurs à la solde de Berchtold, pour faire naître l'occasion attendue ! Et ils disent que Berchtold aurait ainsi fait deux coups avec la même pierre : d'abord, il aurait débarrassé le trône d'un successeur inquiétant, trop pacifiste ; et, en même temps, il aurait rendu possible, avant la mort de l'Empereur, une guerre contre les Serbes. »

Jacques riait.

— « C'est un beau conte de brigands que tu me racontes là... »

— « Vous, Baulthy, vous n'y croyez pas ? »

— « Oh », fit Jacques sérieusement, « je crois qu'on peut s'attendre à tout, absolument à tout, d'un homme ambitieux et déformé par la vie politique, dès l'instant où cet homme se sent le pouvoir absolu entre les pattes ! L'histoire n'est qu'une longue illustration de ça... Mais, ce que je crois aussi, mon petit Vanheede, c'est que les plus machiavéliques desseins se briseront vite contre la volonté pacifique des peuples ! »

— « Croyez-vous que ça est aussi l'avis du Pilote ? » demanda Vanheede, en branlant la tête.

Jacques le considérait interrogativement.

— « Je veux dire... » reprit le Belge, avec hésitation. « Le Pilote, il ne dit pas non... Mais il a toujours l'air de ne pas vraiment croire à cette résistance, à cette volonté des peuples... »

Les traits de Jacques s'assombrirent. Il savait bien en quoi la position de Meynestrel différait de la sienne. Mais cette pensée lui était pénible ; il l'écartait d'instinct.

— « Cette volonté, mon petit Vanheede, elle existe! » reprit-il avec force. « Je reviens de Paris, et j'ai confiance. Actuellement, non seulement en France, mais partout en Europe, parmi les hommes mobilisables, on peut dire qu'il n'y en a pas dix, pas cinq, sur cent, qui accepteraient l'idée d'une guerre! »

— « Mais les quatre-vingt-quinze autres, ça est des êtres passifs, Baulthy, des êtres résignés! »

— « Je sais bien. Suppose pourtant que, sur ces quatre-vingt-quinze-là, il y en ait seulement une douzaine, une demi-douzaine même, qui comprennent le danger et qui s'insurgent : c'est une véritable armée de récalcitrants que les gouvernements trouveraient devant eux!... C'est cette demi-douzaine sur cent qu'il s'agit d'atteindre, de grouper pour la résistance. Ça n'a rien d'irréalisable. Et c'est à ça que travaillent, en ce moment, partout, les révolutionnaires d'Europe! »

Il s'était levé.

— « Quelle heure? » murmura-t-il, en jetant un coup d'œil à son poignet. « Il faut maintenant que j'aille voir Meynestrel. »

— « Pas ce matin », fit Vanheede. « Le Pilote est allé à Lausanne, en auto, avec Richardley. »

— « Zut... Tu es sûr? »

— « Il y avait rendez-vous à neuf heures, là-bas, pour le congrès. Ils ne reviendront pas avant midi. »

Jacques parut contrarié.

— « Soit. J'attendrai midi... Qu'est-ce que tu fais, toi, ce matin? »

— « J'allais à la Bibliothèque, mais... »

— « Viens avec moi chez Saffrio, nous causerons en route. J'ai une lettre à lui remettre. J'ai vu Negrotto, à Paris... » Il avait repris son sac, et se dirigeait vers la porte. « Dix minutes : le temps de me raser... Viens me prendre, en descendant. »

Saffrio occupait, seul, rue de la Pellisserie, dans le quartier de la Cathédrale, une petite bicoque de deux étages, au rez-de-chaussée de laquelle il avait installé sa boutique.

On ne savait pas grand-chose du passé de Saffrio. On l'aimait pour sa bonne humeur, sa légendaire serviabilité. Inscrit au parti italien bien avant de venir en Suisse, il exerçait depuis sept ans son métier de droguiste à Genève. Il avait quitté l'Italie après des malheurs conjugaux, auxquels il faisait des allusions fréquentes mais imprécises, et qui, au dire de certains, l'auraient poussé jusqu'à une tentative de meurtre.

Le magasin, où Jacques et Vanheede pénétrèrent, était vide. Au tintement du timbre de la porte, Saffrio parut à l'entrée de l'arrière-boutique. Ses beaux yeux noirs s'éclairèrent d'une lueur chaude.

— « *Buon giorno!* »

Il souriait, agitant la tête, arrondissant ses épaules inégales, écartant les bras, avec les grâces empressées d'un aubergiste italien.

— « J'ai là deux compatriotes », souffla-t-il à l'oreille de Jacques. « Venez. »

Il était toujours prêt à donner refuge aux hors-la-loi italiens dont le gouvernement suisse avait ordonné l'expulsion. (La police de Genève, fort accommodante en temps habituel, était prise périodiquement d'un zèle d'épuration, intempestif et passager, et chassait du territoire un certain nombre de révolutionnaires étrangers qui n'étaient pas en règle avec elle. Le coup de balai durait une huitaine de jours, pendant lesquels les insoumis se contentaient, en général, de quitter leur garni, pour vivre, cachés, dans le taudis de quelque camarade. Puis le calme revenait comme avant. Saffrio était un spécialiste de ce genre d'hospitalité.)

Jacques et Vanheede le suivirent.

Derrière la boutique s'ouvrait un ancien cellier, séparé du magasin par une étroite cuisine. Cette salle ressemblait fort à un cachot : elle était voûtée; un soupirail à barreaux, donnant sur une cour déserte, l'éclairait de haut et mal. Mais la disposition des lieux en faisait un asile discret; et, comme on y pouvait tenir assez nombreux, Meynestrel l'utilisait parfois pour de petites réunions privées. Tout un côté de la muraille était garni de planches, où s'entassaient de vieux ustensiles de droguerie, des fioles, des bocaux vides, des mortiers inutilisables. Sur le rayon supérieur, trônait une lithographie de Karl Marx, dont le verre était fêlé et gris de poussière.

Deux Italiens, en effet, se trouvaient là. L'un d'eux, très jeune, déguenillé comme un clochard, était attablé, seul, devant une assiettée de macaronis froids à la tomate, qu'il piochait avec la pointe d'un couteau et qu'il étalait sur du pain. Il leva sur les visiteurs un regard doux de bête blessée, et se remit à manger.

L'autre, plus âgé et mieux vêtu, était debout, des papiers à la main. Il vint au-devant des arrivants. C'était Remo Tutti, que Jacques avait connu, à Berlin, correspondant de journaux italiens. Il était petit, un peu efféminé; l'œil vif, le regard intelligent.

Saffrio désigna Tutti du doigt :

— « Remo est arrivé hier de Livorno. »

— « Moi, je viens de Paris », dit Jacques à Saffrio, en sortant une enveloppe de son portefeuille. « Et j'ai rencontré quelqu'un — devine! — qui m'a remis cette lettre pour toi. »

— « Negrotto! » s'écria l'Italien, en saisissant joyeusement l'enveloppe.

Jacques s'assit et se tourna vers Tutti :

— « Negrotto m'a dit qu'en Italie, depuis une quinzaine, sous prétexte de grandes manœuvres, on a convoqué et armé 80.000 réservistes. Est-ce vrai? »

— « En tout cas, 55 ou 60.000... *Si*... Mais ce que Negrotto ne sait peut-être pas, c'est qu'il y a des troubles sérieux dans l'armée. Surtout dans les garnisons du Nord. Des actes d'indiscipline, nombreux! Le commandement est débordé. Il a presque renoncé à sévir. »

La voix chantante de Vanheede s'éleva dans le silence :

— « Voilà! Par le refus! Par la douceur! et le meurtre n'aura plus de place sur la terre... »

Il y eut un sourire général. Vanheede seul ne souriait pas. Il rougit, croisa ses petites mains, et se tut.

— « Alors », dit Jacques, « chez vous, en cas de mobilisation, ça n'irait pas tout seul? »

— « Sois bien tranquille! » dit Tutti, avec force.

Saffrio leva le nez de la lettre qu'il lisait :

— « Chez nous, quand on essaie de faire du militarisme, tout le peuple, socialiste ou pas, il est contre! »

— « Nous avons, sur vous autres, la supériorité de l'expérience », expliqua Tutti, qui parlait un français très correct. « L'expédition de Tripoli, pour nous, c'était hier. Le peuple est renseigné : il sait ce qu'il en coûte de confier le pouvoir à des militaires!... Je ne parle pas seulement de la souffrance des malheureux qui se battent; mais de la pestilence qui étouffe aussitôt le pays : la falsification des nouvelles, la propagande nationaliste, la suppression des libertés, l'enchérissement de la vie, la cupidité des *profittori*... L'Italie vient de passer par cette route. Elle n'a rien oublié. Chez nous, devant une mobilisation, le Parti aurait facile d'organiser une nouvelle *Semaine rouge!* »

Saffrio repliait soigneusement sa lettre. Il glissa l'enveloppe entre sa chemise et sa poitrine, et, clignant de l'œil, il pencha vers Jacques son beau visage basané :

— « *Grazie* [1]! »

Au fond de la salle, l'adolescent s'était levé. Saisissant sur la table une haute bouteille en terre poreuse où l'eau se conservait glacée, il la souleva des deux mains et but à pleine gorge, un long moment.

— « *Basta* [2]! », dit Saffrio en riant. Il s'approcha du jeune homme, et le saisit amicalement par la nuque : « Maintenant, viens là-haut; tu vas dormir, camarade. »

L'Italien le suivit docilement vers la cuisine. En passant, il fit aux autres un gracieux salut de la tête.

Avant de sortir, Saffrio se retourna vers Jacques :

— « Tu peux être sûr que les avertissements de notre Mussolini dans l'*Avanti* ont marqué les oreilles! Le Roi et tout le gouvernement, ils ont bien compris maintenant que le peuple ne les suivra jamais plus dans une politique de bellicisme! »

1. « Merci! »
2. « Assez! »

On les entendit grimper le petit escalier de bois qui menait à l'étage.

Jacques réfléchissait. Il releva sa mèche et regarda Tutti.

— « C'est ça qu'il faudrait faire comprendre, — je ne dis pas aux dirigeants, qui en savent là-dessus plus que nous, — mais à certains milieux nationalistes allemands et autrichiens, qui comptent encore sur la Triplice, et qui poussent leurs gouvernements vers les aventures... Est-ce que tu travailles toujours à Berlin ? » demanda-t-il.

— « Non », fit Tutti, laconiquement. Le ton, le sourire mystérieux qui traversa son regard, disaient clairement : « Inutile de questionner... Travail secret... »

Saffrio venait de rentrer. Il hochait la tête et riait :

— « Ces petits-là, sst !... » confia-t-il à Vanheede. « Ils sont si tellement crédules ! Encore un qui vient d'être attrapé par un agent provocateur... Heureusement pour lui, il avait des bonnes jambes de course... Et aussi l'adresse du papa Saffrio ! »

Il se tourna gaiement vers Jacques :

— « Alors, Thibault, tu viens de Paris avec une bonne impression de confiance ? »

Jacques sourit :

— « Mieux que bonne ! » fit-il avec feu.

Vanheede changea de chaise et vint s'asseoir à contre-jour, auprès de Jacques. Il souffrait comme un oiseau de nuit, dès qu'il se trouvait face à la lumière.

— « Je n'ai pas seulement rencontré des Français », poursuivit Jacques. « J'ai vu aussi des Belges, des Allemands, des Russes... Les milieux révolutionnaires sont alertés, partout. On a compris que la menace est grave. Partout, on se groupe, on cherche un programme d'ensemble. La résistance s'organise, prend corps. L'unanimité, l'extension du mouvement, — en moins d'une semaine, — c'est très réconfortant ! On voit quelles forces l'Internationale peut mettre en branle, quand elle le veut. Et ce qui s'est fait ces jours-ci, partiellement, séparément, dans toutes les capitales, ce n'est rien, en comparaison de ce qu'on projette ! La semaine prochaine, le Bureau international est convoqué à Bruxelles... »

— « Si, si... », dirent, en même temps, Tutti et Saffrio, dont les regards chaleureux ne quittaient pas le visage animé de Jacques.

L'albinos aussi, clignant des yeux, pliait le buste pour regarder Jacques, assis à côté de lui. Il avait allongé son bras sur le dossier de Jacques, et posé la main sur l'épaule de son ami : si légèrement, d'ailleurs, que celui-ci n'en sentait pas le poids.

— « Jaurès et son groupe », poursuivit Jacques, « attachent la plus grande importance à cette réunion. Les délégués de vingt-deux pays différents! Et ces délégués représentent, non seulement les douze millions de travailleurs inscrits, mais, en fait, des millions d'autres, tous les sympathisants, tous les hésitants, et, même parmi nos adversaires, tous ceux qui, devant le danger d'une guerre, sentent bien que, seule, l'Internationale peut incarner et imposer la volonté de paix des masses... Nous allons vivre à Bruxelles une semaine qui sera historique. Pour la première fois dans l'histoire, la voix populaire, la voix de la majorité réelle, va pouvoir se faire entendre. Et se faire obéir! »

Saffrio se trémoussait sur sa chaise :

— « Bravo! Bravo! »

— « Et il faut voir plus loin encore », reprit Jacques, qui cédait au plaisir d'assurer sa propre confiance, en l'exprimant. « Si nous triomphons, ce ne sera pas seulement une grande bataille gagnée contre la guerre. C'est plus que ça. C'est une victoire qui peut donner à l'Internationale... » A ce moment, Jacques s'aperçut que Vanheede s'appuyait à son épaule, parce que, brusquement, la petite main s'était mise à trembler. Il se tourna vers l'albinos, et lui frappa le genou : « Oui, mon petit Vanheede! Ce qui se prépare là, c'est peut-être, tout simplement, et sans violence inutile, le triomphe du Socialisme dans le monde!... Et maintenant », ajouta-t-il en se levant d'un vif coup de reins, « allons voir si le Pilote est de retour! »

Il était encore un peu tôt pour espérer que Meynestrel fût rentré chez lui.

— « Viens avec moi t'asseoir un instant à *la Treille*... »,
proposa Jacques, en glissant son bras sous celui de l'albinos.

Mais Vanheede secoua la tête. Il avait assez flâné.

Depuis qu'il s'était installé à Genève, pour suivre
Jacques, il avait renoncé à la dactylographie, et s'était
spécialisé dans les recherches historiques. Travail moins
rémunéré; mais il était son maître. Depuis deux mois,
il achevait de s'abîmer la vue en collationnant des textes
pour une publication de *Documents sur le Protestantisme*,
qu'avait entreprise un éditeur de Leipzig.

Jacques l'accompagna jusqu'à la Bibliothèque. Puis,
resté seul, comme il passait devant le *Café Landolt* (qui,
avec le *Grütli*, se partageait les faveurs de la jeunesse
socialiste), il entra.

Il eut la surprise d'y trouver Paterson. L'Anglais, en
pantalon de tennis, s'occupait à accrocher des toiles,
pour une exposition que le cafetier l'avait autorisé à
faire dans son établissement.

Paterson semblait en verve. Il venait de refuser une
affaire magnifique. Un Américain veuf, Mr. Saxton W.
Clegg, séduit par ses natures mortes, lui avait offert
cinquante dollars pour exécuter, d'après une photo décolorée, de la taille d'une carte de visite, un portrait en
pied, grandeur nature, de Mrs. Saxton W. Clegg, qui
avait trouvé la mort dans la catastrophe du mont Pelée.
Sur un seul point, le veuf inconsolé se montrait exigeant : il voulait que la toilette de Mrs. Saxton W. Clegg
fût transformée selon les exigences des plus récentes
modes de Paris. Paterson brodait là-dessus avec humour.

« Pat' est le seul de nous tous qui ait de la gaieté,
de la vraie : spontanée, intérieure », songeait Jacques,
en regardant le jeune Anglais rire à belles dents.

— « Je t'accompagne un bout de chemin, cher », dit
Paterson, quand il sut que Jacques allait chez Meynestrel. « J'ai reçu ces jours-ci d'assez curieuses lettres
d'Angleterre. À Londres, on prétend que Haldane organise, sans tapage, un sérieux corps expéditionnaire. Il
veut être prêt à tout... Et la flotte reste mobilisée... A
propos de la flotte, tu as lu les journaux? la revue de

Spithead? Tous les attachés des armées et des marines
d'Europe, solennellement invités à venir voir, pendant
six heures d'horloge, défiler sous leur nez des navires
de guerre battant pavillon britannique, les uns derrière
les autres, aussi rapprochés que possible, comme les
processions de chenilles, tu sais, au printemps... Véritablement attractive exhibition, n'est-ce pas vrai?...
Boast! Boast [1]! », fit-il en agitant les épaules.

Sous le sarcasme perçait, malgré tout, un reste de
fierté. Jacques, à part lui, s'en amusa : « Un Anglais,
même socialiste, ne pourra jamais demeurer insensible
devant une belle mise en scène navale », se dit-il.

— « Et notre portrait? » demanda Paterson, au moment où il allait quitter Jacques. « Il y a un damné
sort, cher, sur ce portrait! Deux matins encore. Pas
plus. Sur l'honneur! Deux matins... Mais quand? »

Jacques connaissait la ténacité de l'Anglais. Mieux
valait céder, en finir le plus tôt possible.

— « Demain, si tu veux. Demain, onze heures? »

— « *All right!* Tu es un véritablement bon ami,
Jack! »

Alfreda était seule. Dans son kimono à grosses fleurs,
avec sa frange de laque noire et ses cils, elle ressemblait
trop à une poupée d'Extrême Orient pour ne pas l'avoir
voulu. Autour d'elle, les mouches bourdonnaient dans
les rais de soleil qui traversaient les interstices des per-
siennes. Un chou-fleur, qui bouillottait bruyamment
dans la cuisine, emplissait le logement de son odeur
fétide.

Elle sembla tout heureuse de voir Jacques :

— « Oui, Pilote est revenu. Mais il vient de me faire
dire, par Monier, qu'il y avait du nouveau, et qu'il
s'enfermait au *Local* avec Richardley. Je dois le rejoindre, avec ma machine... Déjeune avec moi », proposa-
t-elle, le visage soudain sérieux. « Nous ferons la route
ensemble... »

Elle le regardait de ses beaux yeux sauvages, et il

1. « Bluff! »

eut, très vaguement, l'impression que ce n'était pas par
gentillesse pure qu'elle s'était hasardée à cette invitation. Voulait-elle lui poser des questions? lui faire une
confidence?... Il ne se souciait guère d'un tête-à-tête
avec la jeune femme; et puis il avait hâte de retrouver
Meynestrel.

Il refusa.

Le Pilote travaillait avec Richardley dans son petit
bureau de la *Parlote*.

Les deux hommes étaient seuls. Meynestrel se tenait
debout, derrière Richardley, assis à la table; et tous
deux se penchaient sur des documents étalés devant
eux.

En apercevant Jacques, une lueur de surprise amicale
s'alluma au fond des yeux de Meynestrel. Puis son
regard aigu se fixa : une idée venait de lui traverser
l'esprit. Il se pencha d'un air interrogateur vers Richardley, et désigna Jacques d'un geste du menton :

— « Au fait, puisqu'il est revenu, pourquoi pas lui? »

— « Evidemment », approuva Richardley.

— « Assieds-toi », dit Meynestrel. « Nous allons avoir
fini. » Et s'adressant à Richardley : « Ecris... Ceci est
pour le parti suisse. »

De sa voix sèche, sans timbre, il dicta :

— « La question est mal posée. Le problème n'est
pas là. Marx et Engels, à leur époque, pouvaient prendre
parti pour telle ou telle nation. Nous, pas. Entre les
différents Etats d'Europe, nous, socialistes de 1914,
nous n'avons aucune distinction à faire. La guerre qui
menace est une guerre impérialiste. Elle n'aurait d'autre
but que les intérêts du capitalisme financier. Toutes les
nations, à cet égard, sont logées à la même enseigne.
Le seul objectif du prolétariat doit être la défaite de
tous les gouvernements impérialistes, indistinctement.
Mon avis est : *neutralité absolue*... — Souligné... — Par
cette guerre, les deux groupes des puissances capitalistes vont se dévorer eux-mêmes. Notre tactique, c'est
de les laisser se dévorer. De les aider à se dévorer... —
Non. Efface cette dernière phrase... — ...d'utiliser les

événements. Le dynamisme est à gauche. Aux minorités révolutionnaires, de travailler à accroître ce dynamisme pendant la période de crise, pour pouvoir, le moment venu, faire la brèche par où passera la révolution. »

Il se tut. Quelques instants passèrent.

— « Pourquoi Freda ne vient-elle pas? » dit-il, très vite.

Il prit un bloc-notes qui était sur la table, et commença à griffonner de brèves annotations sur des bouts de papier qu'il passait à Richardley :

— « Ça, pour le Comité... Ça, pour Berne et Bâle... Ça, pour Zurich... »

Enfin il se leva et s'approcha de Jacques :

— « Alors, tu es revenu? »

— « Vous m'aviez dit : " Si dimanche ou lundi, tu n'as rien reçu de moi... " »

— « C'est vrai. La piste que j'avais en vue n'a rien donné. Mais j'allais justement t'écrire de rester à Paris. »

Paris... Un trouble imprévu, et qu'il n'avait pas le loisir d'analyser, s'empara de Jacques. Avec une sorte d'abandon un peu lâche, comme s'il renonçait à quelque lutte, comme s'il se déchargeait sur autrui du poids d'une responsabilité il pensa brusquement : « Ce sont eux qui l'auront voulu. »

Meynestrel poursuivait :

— « Ça peut être commode, en ce moment, d'avoir quelqu'un là-bas. Les fiches que tu envoies ne sont pas inutiles. Ça donne la température d'un milieu que je connais mal. Observe ce qu'on fait à l'*Huma*, plus encore qu'à la C. G. T. : pour la C. G. T., nous avons d'autres sources... Les relations de Jaurès avec la social-démo, par exemple; et avec les Anglais. Son action, au quai d'Orsay, pour les rapports entre France et Russie... Enfin, je t'ai déjà dit tout ça... Tu es arrivé ce matin? Pas fatigué? »

— « Non. »

— « Tu es homme à repartir? »

— « Tout de suite? »

— « Ce soir. »

— « Si c'est nécessaire! Pour Paris? »

Meynestrel sourit :

— « Non. Un petit détour à faire : Bruxelles, Anvers... Richardley t'expliquera... » Il ajouta, à mi-voix : « Elle devait venir aussitôt après son repas! »

Richardley ferma l'indicateur qu'il était en train de consulter, et leva vers Jacques son museau pointu :

— « Tu as un train, ce soir, à 19 h 15, qui te met à Bâle vers 2 heures du matin, et à Bruxelles, demain, pour midi. De là, tu gagneras Anvers. Il faut que tu y sois, demain, mercredi, avant 3 heures du soir... Une mission qui demande quelques précautions, parce qu'il s'agit de rencontrer Kniabrowski, et qu'il est assez surveillé... Tu le connais? »

— « Kniabrowski? Oui, très bien. »

Avant de le rencontrer, Jacques avait entendu parler de lui dans tous les milieux révolutionnaires. Vladimir Kniabrowski achevait alors de purger sa peine dans les prisons russes. A peine libéré, il avait repris son rôle d'agitateur. Jacques l'avait vu cet hiver à Genève; et, avec l'aide de Zelawsky, il avait même traduit, pour des journaux suisses, des fragments du livre que Kniabrowski avait écrit pendant sa captivité.

— « Méfie-toi », dit Richardley : « il est complètement rasé, maintenant, et ça le change beaucoup, paraît-il. »

Debout, cambré, son perpétuel sourire sur ses lèvres minces, il enveloppait Jacques de son regard intelligent, trop assuré.

Meynestrel, les mains au dos, la mine soucieuse, allait et venait à travers l'étroite pièce, afin de rétablir la circulation dans sa jambe ankylosée. Brusquement, il se tourna vers Jacques :

— « A Paris, ils avaient follement confiance dans la modération de l'Autriche, n'est-ce pas? »

— « Oui. Hier, à *l'Huma*, on annonçait que la note autrichienne ne prévoit même pas de délai... »

Meynestrel fit un pas vers la croisée, regarda dans la cour, et revenant sur Jacques :

— « C'est à voir!... »

— « Ah?... » murmura Jacques. Un léger frisson lui

parcourut les membres, et un peu de sueur vint affleurer son front.

Richardley constata froidement :

— « Hosmèr avait vu clair. Les événements se précipitent. »

Il y eut un bref silence. Le Pilote avait recommencé ses allées et venues. Visiblement, il était nerveux. « Est-ce l'Autriche ? » se demanda Jacques. « Ou l'absence d'Alfreda ? »

— « Vaillant et Jaurès ont raison », dit-il. « Il faut que les gouvernements abandonnent tout espoir de faire accepter par les masses leur politique de guerre. Il faut les forcer à un arbitrage ! Par la menace de grève générale ! Vous avez vu que la motion avait été votée, il y a huit jours, avec une forte majorité, au congrès français. Tout le monde, d'ailleurs, est d'accord sur le principe. Mais, à Paris, on cherche le moyen de convaincre les Allemands, et d'obtenir qu'ils se prononcent aussi catégoriquement que nous. »

Richardley secoua la tête :

— « Peine perdue... Ils refuseront toujours. Leur argument, — le vieil argument de Plekhanoff, celui de Liebknecht, — est très fort : entre deux peuples inégalement socialisés, la grève mettrait la nation la plus socialisée à la merci de celle qui l'est le moins. C'est l'évidence. »

— « Les Allemands sont hypnotisés par le péril russe... »

— « Ça se comprend ! Ah ! dès que la Russie sera, socialement, assez évoluée pour qu'une grève simultanée soit possible dans les deux pays !... »

Jacques ne cédait pas :

— « D'abord, ce n'est plus tellement certain que la grève soit impossible en Russie : du moins, des grèves partielles, comme celles de Poutiloff, et qui, étendues à d'autres centres, pourraient tout de même gêner considérablement le parti militaire... Mais, laissons la Russie. Il y a un argument précis à opposer aux répugnances nationales des social-démocrates. C'est de leur dire : " L'ordre de grève générale, mécaniquement promulgué le jour de la mobilisation, serait un péril pour l'Allemagne. Soit. Mais la grève *préventive?* Celle que le socialisme déclencherait pendant la période de tension préliminaire, pendant la crise diplomatique, bien avant qu'il s'agisse de mobilisation? Or, la menace d'une telle perturbation dans la vie nationale, si cette menace était sérieuse, suffirait à obliger votre gouvernement à recourir à l'arbitrage... Devant cet argument, les objections allemandes devraient tomber. Et c'est, je crois, la plate-forme que le parti français va adopter à la réunion du bureau, à Bruxelles. " »

Debout devant sa table, la tête penchée vers ses paperasses, Meynestrel n'avait pas un instant paru s'intéresser au débat. Il se redressa et vint se planter entre Jacques et Richardley. Un malicieux sourire passa sur son visage :

— « Maintenant, mes enfants, décampez. J'ai du travail. Nous causerons après... Revenez tous les deux à quatre heures. » Il lança vers la fenêtre ouverte un regard presque anxieux : « Je ne comprends pas que Freda... » Puis, s'adressant à Richardley : « *Primo :* donner à Jacques toutes les précisions nécessaires pour la rencontre de Kniabrowski. *Secundo :* régler avec lui la question argent, car il restera peut-être deux ou trois semaines absent... »

Tout en parlant, il les poussait vers la porte, qu'il ferma derrière eux.

Sous l'écrasant soleil de ce bel après-midi, la ville d'Anvers grésillait comme une cité espagnole.

Avant de s'engager sur la chaussée, Jacques, clignant des paupières dans la fournaise, jeta un coup d'œil sur l'horloge de la gare : 3 h 10. Le train d'Amsterdam n'arrivait qu'à 3 h 23; mieux valait se montrer le moins possible à l'intérieur de la gare.

Tout en traversant l'avenue, il inspecta rapidement les gens attablés, en face, à la terrasse d'une brasserie. Rassuré sans doute, il avisa une table libre, à l'écart, et commanda de la bière. Malgré l'heure, la place était presque déserte. Les piétons, pour ne pas quitter le seul trottoir à l'ombre, faisaient tous le même détour, comme des fourmis. Des trams, venus de tous les points de la ville, traînant sous eux leur ombre noire, se croisaient au carrefour, et leurs roues brûlantes grinçaient sur la courbe des rails.

3 h 20. Jacques se leva et prit à gauche pour entrer dans la gare par la façade latérale. Peu de monde dans le hall. Un vieux Belge, débraillé, coiffé d'un képi, faisait, avec un arrosoir, des huits sur le dallage poussiéreux.

Là-haut, le train arrivait à quai.

Jacques, tout en lisant son journal, vint se placer au bas du grand escalier, à la sortie des voyageurs, et, sans dévisager personne, regarda distraitement les gens qui défilaient devant lui. Un homme d'une cinquantaine d'années, coiffé d'une casquette, passa; il était vêtu de toile grise, et portait sous le bras un paquet de journaux. Le flot s'écoulait vite. Bientôt il ne resta plus que des retardataires : quelques vieilles femmes qui peinaient à descendre les marches.

Alors, comme si la personne qu'il attendait n'était pas arrivée, Jacques fit demi-tour, et, d'un pas nonchalant, sortit de la gare. Seul, un policier habile et prévenu eût remarqué le coup d'œil qu'il jeta, par-dessus son épaule, avant de quitter le trottoir.

Il reprit l'avenue de Keyser jusqu'à l'avenue de France, parut hésiter, comme un touriste qui cherche le vent, tourna sur la droite, passa devant le Théâtre Lyrique, dont, un instant, il examina l'affiche, et pénétra sans hâte dans un des petits squares qui sont devant le Palais de Justice. Là, avisant un banc vide, il s'y laissa tomber et s'épongea le front.

Dans l'allée, une bande de gamins, insouciants de la chaleur, jouait à la balle. Jacques sortit de sa poche des journaux pliés qu'il déposa sur le banc, près de lui. Puis il alluma une cigarette. Et, comme la balle avait roulé à ses pieds, il la confisqua en riant. Les enfants l'entourèrent avec des cris. Il leur lança la balle, et se mit à jouer avec eux.

Quelques minutes après, à l'extrémité du banc, venait s'asseoir un autre promeneur. Il tenait à la main plusieurs journaux mal repliés. Un étranger, à coup sûr; un Slave, sans doute. La casquette, enfoncée, cachait le front. Le soleil faisait deux taches claires sur le méplat des pommettes. Le visage, imberbe, était d'un homme âgé : visage raviné, dévasté, énergique. Le teint hâlé, couleur de pain cuit, faisait une harmonie curieuse avec les yeux, dont l'ombre empêchait de distinguer la nuance exacte, mais qui étaient clairs, bleus ou gris, étrangement lumineux.

L'homme sortit de sa poche un petit cigare, et, se tournant vers Jacques, il toucha poliment sa visière. Pour allumer son cigare à la cigarette de Jacques, il dut se pencher, s'appuyer au banc avec la main qui tenait le paquet de journaux. Leurs yeux se croisèrent. L'homme se redressa, et remit les journaux sur ses genoux. Fort adroitement, il avait pris les journaux de son voisin, et laissé les siens sur le banc, près de Jacques, qui, négligemment, avait aussitôt posé la main dessus.

Les yeux au loin, sans remuer les lèvres, d'une voix à peine perceptible — cette voix de bois, cette voix de ventriloque, dont on apprend le secret dans les prisons — l'homme murmura :

— « L'enveloppe est dans les journaux... Il y a aussi les derniers numéros de la *Pravda*... »

Jacques n'avait pas bronché. Il continuait, le plus naturellement du monde, à s'amuser avec les enfants. Il jetait la balle au loin; les enfants s'élançaient; c'était une mêlée, une lutte joyeuse; le gagnant rapportait triomphalement la balle, et le jeu recommençait.

L'homme riait et paraissait, lui aussi, prendre plaisir à ce divertissement. Bientôt, ce fut à lui que les enfants donnaient la balle, parce qu'il la lançait plus fort que Jacques. Et, dès que les deux hommes se trouvaient seuls, Kniabrowski en profitait pour parler, sans desserrer les dents, par petites phrases hachées, avec une volubilité véhémente et sourde :

— « A Pétersbourg... Lundi, cent quarante mille grévistes... Cent quarante mille... Dans plusieurs quartiers, l'état de siège... Téléphones coupés, plus de tramways... Cavalerie de la garde... On a appelé quatre régiments complets, avec mitrailleuses... Des régiments de cosaques, des détachements de... »

Les enfants revenaient en trombe et entouraient le banc. Il escamota la fin de sa phrase dans un accès de toux.

— « Mais la police, les généraux, ne peuvent rien... », reprit-il, après avoir projeté la balle jusqu'au milieu de la pelouse. « Emeutes après émeutes... Le gouvernement avait distribué, pour Poincaré, des drapeaux français : les femmes en ont fait des drapeaux rouges. Charges à cheval, fusillades... J'ai vu une bataille dans le quartier Viborg... Terrible... Une autre, gare de Varsovie... Une autre, faubourg de Stagara-Derevnia... Une autre, en pleine nuit, dans les... »

Il se tut de nouveau, à cause des enfants. Et tout à coup, avec une sorte de tendresse avide, il saisit le plus petit d'entre eux, — un pâle blondin de quatre ou cinq ans, — le balança sur ses genoux, en riant, et lui planta un gros baiser sur la bouche; puis il reposa le bambin, tout interloqué, prit la balle, et la jeta.

— « Les grévistes n'ont pas d'armes... Des pavés, des bouteilles, des bidons de pétrole... Pour arrêter les charges ils foutent le feu aux maisons... J'ai vu brûler le pont Semsonievsky... Toute la nuit, partout, ça brûle... Des centaines de morts... Des centaines, des centaines d'arrestations... Tout le monde suspect... Nos journaux sont interdits depuis dimanche... Nos rédacteurs, en prison... C'est la révolution... Il était temps : sans la révolution, ce serait la guerre... Ton Poincaré, il a fait du mal, chez nous, beaucoup de mal... »

Le visage tourné vers la pelouse où se bousculaient les gamins, il croyait faire semblant de rire, mais il n'obtenait de ses lèvres qu'un rictus farouche.

— « Maintenant, je vais ! » fit-il sombrement. « Adieu ».

— « Oui », dit Jacques, dans un souffle. Bien que le lieu fût désert, il était inutile de prolonger la rencontre. Oppressé, il chuchota : « Tu retournes... là-bas ? »

Kniabrowski ne répondit pas tout de suite. Le buste incliné, les coudes sur les cuisses, les épaules lasses, il contemplait, entre ses chaussures, le sable de l'allée. Son corps détendu semblait céder à une défaillance. Jacques remarqua ces plis de résignation, — plus exactement de patience, — que la vie, à la longue, avait creusés de chaque côté de la bouche.

— « Oui, là-bas », fit-il, en soulevant le front. Son regard parcourut l'espace, le jardin, les façades lointaines, le ciel bleu, sans se poser nulle part, avec l'expression égarée et résolue d'un homme toujours prêt à toutes les folies. « Par mer... Hambourg... J'ai un moyen sûr de rentrer... Mais, là-bas, pour nous, tu sais, ça devient difficile... »

Il se mit debout, sans hâte :

— « Très difficile... »

Et, ramenant enfin son regard vers Jacques, il toucha poliment sa visière, comme un voisin de hasard qui prend congé. Leurs yeux échangèrent un adieu angoissé, fraternel.

— « *Vdobryi tchass* [1] ! » murmura-t-il, avant de s'éloigner.

Les gamins l'accompagnèrent, de leurs rires et de leurs cris, jusqu'à ce qu'il eût franchi la grille. Jacques l'avait suivi des yeux. Lorsque le Russe eut disparu, il glissa dans sa poche la liasse des journaux qui était restée sur le banc; et, se levant à son tour, il reprit paisiblement sa promenade.

Le soir même, ayant cousu dans la doublure de son veston l'enveloppe confiée par Kniabrowski, il reprenait à Bruxelles le train pour Paris.

Et, le lendemain, jeudi, dès la première heure, les documents secrets étaient remis à Chenavon, qui devait être le soir à Genève.

1. « Bonne chance! »

Ce jeudi-là, 23, de bonne heure, Jacques se réfugia au *Café du Progrès*, pour y lire les journaux; il s'installa dans la salle du bas, afin d'éviter la « parlote » de l'entresol.

Le compte rendu du procès de Mme Caillaux remplissait intégralement la première page de presque tous les quotidiens.

En seconde ou en troisième page, quelques journaux se décidaient à annoncer, en bref, que des usines s'étaient mises en grève, à Pétersbourg, mais que l'agitation ouvrière avait été enrayée aussitôt par une intervention énergique de la police. En revanche, des colonnes entières étaient consacrées aux fêtes offertes par le Tsar à M. Poincaré.

Quant au « différend » austro-serbe, la presse restait plutôt évasive. Une note, officielle sans doute et reproduite partout, précisait que, dans les sphères gouvernementales russes, on pensait généralement qu'une détente devait être assez vite obtenue par les voies diplomatiques; et la plupart des journaux affirmaient, avec courtoisie, leur confiance en l'Allemagne, qui, durant la crise balkanique, avait toujours su conseiller la modération à son alliée autrichienne.

Seule, *l'Action française* manifestait ouvertement son inquiétude. L'occasion était belle d'accuser, plus violemment que jamais, la faiblesse spécifique du gouvernement républicain en matière de politique extérieure, et de flétrir l'antipatriotisme des partis de gauche. Les socialistes étaient particulièrement visés. Non content de répéter, comme chaque jour depuis des années,

que Jaurès était un traître à la solde de l'Allemagne,
Charles Maurras, exaspéré par les vibrants appels au
pacifisme international que multipliait *l'Humanité*, semblait presque, aujourd'hui, désigner Jaurès au poignard
libérateur de quelque Charlotte Corday : *Nous ne vou-
drions déterminer personne à l'assassinat politique*, écrivait-il, avec une prudente audace. *Mais que M. Jaurès
soit pris de tremblement! Son article est capable de sugg-
rer à quelque énergumène le désir de résoudre par la méthode expérimentale la question de savoir si rien ne serait
changé à l'ordre invincible, dans le cas où le sort de M. Cal-
mette serait subi par M. Jean Jaurès.*

Cadieux, qui descendait, passa en coup de vent :

— « Tu ne montes pas? Ça discute ferme, là-haut...
C'est intéressant : il y a un Autrichien, en mission, le
camarade Bœhm, qui arrive de Vienne... Il dit que la
note autrichienne sera remise ce soir à Belgrade... aussitôt que Poincaré aura quitté Pétersbourg. »

— « Bœhm est à Paris? » fit Jacques, se levant aussitôt. Il était tout heureux à l'idée de revoir l'Autrichien.

Il monta le petit escalier en spirale, poussa la porte,
et aperçut, en effet, le camarade Bœhm, calmement
assis devant une chope de bière, son imperméable jaune
plié sur les genoux. Une quinzaine de militants l'entouraient, l'assaillaient de questions; il leur répondait,
avec méthode, en mâchant son éternel bout de cigare.

Il accueillit Jacques par un amical clignement d'œil,
comme s'il l'eût quitté la veille.

Les nouvelles qu'il apportait sur les dispositions belliqueuses de Vienne et sur l'effervescence de l'opinion
austro-hongroise paraissaient avoir soulevé une indignation et une inquiétude générales. L'éventualité d'un
ultimatum agressif adressé à la Serbie par l'Autriche
semblait, dans les circonstances actuelles, devoir amener des complications d'autant plus sérieuses qu'une
note préventive venait d'être communiquée à toutes les
chancelleries d'Europe par le président du Conseil serbe,
Pachitch, pour avertir les puissances qu'elles ne devaient
pas compter sur une trop complète passivité de la Ser-

bie, et que celle-ci était résolue à repousser toute exigence qui porterait atteinte à sa dignité.

Sans vouloir justifier le moins du monde la politique aventureuse de son pays, Bœhm essayait cependant d'expliquer l'exaspération de l'Autriche contre la Serbie (et contre la Russie), par suite des incessantes vexations que ce petit voisin turbulent, soutenu et excité par le colosse russe, infligeait à l'amour-propre national des Autrichiens :

— « Hosmer », dit-il, « m'a fait lecture d'une note diplomatique, confidentielle, qui a été écrite, il y a plusieurs années déjà, par Sazonov, le ministre de Pétersbourg, à son ambassadeur russe en Serbie. Sazonov fait mention, expressément, qu'un certain morceau du territoire d'Autriche a été promis aux Serbes par la Russie. C'est un document d'une grande importance », ajouta-t-il, « parce qu'il est la preuve comment la Serbie, — et la Russie derrière, — sont vraiment une menace perpétuelle contre la sécurité de l'Œsterreich! »

— « Toujours les méfaits de la politique capitaliste! » s'écria, au bout de la table, un vieil ouvrier, vêtu d'une cotte bleue. « Tous les gouvernements d'Europe, démocratiques ou non, avec leur diplomatie clandestine, sans contrôle populaire, sont les instruments de la finance internationale... Et, si, depuis quarante ans, l'Europe a évité la guerre générale, c'est simplement parce que les financiers préfèrent prolonger cette paix armée, dans laquelle les Etats s'endettent toujours davantage... Mais, le jour où la haute banque aura intérêt à ce que la guerre éclate!... »

Tous approuvèrent, bruyamment. Peu leur importait que cette interruption n'eût qu'un lointain rapport avec les questions précises traitées par Bœhm.

Un adolescent, que Jacques connaissait de vue, et dont il avait remarqué le regard attentif, fiévreux, le visage marqué par la tuberculose, sortit brusquement de son silence, pour citer, d'une voix creuse, un texte de Jaurès sur les dangers de la diplomatie secrète.

Profitant du brouhaha qui suivit, Jacques s'approcha de Bœhm, et prit rendez-vous pour déjeuner avec lui.

Après quoi, il s'esquiva, laissant l'Autrichien revenir à son exposé, avec cette même obstination patiente qu'il mettait à mâcher son cigare.

Le déjeuner avec Bœhm, plusieurs entretiens dans les bureaux de *l'Humanité*, quelques démarches urgentes que Richardley l'avait prié de faire dès son arrivée à Paris; puis, le soir, une réunion socialiste à Levallois, en l'honneur de Bœhm, — et où il eut l'occasion de prendre la parole pour dire ce qu'il savait des troubles de Pétersbourg, — occupèrent si bien l'esprit de Jacques au cours de cette première journée, qu'il n'eut guère le loisir de penser aux Fontanin. Deux ou trois fois, cependant, l'idée lui était venue de téléphoner à la clinique du boulevard Bineau, pour demander si Jérôme vivait toujours. Mais l'eût-on renseigné sans qu'il eût d'abord à donner son nom? Mieux valait s'abstenir. Il préférait ne pas révéler sa présence à Paris. Pourtant, le soir, rentré dans sa petite chambre du quai de la Tournelle, il dut s'avouer, avant de s'endormir, que, loin de lui laisser l'esprit libre, l'ignorance à laquelle il se condamnait l'obsédait plus encore que n'eussent fait des nouvelles précises.

Et, le vendredi matin, en s'éveillant, la tentation le prit de téléphoner à Antoine. « A quoi bon? Que m'importe? » se dit-il, tout en consultant sa montre : « Sept heures vingt... Si je veux l'atteindre avant son hôpital, je n'ai que le temps! » Et, sans tergiverser davantage, il sauta du lit.

Antoine fut tout surpris d'entendre la voix de son frère. Il lui apprit que M. de Fontanin s'était enfin décidé à mourir, cette nuit même, après trois jours d'agonie, et sans avoir repris connaissance. « L'enterrement aura lieu demain, samedi. Seras-tu encore à Paris?... Daniel », ajouta-t-il, « ne quitte pas la clinique : tu es sûr de le trouver à n'importe quel moment... » Antoine ne semblait pas mettre en doute que son frère eût le désir de revoir Daniel.

— « Viens-tu déjeuner avec moi? » proposa-t-il.

Jacques s'écarta de l'appareil avec un geste d'impatience, et raccrocha le récepteur.

Les journaux du 24 annonçaient, en quelques mots, la remise à la Serbie d'une « note » autrichienne. La plupart, d'ailleurs, — et ce devait être un ordre, — s'abstenaient de tout commentaire.

Jaurès avait consacré son article quotidien aux grèves russes. Le ton en était particulièrement grave :

Quel avertissement pour les puissances européennes! écrivait-il. *Partout, la révolution est à fleur de terre. Bien imprudent serait le Tsar, s'il déchaînait ou laissait déchaîner une guerre européenne! Bien imprudente aussi serait la monarchie austro-hongroise, si, cédant aux aveugles fureurs de son parti clérical et militaire, elle créait entre elle et la Serbie de l'irréparable!... La collection des souvenirs de voyage de M. Poincaré s'est enrichie d'une page troublante, marquée, par le sang des ouvriers russes, d'un tragique avertissement!*

Dans les bureaux de *l'Humanité*, aucun doute ne subsistait sur le ton de la note : elle avait bien le caractère d'une sommation, et le pire était à redouter. On attendait avec une certaine nervosité le retour de Jaurès : le Patron s'était brusquement décidé, ce matin, à faire une démarche personnelle au quai d'Orsay, auprès de M. Bienvenu-Martin, chargé de l'intérim en l'absence de M. Viviani.

Une certaine confusion régnait parmi les rédacteurs du journal. On se demandait anxieusement quelles allaient être les réactions européennes. Gallot, naturellement pessimiste, prétendait que les nouvelles venues cette nuit d'Allemagne et d'Italie faisaient craindre que, dans ces deux pays, l'opinion moyenne, la presse, et même une certaine fraction des partis de gauche, fussent plutôt favorables au geste autrichien. Stefany pensait, avec Jaurès, qu'à Berlin l'indignation des social-démocrates se manifesterait par des actes énergiques, appelés à avoir un grand retentissement, non seulement en Allemagne, mais hors des frontières allemandes.

À midi, les bureaux se vidèrent. C'était au tour de

Stefany d'assurer la permanence, et Jacques proposa de lui tenir compagnie, pour pouvoir jeter un coup d'œil sur le dossier relatif à la convocation du Bureau international, qui devait se réunir la semaine suivante, à Bruxelles. Tous fondaient de grands espoirs sur cette assemblée exceptionnelle. Stefany savait que Vaillant, Keir-Hardie et plusieurs autres chefs du Parti se proposaient de mettre à l'ordre du jour l'opportunité de la grève générale en cas de guerre. Quel accueil les socialistes étrangers, spécialement les Anglais et les Allemands, réservaient-ils à cette question fondamentale?

A une heure, Jaurès n'avait pas reparu : Jacques descendit pour aller prendre quelque chose au *Café du Croissant*. Peut-être le Patron y déjeunait-il?

Il n'y était pas.

Jacques cherchait un coin libre, lorsqu'il fut hélé par un jeune Allemand, Kirchenblatt, qu'il avait rencontré à Berlin et revu plusieurs fois à Genève. Kirchenblatt déjeunait avec un camarade, et insista pour que Jacques s'assît à leur table. Le camarade était aussi un Allemand, nommé Wachs; Jacques ne le connaissait pas.

Les deux hommes différaient curieusement. « Ils symbolisent assez bien deux types caractéristiques de l'Allemagne de l'Est », songea Jacques : « le *chef*, et... *l'autre!* »

Wachs était un ancien ouvrier métallurgiste. Il pouvait avoir quarante ans; des traits lourds, vaguement slaves, de larges pommettes, une bouche honnête, des yeux clairs, pleins de persévérance et de solennité. Il tenait ses grandes mains ouvertes, comme des outils prêts à servir. Il écoutait, approuvait d'un signe, mais parlait peu. Tout, en lui, révélait une âme sans troubles, le courage calme, l'endurance, le goût de la discipline, l'instinct de la fidélité.

Kirchenblatt était beaucoup plus jeune. L'ossature de sa tête, petite et ronde, dressée sur un cou mince, faisait penser à un crâne d'oiseau. Ses pommettes, contrairement à celles de Wachs, ne s'étalaient pas en largeur, mais formaient sous les yeux deux saillies

presque pointues. La physionomie, généralement sérieuse et attentive, s'animait parfois d'un sourire inquiétant : un sourire qui s'allongeait soudain aux coins des
lèvres, bridant les paupières, plissant les tempes, retrous-
sant les lèvres sur les dents; une flamme de sensualité,
un peu cruelle, s'allumait alors dans le regard. Certains
chiens-loups découvrent ainsi leurs crocs, quand ils
jouent. Il était originaire de la Prusse orientale, fils de
professeur; c'était un de ces Allemands cultivés, nietzs-
chéens, comme Jacques en avait beaucoup approché
dans les milieux politiques avancés d'Allemagne. Pour
eux, les lois n'existaient pas. Un sentiment particulier
de l'honneur, un certain romantisme chevaleresque, le
goût d'une vie affranchie et dangereuse, les unissaient en
une sorte de caste, très consciente de son aristocratie.
Révolté contre le régime social auquel il devait cependant sa formation intellectuelle, Kirchenblatt vivait en
bordure des partis révolutionnaires internationaux, trop
anarchiste de tempérament pour adhérer sans réserve
au socialisme, et rebuté, d'instinct, par les théories
démocratiques et égalitaires, autant que par les privi-
lèges féodaux qui survivaient dans l'Allemagne impé-
riale.

L'entretien, — en allemand, car Wachs comprenait
difficilement le français, — s'orienta d'emblée vers la
position de Berlin à l'égard de la politique autrichienne.
Kirchenblatt paraissait bien renseigné sur l'état d'esprit des hauts fonctionnaires de l'Empire. Il venait
d'apprendre que le frère du Kaiser, le prince Henri,
avait été dépêché à Londres en mission particulière
auprès du roi d'Angleterre : démarche officieuse qui, en
un pareil moment, semblait indiquer chez Guillaume II
un souci personnel de faire partager à George V ses
vues sur le différend austro-serbe.

— « Quelles vues? » dit Jacques. « C'est toute la
question... Quelle est la proportion du chantage, dans
l'attitude du gouvernement impérial? Trauttenbach,
que j'ai vu à Genève, prétend tenir de bonne source que,
personnellement, le Kaiser se refuse à envisager l'éventualité d'une guerre. Pourtant, il paraît impossible que

Vienne agisse avec tant d'audace sans s'être assuré le soutien de l'Allemagne. »

— « Oui », dit Kirchenblatt. « Il est bien probable, pour moi, que le Kaiser a accepté, et approuvé, le principe des revendications autrichiennes. Et même qu'il pousse Vienne à agir le plus vite possible, pour mettre au plus tôt l'Europe devant un fait accompli... Ce qui est, en somme, de l'excellent pacifisme... » Il sourit malicieusement : « Mais oui! Puisque c'est le meilleur moyen d'éviter une réaction russe! Précipiter la guerre austro-serbe, pour sauver la paix européenne!... » Brusquement, il redevint sérieux : « Mais il est évident aussi que le Kaiser, conseillé comme il l'est, a soupesé le risque : le risque d'un veto russe, le risque d'une guerre générale. Seulement, voilà : il doit évaluer ce risque à presque rien. A-t-il raison? Tout est là... » Les traits de son visage se crispèrent de nouveau en un sourire méphistophélique : « Je me représente en ce moment le Kaiser comme un joueur qui aurait un beau jeu en main, et, devant lui, des partenaires timides. Bien sûr, l'idée lui est venue qu'il pourrait perdre, par un coup de déveine. On peut toujours perdre... Mais, ma foi, les cartes sont bonnes : et comment pourrait-on craindre la déveine au point de renoncer à une belle partie? »

On sentait, au mordant de la voix, à la hardiesse du sourire, que Kirchenblatt savait, par expérience, ce que c'est que d'avoir un beau jeu en main, et de courir crânement sa chance.

XXIX

La mise en bière de Jérôme de Fontanin avait eu lieu
au lever du jour, comme il était d'usage à la clinique; et,
aussitôt après, le cercueil avait été transporté au fond
du jardin, dans le pavillon où l'administration autorisait
les malades morts à attendre leurs obsèques, aussi loin
que possible des malades vivants.

Mme de Fontanin, qui, durant la longue agonie de
son mari, n'avait presque pas quitté la chambre, s'était
installée dans l'étroite cellule en sous-sol où l'on avait
déposé le corps. Elle y était seule, Jenny venait de sortir : sa mère l'avait chargée d'aller prendre, avenue de
l'Observatoire, les vêtements noirs dont elles avaient
l'une et l'autre besoin pour la cérémonie du lendemain;
et Daniel, qui avait accompagné sa sœur jusqu'à la grille,
s'attardait à fumer une cigarette dans le jardin.

Assise à contre-jour sur une chaise de paille, au-des-
sous du soupirail qui éclairait le caveau, elle s'apprêtait
à passer là cette dernière journée. Ses yeux étaient fixés
sur la bière, qui reposait, nue, sur deux tréteaux noirs,
au centre de la pièce. La personnalité du défunt n'avait
plus d'autre signe extérieur que la cartouche de cuivre
gravé, où l'on pouvait lire :

JÉRÔME-ÉLIE DE FONTANIN
11 mai 1857-23 juillet 1914

Elle se sentait assurée et calme : sous la vigilance de
Dieu. La crise du premier soir, cet instant de défaillance
qu'excusait la soudaineté du drame, était passée. Il ne
demeurait plus en elle qu'un chagrin réfléchi et sans

aiguillon. Elle était habituée à vivre en contact confiant avec la Force qui règle la Vie Universelle, avec ce Tout, dans lequel chacun de nous doit résorber, un jour, sa forme éphémère; et devant la mort, elle n'éprouvait aucun effroi. Même jeune fille, devant le cadavre de son père, elle n'avait connu aucun sentiment d'horreur; elle n'avait pas un instant douté que la présence spirituelle de ce guide, qu'elle vénérait, lui serait conservée, après la destruction organique; et jamais, en effet, cet appui ne lui avait manqué; jamais — elle en avait encore eu la preuve cette semaine — le pasteur n'avait cessé d'être intimement mêlé à sa vie, à ses luttes; de présider à ses débats, d'inspirer ses résolutions...

Pareillement, aujourd'hui, elle ne pouvait concevoir la mort de Jérôme comme une fin. Rien ne meurt : tout se transforme, tout se renouvelle; les saisons succèdent aux saisons. Devant cette bière, à jamais scellée sur la matière périssable, elle éprouvait une exaltation mystique, analogue au sentiment qui s'emparait d'elle, chaque automne, lorsqu'elle voyait, dans son jardin de Maisons, les feuilles qu'elle avait vues poindre au printemps, se détacher, une à une, à leur heure, sans que leur arrachement compromît en rien la force secrète du tronc où résidait la sève, où se perpétuait l'Elan vital. La mort restait pour elle un phénomène de vie; et c'était participer humblement à la puissance de Dieu, que de considérer, sans terreur, cet inéluctable retour aux germinations éternelles.

A la fraîcheur sépulcrale du lieu, se mêlait l'odeur douce, un peu écœurante, des roses que Jenny avait placées sur le cercueil. Machinalement, Mme de Fontanin frottait les ongles de sa main droite dans la paume de sa main gauche. (Elle avait coutume, chaque matin, lorsqu'elle avait terminé sa toilette, de s'asseoir quelques minutes devant sa fenêtre, et, tout en polissant ses ongles, de faire, au seuil de la journée nouvelle, une courte méditation qu'elle appelait sa prière du matin; l'habitude avait créé en elle un lien réflexe entre le polissage de ses ongles et l'invocation à l'Esprit.)

Tant que Jérôme avait vécu, même éloigné d'elle,

elle avait secrètement conservé l'espoir que ce grand
amour éprouvé trouverait un jour sa récompense humaine; qu'un jour Jérôme lui reviendrait, repentant,
assagi; et qu'il leur serait peut-être accordé, à tous deux,
de finir leur vie l'un près de l'autre, dans l'oubli du
passé. Vaine attente, dont elle prenait conscience au
moment même où il lui fallait y renoncer pour jamais.
Toutefois, le souvenir des souffrances endurées restait
trop vif pour qu'elle ne ressentît pas quelque soulagement d'être délivrée de ces épreuves. La mort venait de
tarir l'unique source d'amertume qui, depuis tant d'années, empoisonnait son existence. C'était comme un
redressement involontaire après une longue servitude.
Sentiment tout humain et bien légitime, dont elle goû-
tait, sans s'en douter, la douceur. Elle en eût été confuse.
Mais l'aveuglement de sa foi l'empêchait de plonger
au fond de sa conscience un regard vraiment lucide.
Elle attribuait à la grâce spirituelle ce qui était l'effet du
plus instinctif égoïsme; elle remerciait Dieu de lui avoir
accordé la résignation et la paix du cœur; et elle pouvait ainsi s'abandonner sans remords à cet allégement.

Elle s'y abandonnait d'autant plus librement aujour-
d'hui, que ce jour de veillée funèbre n'était pour elle
qu'un répit provisoire avant des jours de fatigue et de
lutte : demain, samedi, l'enterrement, le retour chez
elle, le départ de Daniel. Puis, dès dimanche, commencerait pour elle la tâche urgente, ardue : sauver du
déshonneur le nom de ses enfants : aller sur place, à
Trieste et à Vienne, tirer au clair les affaires de son mari.
Elle n'avait encore averti ni Jenny ni Daniel. Prévoyant
l'opposition de son fils, elle préférait retarder l'heure
d'une discussion inutile; car sa décision était prise. Son
plan d'action lui avait été soufflé par l'Esprit. Elle n'en
pouvait douter, rien qu'à sentir en elle, devant ce projet
téméraire, une excitation psychique qu'elle connaissait
bien, une sorte d'entrain surnaturel et impérieux, qui
attestait la volonté divine... Dimanche si possible, lundi,
au plus tard, elle partirait pour l'Autriche : elle y resterait quinze jours, trois semaines, tout le mois d'août si
c'était nécessaire; elle demanderait audience au juge

rapporteur; elle discuterait, pied à pied, avec les admi-
nistrateurs de l'entreprise en faillite... Elle ne doutait
pas de réussir : à condition d'aller là-bas, d'agir par sa
présence, par son influence directe. (Et, en cela, son
instinct ne la trompait pas : bien des fois déjà, en des
circonstances difficiles, elle avait pu constater son pouvoir. Mais, naturellement, l'idée ne l'effleurait même pas
d'attribuer ce pouvoir à une séduction personnelle :
elle n'y voyait rien d'autre qu'une merveilleuse action
de Dieu : le rayonnement, à travers elle, d'un dessein
providentiel.)

A Vienne, elle avait aussi une démarche délicate à
faire : elle voulait connaître cette Wilhelmine dont elle
avait trouvé, dans les valises de Jérôme, quelques lettres,
puériles et tendres, qui l'avaient émue...

Ce n'est qu'après lui avoir fermé les yeux, qu'elle
avait consenti à inventorier les bagages de Jérôme. Elle
s'y était décidée la nuit précédente, choisissant l'heure
où elle était sûre d'être seule, afin de dérober jusqu'au
bout au contrôle des enfants les secrets de leur père.
Le plus long avait été de rassembler les papiers : ils
étaient dispersés au hasard, parmi les effets. Une heure
durant, elle avait touché de ses mains ces objets intimes,
luxueux et misérables, que Jérôme laissait derrière lui
comme les épaves d'un naufrage; ce linge de soie élimé,
ces vêtements de bonne coupe, usés jusqu'à la trame,
d'où s'élevait encore le parfum acidulé et frais, — la-
vande, vétiver, citronnelle — auquel Jérôme était fidèle,
depuis trente ans, et qui était pour elle aussi troublant
qu'une caresse... Des factures non payées traînaient
jusque dans le casier aux chaussures, jusque dans le
sac de toilette : anciens relevés de comptes de banquiers
et de confiseurs, de bottiers et de fleuristes, de bijou-
tiers et de médecins; notes imprévues : celle d'un pédi-
cure chinois de New-Bond street; celle d'un maroquinier
de la rue de la Paix, pour un nécessaire en vermeil qui
n'avait jamais été réglé. Un reçu du Mont-de-Piété de
Trieste témoignait du dépôt, pour un prix dérisoire,
d'une perle de cravate et d'une pelisse à col de loutre.
Dans un portefeuille chiffré d'une couronne de comte,

les photographies de Mme de Fontanin, de Daniel, de Jenny, voisinaient avec celles, dédicacées, d'une chanteuse viennoise. Enfin, parmi des brochures allemandes, illustrées de gravures licencieuses, Mme de Fontanin avait eu la surprise de découvrir une bible de poche, sur papier pelure, et fort usagée... Elle ne voulait se souvenir que de cette petite bible... Combien de fois, au cours d'une de ces « explications » déchirantes, où Jérôme excellait à excuser son inconduite, s'était-il écrié : « Vous me jugez trop sévèrement, Amie... Je ne suis pas si mauvais que vous pensez!... » C'était vrai. L'Esprit seul connaît le secret de chaque être. L'Esprit seul sait à travers quels détours, et pour quelles fins nécessaires, les créatures cheminent vers leur perfection...

Le regard de Mme de Fontanin, embué de larmes, demeurait fixé sur la bière, où déjà s'effeuillaient les roses.

« Non », disait-elle, du fond de son cœur, « non, tu n'étais pas foncièrement livré au mal... »

Elle fut tirée de sa méditation par l'entrée de Nicole Héquet, accompagnée de Daniel.

Nicole était éblouissante; sa robe de deuil avivait encore sa carnation. L'éclat de ses yeux, ses sourcils levés, son visage naturellement tendu en avant, lui donnaient toujours l'air d'accourir, d'apporter sa jeunesse en offrande. Elle se pencha pour embrasser sa tante; et Mme de Fontanin lui fut reconnaissante de ne pas troubler le silence par des paroles conventionnelles. Puis Nicole s'approcha du cercueil. Quelques minutes, elle se tint droite, les bras allongés, les doigts joints. Mme de Fontanin l'observa. Priait-elle? Evoquait-elle les souvenirs de son passé, ce passé d'enfant honteuse, où l'oncle Jérôme avait tenu tant de place?... Enfin, après quelques instants de cette immobilité énigmatique, la jeune femme revint vers sa tante, l'embrassa de nouveau sur le front, et sortit de la pièce, suivie de Daniel, qui, tout ce temps, était demeuré debout derrière sa mère.

Quand ils furent dans le couloir, Nicole s'arrêta pour demander :

— « A quelle heure, demain? »

— « Nous partirons d'ici à onze heures. Le convoi ira directement au cimetière. »

Ils se trouvaient seuls, à l'entrée du pavillon, dans l'ombre du vestibule. Devant eux s'étendait le jardin ensoleillé, peuplé de convalescents en peignoirs clairs, étendus au bord des pelouses. L'après-midi était chaud, glorieux; dans l'air immobile, l'été semblait installé, pour toujours.

Daniel expliquait :

— « Le pasteur Gregory fera une courte prière sur la tombe. Maman n'a voulu aucun service. »

Nicole écoutait, songeuse.

— « Comme elle est bien, tante Thérèse », murmura-t-elle. « Si courageuse, si calme... Parfaite, comme toujours... »

Il la remercia d'un sourire amical. Elle n'avait plus ses yeux d'enfant; mais ses prunelles bleues avaient gardé leur exceptionnelle limpidité, et cette expression de douceur indolente qui le bouleversait jadis.

— « Depuis si longtemps que je ne t'ai vue! », dit-il. « Au moins, Nico, es-tu heureuse? »

Le regard de la jeune femme, posé au loin sur les verdures, eut tout un voyage à faire pour revenir jusqu'à Daniel; ses traits prirent une expression douloureuse; il crut qu'elle allait fondre en larmes.

— « Je sais... », balbutia-t-il. « Toi aussi, ma pauvre Nico, tu as eu ta part de chagrins... »

Il remarqua seulement alors combien elle avait changé. Le bas du visage s'était épaissi. Sous le fard discret, sous la roseur factice des joues, transparaissait un masque légèrement défraîchi, usé.

— « Pourtant, Nico, tu es jeune, tu as la vie devant toi! Il faut que tu sois heureuse! »

— « Heureuse? » répéta-t-elle, avec un mouvement d'épaules incertain.

Il la regardait, étonné.

— « Mais oui, heureuse. Pourquoi non? »

Le regard de la jeune femme se perdait de nouveau dans la lumière du jardin. Elle dit, après un bref silence, sans tourner les yeux :

— « C'est étrange, la vie... Tu ne trouves pas? A vingt-cinq ans, je me sens déjà si vieille... » Elle hésita : « ...si seule... »

— « Si seule? »

— « Oui », fit-elle, le regard toujours au loin. « Ma mère, le passé, ma jeunesse, tout ça est loin, loin... Pas d'enfant... Et jamais plus, c'est fini : jamais je ne pourrai avoir d'enfant... »

L'accent était doux, sans désespoir.

— « Tu as ton mari... », hasarda Daniel.

— « Mon mari, oui... Nous nous aimons d'une affection profonde, solide... Il est intelligent, il est bon... Il fait tout ce qu'il peut pour me rendre la vie bonne. »

Daniel se taisait.

Elle fit un pas pour atteindre la muraille, s'y adosser; et elle reprit, sans élever le ton, avec un léger redressement de la nuque, comme si elle se décidait à tout dire, simplement, sans avoir peur des mots :

— « Mais quoi? Malgré tout, tu sais, nous n'avons pas grand-chose de commun, Félix et moi... Il est de treize ans mon aîné; il ne m'a jamais traitée en égale... D'ailleurs, il a pour toutes les femmes ce sentiment paternel, un peu condescendant, qu'il a pour les malades... »

Le souvenir de Héquet se dressa devant Daniel. Héquet, avec ses tempes grises, striées de petites rides, son regard fin de myope, ses manières discrètes, précises, inflexibles. Pourquoi avait-il épousé Nicole? Comme on cueille au passage un fruit savoureux? Ou plutôt, pour mettre dans sa vie laborieuse un peu de cette jeunesse, de cette grâce naturelle, dont sans doute il avait toujours été privé?

— « Et puis », continuait Nicole, « il a sa vie, sa vie de chirurgien. Tu sais ce que c'est : il appartient aux autres, du matin au soir... La plupart du temps, il ne prend pas ses repas aux mêmes heures que moi... D'ailleurs, ça vaut presque mieux : quand nous sommes ensemble, nous n'avons pas grand-chose à nous dire, rien à partager, pas un goût qui soit le même, pas un souvenir d'autrefois, rien... Oh! jamais de discussion, jamais la moindre mésentente!... » Elle rit : « D'abord, moi,

dès qu'il exprime un désir, n'importe lequel, je dis
oui... Je veux d'avance tout ce qu'il veut... » Elle ne
riait plus. Elle prononça, avec une étrange lenteur :
« Tout m'est tellement égal! »

Elle s'était insensiblement détachée du mur et mise
en marche. Elle descendait distraitement le petit per-
ron. Daniel la suivait sans rien dire. Elle se tourna
spontanément vers lui et sourit :

— « Que je te raconte! » fit-elle. « Cet hiver, il a fait
faire de nouvelles bibliothèques pour le petit salon, et
il a décidé de vendre un secrétaire d'acajou, qu'il ne
savait plus où mettre. C'était un meuble qui venait de
ma mère; mais ça m'était indifférent : je n'ai rien à
moi, je ne tiens à rien. Seulement, ce secrétaire, il a
fallu le vider. Il était plein de paperasses que je n'avais
jamais regardées : toute une correspondance de mes
parents, d'anciens livres de comptes, de vieilles lettres
de grand-mère, des faire-part, des lettres d'amis... Tout
le passé, la rue de Rennes, Royat, Biarritz... Un tas
de vieilles choses, de vieilles histoires oubliées, de vieilles
gens qui sont morts... J'ai tout lu, ligne à ligne, avant
d'y mettre le feu... J'ai pleuré quinze jours là-dessus... »
Elle rit de nouveau : « Quinze jours... délicieux!...
Félix ne s'est douté de rien. Il n'aurait pas compris.
Il ignore tout de moi, de mon enfance, de mes souvenirs... »

Ils avançaient sans hâte à travers le jardin. Elle baissa
la voix, en passant devant des malades :

— « Le présent, ça va encore... C'est l'avenir qui me
fait peur, quelquefois... Tu comprends, aujourd'hui,
chacun de nous a ses occupations : lui, il a son hôpital, ses rendez-vous, sa clientèle; moi, j'ai toujours des
courses, des visites à faire; et puis, j'ai repris mon vio-
lon, je fais un peu de musique avec des amies; le soir,
nous dînons en ville, plusieurs fois par semaine : dans
la situation de Félix, il y a toute une vie mondaine
qu'il faut bien entretenir... Mais plus tard? Quand il
n'exercera plus? Quand nous ne sortirons plus le soir?
C'est ça qui me fait peur... Qu'est-ce que nous devien-
drons, quand nous serons un vieux ménage, et qu'il

faudra bien rester l'un en face de l'autre, des soirées entières, au coin d'un feu? »

— « C'est affreux, ce que tu dis là, ma pauvre Nico », murmura Daniel.

Elle partit d'un vif éclat de rire, qui était comme un réveil inattendu de sa jeunesse.

— « Tu es bête! » dit-elle. « Je ne me plains pas. C'est la vie : voilà tout. Elle n'est pas meilleure pour les autres. Au contraire. Je suis parmi les plus heureuses... Seulement, voilà : quand on est petite, on s'imagine des choses... on croit qu'on vivra un conte de fées... »

Ils approchaient de la grille.

— « Ça m'a fait plaisir de te voir », dit-elle. « Tu es superbe, dans ton uniforme!... Quand auras-tu fini ton service? »

— « En octobre. »

— « Déjà? »

Il rit :

— « Le temps t'a paru court, à toi! »

Elle s'était arrêtée. Des taches de soleil tremblaient sur sa chair, faisaient briller ses dents, et donnaient, par place, à ses cheveux, des transparences d'écaille blonde.

— « Au revoir », fit-elle, en lui tendant fraternellement la main. « Tu diras bien à Jenny que je suis navrée de ne pas l'avoir vue... Et puis, l'hiver prochain, quand tu seras réinstallé à Paris, il faudra de temps en temps venir me faire une visite... Une visite de charité... Nous bavarderons, nous jouerons aux vieux amis, nous remuerons des souvenirs... C'est curieux comme, en vieillissant, je me rattache à tout le passé... Tu viendras? C'est promis? »

Il plongea un instant son regard dans les beaux yeux, un peu trop grands, un peu trop ronds, mais d'une eau si pure :

— « C'est promis », dit-il presque gravement.

XXX

C'était la première fois, depuis dimanche, que Jenny mettait le pied hors de la clinique : à peine, chaque jour, avait-elle fait, avec Daniel, une brève promenade au jardin. Dans ce voisinage de la mort, si neuf pour elle, elle avait vécu ces quatre interminables journées comme une ombre parmi des vivants : tout ce qui se faisait autour d'elle lui paraissait incohérent, étranger. Aussi, dès que son frère l'eut mise en voiture, dès qu'elle se vit seule dans le boulevard ensoleillé, elle ne put se défendre d'un sentiment de délivrance. Mais cette impression ne dura qu'un instant. Avant même que l'auto eût atteint la porte Champerret, elle avait senti renaître ce trouble profond et vague qui la rongeait depuis quatre jours. Et même il lui parut que ce trouble, libéré de la contrainte que lui imposait, à la clinique, la présence d'autrui, prenait dans cette solitude soudaine une redoutable intensité.

Il était une heure quand le taxi la déposa devant sa porte.

Elle écouta autant qu'elle put les questions et les condoléances de la concierge, et monta vite à l'appartement.

Tout y était en désordre. Les portes béaient, comme après une fuite. Dans la chambre de Mme de Fontanin, les vêtements sur le lit, les chaussures à terre, les tiroirs ouverts, éveillaient l'idée d'un cambriolage. Sur le guéridon où les deux femmes, privées depuis deux ans de toute servante, prenaient leur rapide repas, s'étalaient encore les restes du dîner interrompu. Il fallait ranger tout cela ; il fallait que, le lendemain, au retour du cimetière, sa mère n'eût pas la tristesse de retrouver, dans ce sinistre chaos, un souvenir trop précis des atroces minutes qu'elle avait vécues dimanche soir.

Oppressée, ne sachant par quoi commencer sa besogne, Jenny gagna sa chambre. Sans doute avait-elle oublié, en partant, de fermer la fenêtre, une averse, la veille, avait trempé le parquet; un coup de vent avait éparpillé des lettres sur le petit bureau, renversé un vase, effeuillé des fleurs.

Debout, elle contemplait ce gâchis, et retirait lentement ses gants. Elle cherchait à se ressaisir. Sa mère lui avait donné des instructions détaillées. Elle devait prendre une clef dans un secrétaire, ouvrir, au fond de l'appartement, la chambre de débarras, fouiller dans la penderie, remuer des caisses, des malles, trouver un certain carton vert, qui contenait deux châles de deuil et des voiles de crêpe. Machinalement, elle décrocha la blouse qui lui servait, le matin, à faire le ménage, et se mit en tenue de travail. Mais ses forces la trahirent, et elle dut s'asseoir au bord de son lit. Le silence de l'appartement s'appesantissait sur ses épaules.

« Qu'ai-je donc à être si fatiguée? » se demanda-t-elle hypocritement.

La semaine précédente, elle allait et venait, à travers ces mêmes pièces, légèrement portée par la vie. Une semaine — pas même : quatre jours — avaient-ils suffi à détruire un équilibre si chèrement reconquis?

Elle demeurait assise, tassée, un poids sur la nuque. Pleurer l'eût soulagée. Mais ce remède des faibles lui avait toujours été refusé. Même lorsqu'elle était encore une enfant, ses chagrins étaient sans larmes, rétractés, arides... Son regard sec, après avoir erré sur les papiers épars, les meubles, les bibelots de la cheminée, s'était fixé sur la glace, attiré, absorbé par le reflet aveuglant du grand jour extérieur. Et, soudain, dans le miroitement, surgit, une seconde, l'image de Jacques. Elle se leva précipitamment, ferma les volets, la fenêtre, ramassa les lettres, les fleurs, et sortit dans le couloir.

L'atmosphère de la chambre de débarras était suffocante. La chaleur y épaississait l'odeur recuite des lai-

nages, de la poussière, du camphre, des vieux journaux
rissolés par le soleil. Elle fit l'effort de grimper sur un
escabeau pour ouvrir la fenêtre. Elle fit l'effort de grimper sur un
une lumière blessante inonda le réduit, accusant la tristesse, la laideur des objets entassés là : bagages vides,
literies inutilisées, lampes à pétrole, livres de classe,
cartons couverts de flocons gris et de mouches mortes.
Pour dégager le coin où s'empilaient les malles, elle dut
saisir à bras-le-corps un mannequin rembourré que
coiffait un antique abat-jour, dont les volants pailletés
étaient retroussés par des bouquets de violettes en étoffe;
et elle s'attendrit, une seconde, sur ce prétentieux édifice
qu'elle avait vu, toute son enfance, trôner sur le piano
du salon. Puis elle se mit courageusement à l'ouvrage,
ouvrant les coffres, fouillant les casiers, replaçant avec
soin les sachets de naphtaline dont la senteur poivrée lui
brûlait les narines et lui tournait le cœur. En nage, sans
force, luttant néanmoins contre cette langueur qui
l'humiliait, elle s'appliquait avec une volonté têtue, à
cette tâche qui, du moins, la délivrait de ses pensées.

Mais, à l'improviste, comme une flèche de lumière
qui perce la brume, une idée, précise sous sa formule
confuse, l'atteignit au point le plus sensible, et l'arrêta
net : « Rien n'est jamais perdu... *Tout est toujours possible...* » Oui, malgré tout, elle était jeune, elle avait
devant elle une longue vie inconnue : une vie! une
source inépuisable de *possibilités!*...

Ce qu'elle découvrait, sous ces banalités, était si
nouveau, si dangereux, qu'elle en demeura étourdie.
Elle venait brusquement de comprendre que si, après
l'abandon de Jacques, elle avait pu guérir et reprendre
la maîtrise de soi, c'était seulement parce qu'elle avait
eu la chance, en ce temps-là, de pouvoir écarter jusqu'au
plus fugitif espoir.

« Recommencerais-je à *espérer?* »

La réponse fut si affirmative, qu'elle se mit à trembler,
et dut appuyer son épaule au montant de la penderie.
Elle demeura plusieurs minutes immobile, les paupières
baissées, dans un état de stupéfaction léthargique qui la
rendait presque insensible. Des visions de rêve se suc-

cédaient dans son cerveau : Jacques, à Maisons, après la
partie de tennis, assis auprès d'elle sur le banc; et elle
voyait distinctement les fines gouttelettes de sueur qui
humectaient les tempes... Jacques, seul avec elle sur la
route de la forêt, près du garage où ils venaient de voir
écraser le vieux chien; et elle entendait sa voix angoissée :
« Vous pensez souvent à la mort?... » Jacques, à la petite
porte du jardin, lorsqu'il avait effleuré de ses lèvres
l'ombre de Jenny sur le mur baigné de lune; et elle
entendait son pas fuir sur l'herbe, dans la nuit...

Elle restait debout, adossée, frissonnante, malgré la
chaleur. Un incroyable silence s'était fait en elle. Les
bruits de la ville, par la haute fenêtre, lui parvenaient
de loin, d'un autre monde. Comment éteindre maintenant cette soif insensée d'être heureuse que la rencontre de Jacques avait, depuis quatre jours, rallumée?
C'était une nouvelle maladie qui commençait, et qui
allait durer, durer, elle le sentait bien... Cette fois, elle
ne parviendrait plus à guérir, parce qu'*elle ne désirerait
plus la guérison*...

Le plus dur, c'était d'être seule, toujours seule. Daniel?
Il avait été plein d'attentions pour elle, pendant ces
jours de vie commune, à Neuilly. Ce matin encore,
pendant le repas qu'ils prenaient ensemble à la table
d'hôte de la clinique, frappé peut-être par l'air absent
de Jenny, il lui avait pris la main, et il avait dit à mi-voix,
sans sourire : « Quoi donc, petite sœur? » Elle avait
secoué la tête, évasivement, et retiré sa main... Ah!
ç'avait toujours été une souffrance, de l'aimer tant, ce
grand frère, et de n'avoir jamais trouvé rien à lui dire,
rien qui pût faire tomber une bonne fois ces cloisons
que la vie, que leurs natures, que leur fraternité peut-
être, élevaient entre eux! Non. Elle n'avait personne à
qui se confier. Personne, jamais, ne l'avait écoutée,
comprise. Personne, jamais, ne pourrait la comprendre...
Personne? *Lui*, peut-être... Un jour?... Au fond d'elle,
une voix tendre et secrète murmura : « Mon Jacques... »
Son front s'empourpra.

Elle se sentait défaillante, courbatue. Un peu d'eau
fraîche lui ferait du bien...

Avec des pas précautionneux d'aveugle, s'appuyant d'une main aux murs, elle gagna la cuisine. L'eau de l'évier lui parut glacée. Elle y trempa ses mains, se tamponna le front, les yeux. Ses forces revenaient. Encore un peu de patience... Elle ouvrit la croisée et posa ses coudes sur l'appui. Une buée ensoleillée, qui semblait faite d'une vibration de molécules, dansait sur les toits. Dans la gare du Luxembourg, une locomotive siffla éperdument. Que de fois, ces dernières semaines, par des après-midi pareils, tandis que chauffait l'eau du thé, elle s'était accoudée là, presque gaie, un refrain aux lèvres!... Elle eut alors vers la Jenny de ce dernier printemps, vers cette demi-sœur convalescente et apaisée, un élan nostalgique. « Où puiser le courage de vivre demain, après-demain, tous ces jours à venir? » se demanda-t-elle, à mi-voix. Mais ces mots qui lui venaient à l'esprit n'exprimaient qu'une pensée conventionnelle, et ne traduisaient pas la vérité secrète de son cœur. Elle acceptait de souffrir, depuis qu'elle avait retrouvé l'espérance... Et, subitement, elle qui ne souriait jamais, elle sentit, elle vit aussi nettement que si elle eût été devant quelque miroir, un sourire hésitant se dessiner sur ses lèvres.

A plusieurs reprises, au cours de la matinée, et même pendant son déjeuner avec les deux Allemands, Jacques s'était demandé : « Irai-je voir Daniel? » Et, chaque fois, il s'était répondu : « Mais non. Pourquoi irais-je? »

Cependant, vers trois heures, comme il sortait du restaurant avec Kirchenblatt, et traversait la place de la Bourse, brusquement, en passant devant le métro, il réfléchit : « La réunion de Vaugirard n'est qu'à cinq heures... *Si j'avais voulu* aller à Neuilly, ça serait bien le moment... » Il s'était arrêté, perplexe : « Au moins, quand ce sera fait, je n'y penserai plus... » Et, sans hésiter, il quitta l'Allemand pour s'engouffrer dans l'escalier du souterrain.

Boulevard Bineau, à la porte de la clinique, il reconnut Victor, le chauffeur de son frère, qui grillait une cigarette devant l'auto, au bord du trottoir. « J'aime autant ça », se dit-il, à la pensée qu'Antoine assisterait à l'entretien.

Mais comme il s'engageait dans le jardin, il vit son frère venir à lui.

— « Si tu étais arrivé plus tôt, je t'aurais ramené dans Paris. Mais, je suis pressé... Veux-tu dîner avec moi, ce soir? Non? Quand? »

Jacques éluda les questions :

— « Comment dois-je opérer pour voir Daniel? pour le voir... seul. »

— « Très facile... Mme de Fontanin ne quitte pas le caveau, et Jenny est absente. »

— « Absente? »

— « Tu vois ce toit gris, derrière les arbres? C'est le

pavillon où l'on dépose les morts. Daniel y est. Le gardien ira le prévenir. »

— « Jenny n'est pas à la clinique? »

— « Non. Sa mère l'a envoyée chercher des choses, avenue de l'Observatoire... Es-tu pour longtemps à Paris?... Alors, tu me téléphoneras?... »

Il franchit la grille, et disparut dans l'auto.

Jacques continua sa route vers le pavillon. Soudain, son pas se ralentit. Un projet insensé venait de germer dans son cerveau... Il pivota sur lui-même, revint à la grille, et héla un taxi :

— « Vite », fit-il d'une voix rauque, « avenue de l'Observatoire! »

Il regardait obstinément les arbres, les passants, les véhicules que sa voiture croisait. Il se refusait à penser. Il sentait bien que s'il s'accordait une minute de réflexion, il ne commettrait pas cet acte extravagant qu'une force secrète lui ordonnait d'accomplir, sans délai. Qu'allait-il faire là-bas? Il n'en savait rien. *Se justifier!* Cesser d'être celui qui a tous les torts! Il fallait en finir, en finir une bonne fois, par une explication!

Il se fit arrêter aux grilles du Luxembourg, et acheva le trajet à pied, presque courant, s'obligeant à ne pas lever les yeux vers ce balcon, vers ces fenêtres que, tant de fois, jadis, il était venu contempler, de loin. Il entra d'un saut dans la maison, et passa comme une flèche devant la loge, de peur de se heurter à une consigne donnée par Jenny.

Rien n'était changé. L'escalier, qu'il avait si souvent grimpé, en bavardant, avec Daniel... Daniel, en culotte, avec ses livres sous le bras... Le palier où Mme de Fontanin lui était apparue pour la première fois, le soir du retour de Marseille, lorsqu'elle s'était penchée, d'en haut, vers les deux fugitifs, sans autre reproche que son sourire grave... Rien n'était changé, rien, pas même le timbre de l'appartement, dont l'écho se répercuta jusqu'au fond de sa mémoire...

Elle allait apparaître. Qu'allait-il lui dire?

Le poing crispé sur la rampe, le buste incliné, il écoutait... Aucun bruit derrière la porte; aucun pas... Que faisait-elle?

Il patienta quelques minutes et, de nouveau, plus timidement, il sonna.

Même silence.

Alors il redescendit avec précipitation jusqu'à la loge :

— « Mlle Jenny est chez elle, n'est-ce pas? »

— « Non... Monsieur sait que le pauvre M. de Fontanin... »

— « Oui. Et je sais aussi que Mademoiselle est là-haut. J'ai un mot urgent pour elle... »

— « Mademoiselle est venue, en effet, après le déjeuner, mais elle est repartie. Il y a au moins un quart d'heure. »

— « Ah! » fit-il. « Elle est repartie? »

Hébété, il regardait la vieille femme, fixement. Il n'aurait su définir ce qu'il éprouvait : un grand soulagement? une cuisante déception?

La réunion de Vaugirard n'était qu'à cinq heures. Irait-il, seulement? Il n'en avait plus aucune envie. Pour la première fois, quelque chose — quelque chose de personnel, — s'interposait confusément entre lui et sa vie de militant.

Brusquement, il prit un parti. Il retournerait à Neuilly. Pour peu que Jenny eût des courses à faire, il arriverait avant elle, il l'attendrait devant la grille, et... Projet absurde, plein de risques... Mais, tout, plutôt que de rester sur cette défaite!

Il avait compté sans le hasard. Comme il descendait du tram, devant la clinique, hésitant sur ce qu'il allait faire, quelqu'un, derrière lui, cria :

— « Jacques! »

Daniel, qui attendait le tram sur l'autre trottoir, l'avait aperçu et traversait la chaussée, stupéfait :

— « Toi? Tu es donc encore à Paris? »

— « Revenu d'hier », balbutia Jacques. « Antoine m'a appris la nouvelle... »

— « Il est mort sans avoir repris connaissance », dit Daniel, brièvement.

Il semblait encore plus embarrassé que Jacques;
contrarié, même.

— « J'ai un rendez-vous que je ne peux absolument
pas remettre », murmura-t-il. « J'ai offert à Ludwigson de lui vendre quelques toiles, parce que nous avons
besoin d'argent; et il doit venir aujourd'hui à mon
atelier... Si j'avais pu me douter que tu viendrais me
voir... Comment faire? Est-ce que tu ne m'accompagne-
rais pas? Dans mon atelier, nous serions bien tranquilles
pour causer, en attendant Ludwigson... »

— « Si tu veux », dit Jacques, renonçant d'un coup à
tout ce qu'il avait projeté.

Daniel eut un sourire de reconnaissance.

— « Nous pouvons faire un bout de chemin à pied.
Aux fortifs, nous prendrons un taxi. »

Le boulevard ouvrait devant eux sa large perspective,
resplendissante de lumière. Le trottoir ombragé se prê-
tait à la marche. Daniel était magnifique et ridicule,
avec ce casque étincelant, et cette crinière flottante; son
sabre lui battait les jambes, heurtait les éperons, ryth-
mait son pas d'un cliquetis martial. Jacques, hanté par
l'idée de la guerre, écoutait distraitement les explications de son ami. Il faillit l'interrompre, lui saisir le
bras, lui crier : « Mais malheureux, tu ne vois donc
pas ce qu'on te prépare!... » Une idée atroce lui traversa
l'esprit et l'arrêta net : si, par impossible, la résistance
de l'Internationale ne parvenait pas à sauver la paix,
ce beau dragon, en avant-garde sur la frontière lorraine,
serait tué le premier jour... Son cœur se serra, et les
mots qu'il voulait dire lui restèrent dans la gorge.

Daniel continuait :

— « Ludwigson m'a dit : " Vers cinq heures. " Mais
j'ai besoin de faire un choix, avant qu'il arrive... Tu
comprends, il faut bien que je me débrouille : mon
père ne nous laisse que des dettes. »

Il rit bizarrement. Ce rire, sa loquacité, cette voix
tremblante et brusque — tout, en lui, témoignait d'une
nervosité qui ne lui était pas habituelle, et dont les
causes, ce soir, étaient multiples : la surprise de revoir
Jacques, le souvenir amer de leur première rencontre,

le besoin de retrouver le ton de leurs causeries d'autrefois, de ranimer par ces libres confidences la confiance de son silencieux compagnon; et aussi le plaisir d'être dehors, la griserie de cette belle journée, de cette promenade à deux, après ces quatre jours de claustration dans l'attente de la mort.

Jacques avait si peu conscience de posséder quelque part, à son nom, une fortune sans emploi, que pas une seconde l'idée ne lui vint qu'il pourrait aider son ami. L'autre, d'ailleurs, n'y avait pas songé davantage, sans quoi il n'eût soufflé mot de ses difficultés.

— « Des dettes... Et un nom compromis », poursuivit Daniel, sombrement. « Jusqu'au bout, il aura empoisonné notre existence!... J'ai ouvert, ce matin, une lettre d'Angleterre, à son adresse; la lettre d'une femme à laquelle il avait promis de l'argent... Il faisait la navette entre Londres et Vienne, et il entretenait un ménage aux deux bouts de la ligne, comme un garçon de sleeping... Oh! » ajouta-t-il vivement, « ses frasques, je m'en fiche! C'est tout le reste qui est abominable. »

Jacques hocha la tête, évasivement.

— « Ça t'étonne que je dise ça? » reprit Daniel. « J'en veux terriblement à mon père. Mais pas du tout pour ses histoires de femmes. Non! Je dirais presque : au contraire... C'est bizarre, n'est-ce pas? Il est mort sans que nous ayons jamais eu sensemble le moindre abandon, le moindre échange. Mais, si jamais quelque intimité avait été possible entre nous, ç'aurait été sur cet unique terrain-là : les femmes, l'amour... C'est peut-être parce que je suis pareil à lui », reprit-il, sourdement : « tout pareil : incapable de résister à mes entraînements; incapable même d'en avoir du remords. » Il hésita, avant d'ajouter : « Tu n'es pas comme ça, toi? »

Jacques aussi, depuis quatre ans, avait plus ou moins cédé à ses « entraînements »; mais jamais sans remords. A son insu, dans un coin peut-être mal aéré de sa conscience, subsistait quelque chose de cette distinction puérile entre le « pur » et l' « impur », qu'il faisait si souvent, jadis, au cours de ses discussions avec Daniel.

— « Non », dit-il. « Moi, je n'ai jamais eu ce courage... Le courage de s'accepter tel qu'on est. »

— « Est-ce du courage ? De la faiblesse peut-être... Ou de la fatuité... Ou tout ce que tu voudras... Je crois que, pour certaines natures, comme la mienne, courir de désir en désir, c'est vraiment le régime normal, nécessaire, le rythme de vie qui leur est particulier. Ne jamais se refuser à ce qui s'offre ! » formula-t-il, sur un ton véhément, comme s'il répétait quelque serment intérieur.

« Il a de la chance d'être beau », se dit Jacques, en caressant du regard le profil mâle, volontaire, qui se découpait sous la visière du casque. « Pour parler du désir avec cette assurance, il faut être " irrésistible ", il faut avoir l'habitude d'éveiller soi-même le désir... Peut-être aussi faut-il avoir d'autres expériences que les miennes... » Il songea qu'il avait pris ses premières leçons amoureuses entre les bras de la blonde Lisbeth, la petite Alsacienne sentimentale, la nièce de la mère Frühling. Daniel, lui, avait eu, plus jeune, la révélation du plaisir, dans le lit de cette fille experte qui l'avait recueilli, une nuit, à Marseille. Ces deux initiations, si différentes, les avaient peut-être marqués pour toujours ? « Est-on vraiment " orienté " par sa première aventure ? » se demanda-t-il. « Ou bien, au contraire, cette première aventure est-elle commandée par des lois secrètes, auxquelles on sera soumis toute sa vie ? »

Comme s'il avait deviné le tour des pensées de Jacques, Daniel s'écria :

— « Nous avons une déplorable tendance à compliquer ces questions-là. L'amour ? Affaire de santé, mon vieux : de santé physique et morale. Pour moi, j'accepte sans réserve la définition de Iago, tu te souviens ? *It is merely a lust of the blood and a permission of the will...* Oui, l'amour c'est ça, et il ne faut pas en faire autre chose que ça : une poussée de sève... Iago dit bien : " un bouillonnement du sang, avec consentement de la volonté... ". »

— « Tu as toujours ta manie de citer des textes anglais », observa Jacques en souriant. Il n'avait aucune

envie de disputer sur l'amour... Il regarda sa montre.
A l'*Humanité*, les dépêches des agences ne parvenaient
pas avant quatre heures et demie ou cinq heures...

Daniel vit le geste.

— « Oh! nous avons le temps », dit-il, « mais nous
causerons mieux chez moi. »

Et il héla un taxi.

Dans la voiture, comme Daniel, pour entretenir la
conversation, continuait à parler de lui, de ses bonnes
fortunes à Lunéville, à Nancy, et vantait le charme des
aventures sans lendemain :

— « Tu me regardes?... » fit-il, gêné tout à coup. « Tu
me laisses bavarder... A quoi penses-tu? »

Jacques tressaillit. Il fut tenté, une fois de plus,
d'aborder avec Daniel les questions qui l'obsédaient.
Cependant, cette fois encore, il se déroba :

— « A quoi je pense?... Mais... à tout ça! »

Et, pendant le silence qui suivit, chacun d'eux, le
cœur lourd, se demanda si l'image qu'il avait conservée
de l'autre correspondait encore à une réalité.

— « Vous prendrez la rue de Seine », cria Daniel au
chauffeur. Puis, se tournant vers Jacques : « J'y pense :
tu ne connais pas mon installation? »

Cet atelier, que Daniel avait loué l'année qui avait
précédé son service (et dont Ludwigson payait le loyer,
sous l'aimable prétexte que Daniel y conservait les archives de leur revue d'art), était au dernier étage d'un
ancien immeuble à hautes fenêtres, dans le fond d'une
cour pavée.

L'escalier de pierre était obscur, affaissé par endroits,
odorant et vétuste; mais large et orné d'une rampe de
fer ouvragé. La porte de l'atelier, percée d'un guichet
de prison, s'ouvrait à l'aide d'une clef pesante, que
Daniel avait prise chez la concierge.

Jacques, suivant son ami, pénétra dans une vaste
pièce mansardée qu'éclairait, à plein ciel, une verrière
poussiéreuse. Tandis que Daniel s'affairait, Jacques,
curieusement, examinait les aîtres. Les parois de l'atelier étaient d'un gris beige uniforme, sans aucune note

de couleur. Deux réduits entresolés, cachés par des rideaux à demi tirés, trouaient le mur du fond : l'un,
peint en blanc, était transformé en cabinet de toilette;
l'autre, tapissé de rouge pompéien, et entièrement occupé
par un grand lit bas, formait alcôve. Dans un angle,
des tréteaux portaient une table d'architecte, chargée
de livres, d'albums, de revues empilées; au-dessus, pendait un réflecteur vert. Sous des housses que Daniel
retirait hâtivement, s'entassaient plusieurs chevalets à
roulettes, et quelques sièges disparates. Contre le mur,
dans de profonds casiers en bois blanc, se dissimulaient
des châssis et des cartons, dont on n'apercevait que les
tranches alignées.

Daniel fit rouler jusqu'à Jacques un fauteuil de cuir
râpé.

— « Assieds-toi... Je me lave les mains. »

Jacques se laissa tomber sur les ressorts gémissants.
Les yeux levés vers la baie, il regardait le paysage des
toits, baignés de chaude lumière. Il reconnut la cou-
pole de l'Institut, les flèches de Saint-Germain-des-
Prés, les tours de Saint-Sulpice.

Il se retourna vers le cabinet de toilette, et aperçut
Daniel dans l'entrebâillement des rideaux. Le jeune
homme avait troqué sa tunique contre la veste bleutée
d'un pyjama. Il était assis devant le miroir, et passait,
avec un sourire attentif, ses paumes, sur ses cheveux.
Jacques fut surpris, comme s'il avait découvert un secret. Daniel était beau, mais il avait si peu l'air de le
savoir, il portait son profil de médaille avec une simplicité si virile, que Jacques n'avait jamais imaginé son
ami complaisamment attardé devant la glace. Brusquement, comme Daniel revenait vers lui, il pensa à Jenny
avec une émotion intense. Le frère et la sœur ne se
ressemblaient pas; cependant, ils tenaient tous deux de
leur père une certaine finesse de structure, une même
souplesse allongée, qui donnaient une indéniable parenté
à leur démarche.

Il se leva vivement, et se dirigea vers les casiers où
étaient les châssis :

— « Non », dit Daniel en s'approchant. « Ça, c'est

le coin des vieilleries... 1911... Tout ce que j'ai peint cette année-là est fait de réminiscences... Tu connais ce mot terrible, qui est, je crois, de Whistler parlant de Burne-Jones : " Ça *ressemble* à quelque chose qui *serait* très bien?... " Regarde plutôt ça », fit-il, en tirant à lui plusieurs toiles représentant toutes, à quelques détails près, le même nu. « Ça, c'était juste avant mon service... Ces études-là sont de celles qui m'ont le plus aidé à comprendre... »

Jacques crut que Daniel n'avait pas achevé sa phrase.

— « A comprendre quoi? »

— « Eh bien, ça... Ce dos-là, ces épaules-là... Je crois très important de choisir une chose solide, comme cette épaule, ce dos, et de travailler dessus, jusqu'à ce qu'on commence à entrevoir la vérité... cette vérité simple, qui se dégage des choses solides, éternelles... Je crois qu'un certain effort d'application, d'approfondissement, finit par livrer un secret... la solution de tout... une espèce de clef de l'univers... Ainsi, cette épaule, ce dos... »

Cette épaule, ce dos... Jacques pensait à l'Europe, à la guerre.

— « Tout ce que j'ai appris », poursuivit Daniel, « je l'ai toujours tiré de l'étude tenace d'un même modèle... Pourquoi changer? On obtient bien davantage de soi, quand on s'obstine à revenir sans cesse au même point de départ; quand il faut, chaque fois, recommencer, et aller plus loin, dans un même sens... Si j'avais été romancier, je crois que, au lieu de changer de personnages à chaque livre nouveau, je me serais accroché aux mêmes, indéfiniment, pour creuser... »

Jacques se taisait, hostile. Combien lui apparaissaient artificiels, inutiles, inactuels, ces problèmes d'esthétique!... Il ne parvenait plus à comprendre le but d'une existence comme celle de Daniel. Il se demanda : « Comment le jugerait-on, à Genève? » Il eut honte de son ami.

Daniel soulevait ses toiles, une à une, les tournait vers la lumière, leur jetait, à travers ses paupières plissées, un rapide coup d'œil, puis il les remettait en place. De temps à autre, il en posait une, à l'écart, au pied du chevalet le plus proche : « Pour Ludwigson. »

Il haussa les épaules et marmonna entre ses dents :

— « Au fond, le don, ça n'est presque rien, — tout en étant indispensable!... C'est le travail qui importe. Sans travail, le talent n'est qu'un feu d'artifice; ça éblouit un instant, mais il n'en reste rien. » Comme à regret, il mit coup sur coup trois châssis de côté, et soupira : « Il faudrait pouvoir ne rien *leur* vendre, jamais. Et, toute sa vie, travailler, travailler. »

Jacques, qui continuait à l'observer, constata :

— « Tu aimes toujours aussi profondément ton art? »

L'intonation marquait une surprise un peu dédaigneuse, que Daniel perçut.

— « Que veux-tu? » fit-il sur un ton conciliant. « Tout le monde n'est pas doué pour l'action. »

Par prudence, il dissimulait sa véritable pensée. Il estimait qu'il y a déjà, par le monde, bien assez d'hommes d'action pour les bienfaits que l'humanité en tire; et que, dans l'intérêt même de la collectivité, ceux qui, par chance, comme lui, comme Jacques, pouvaient cultiver leurs dons et devenir des artistes, devaient laisser le domaine de l'action à ceux qui n'en ont pas d'autre. A ses yeux, sans nul doute, Jacques avait trahi sa mission naturelle. Et, dans l'attitude réticente, irritée, de son compagnon de jeunesse, il croyait trouver une confirmation de son jugement : l'indice d'une secrète insatisfaction; le regret de ceux qui ont confusément conscience de ne pas accomplir leur destinée, et qui cachent orgueilleusement, sous des dehors de bravoure, de mépris, le sentiment inavoué de leur défection.

Les traits de Jacques étaient devenus durs.

— « Vois-tu, Daniel », reprit-il, en baissant la tête — ce qui étouffait sa voix, — « tu vis enfermé dans ton œuvre, comme si tu ne savais rien des hommes... »

Daniel posa l'étude qu'il tenait à la main.

— « Des hommes? »

— « Les hommes sont des bêtes malheureuses », poursuivit Jacques . « des bêtes martyrisées... Tant qu'on détourne les yeux de cette souffrance, peut-être que

l'on peut continuer à vivre comme tu vis. Mais, quand
une fois on a pris contact avec la misère universelle,
alors, mener la vie d'un artiste, non, ça n'est plus,
absolument plus, possible... Comprends-tu ? »

— « Oui », fit lentement Daniel. Et, s'approchant de
la verrière, il s'attarda quelques instants à contempler
l'horizon des toits.

« Oui », songeait-il, « il a raison, bien sûr... La misère...
Mais qu'y peut-on ? Tout est désespérant... Tout, sauf,
justement, l'art ! » Et, plus que jamais, il se sentait atta-
ché à ce merveilleux refuge où il avait eu le privilège de
pouvoir installer sa vie. « Pourquoi prendrais-je sur mon
dos les péchés et les malheurs du monde ? Je paralyse-
rais ma force créatrice, j'étoufferais mes dons, sans
profit pour personne. Je ne suis pas né apôtre... Et puis
— mettons que je sois un monstre — mais, moi, j'ai
toujours eu la ferme volonté d'*être heureux !* » C'était vrai.
Depuis l'enfance, il s'appliquait à défendre son bonheur,
envers et contre tous ; avec ce sentiment, peut-être naïf,
mais très raisonné, que tel était le principal de ses
devoirs envers lui-même. Devoir difficile, d'ailleurs,
et qui exigeait une constante attention : pour peu que
l'homme se laisse aller à la pente, c'est tout aussitôt du
malheur qu'il fabrique... Or, la condition première de
son bonheur, c'était son indépendance ; et il savait bien
qu'on ne se donne pas à une cause collective, sans avoir
d'abord à faire le sacrifice de sa liberté... Mais il ne
pouvait faire cet aveu à Jacques. Il devait se taire, et
accepter cette condamnation dédaigneuse qu'il venait
de lire dans les yeux de son ami.

Il se retourna, et, s'approchant de Jacques, il le regarda quelques secondes avec une attention interrogative :

— « Tu as beau dire que tu es heureux », fit-il enfin
(Jacques n'avait jamais rien dit de semblable), « comme,
au contraire, tu parais... triste... tourmenté !... »

Jacques se redressa. Cette fois, il allait parler ! Il semblait avoir pris soudain une décision longtemps différée ; et l'expression de son regard était si grave que Daniel
le considéra, interdit.

Un vigoureux coup de sonnette ébranla l'air et les fit sursauter.

— « Ludwigson », souffla Daniel.

« Tant mieux », pensa Jacques. « A quoi bon?... »

— « Ce ne sera pas long; reste! » murmura Daniel. « Ensuite, je te reconduirai... »

Jacques refusa d'un signe de tête.

Daniel supplia :

— « Tu ne vas pas t'en aller? »

— « Si. »

Son visage était de bois.

Daniel, une seconde, le regarda avec désespoir. Puis, sentant toute insistance vaine, il fit un geste découragé, et courut ouvrir la porte.

Ludwigson portait un complet de Côte d'Azur, très ajusté, en tussor crème, sur lequel la rosette tirait l'œil. Sa tête massive, qui semblait sculptée dans une pâte blafarde et gélatineuse, reposait sur le double pli du cou, très à l'aise dans un col bas. Le crâne était pointu; les yeux, un peu bridés; les pommettes plates. La bouche, lippue et longue, faisait penser à un piège.

Il s'attendait évidemment à discuter les prix tête à tête, et s'étonna imperceptiblement de la présence d'un tiers. Cependant, il s'avança courtoisement vers Jacques, qu'il avait reconnu d'emblée bien qu'il ne l'eût rencontré qu'une fois.

— « Charr'mé », fit-il, en roulant l'*r*. « J'ai eu le plaisir de causer avec vous, il y a quatre ans, pendant un entracte, aux Ballets russes. N'est-ce pas? Vous prépariez l'Ecole Normale? »

— « En effet », dit Jacques. « Vous avez une admirable mémoire. »

— « J'en conviens », dit Ludwigson. Il baissa ses paupières de batracien, et, comme s'il prenait plaisir à confirmer sur-le-champ l'éloge de Jacques, il se tourna vers Daniel : « C'est votre ami M. Thibault qui m'a appris que, dans l'ancienne Grèce, — à Thèbes, si je me souviens bien, — ceux qui voulaient obtenir une magistrature, devaient n'avoir fait aucun négoce pendant dix ans au moins... Etrange, n'est-ce pas? Je ne l'ai

jamais oublié... Vous m'avez appris encore, ce soir-là »,
ajouta-t-il, en se tournant cette fois vers Jacques « que,
en France, sous notre ancien régime, pour avoir le droit
de porter son titre, il fallait posséder, depuis au moins
vingt ans, ses — comment disait-on? — ses quartiers
nobles, n'est-ce pas?... » Il conclut, en s'inclinant avec
grâce : « J'ai plaisir, infiniment, à converser avec les
gens instruits... »

Jacques sourit. Puis, brusquant son départ, il prit
congé de Ludwigson.

— « Alors », balbutia Daniel, en le suivant jusqu'à la
porte, « bien vrai, tu ne veux pas attendre? »

— « Impossible. Je suis déjà en retard... »

Il évitait de regarder son ami. L'atroce vision lui étreignait de nouveau le cœur : Daniel en première ligne...

Gênés par la présence de Ludwigson, ils échangèrent
une poignée de main machinale.

Jacques ouvrit lui-même la lourde porte, murmura :
« Au revoir », et s'élança dans l'escalier obscur.

Sur le trottoir, il s'arrêta, respira un grand coup, et
regarda l'heure. La réunion de Vaugirard était terminée
depuis longtemps.

Il avait faim. Il entra dans une boulangerie, prit deux
croissants, une tablette de chocolat, et partit à pied vers
la Bourse.

XXXII

Ce soir-là, vendredi 24 juillet, à *l'Humanité*, dans les bureaux de Gallot et de Stefany, les conversations étaient pessimistes. Tous ceux qui avaient approché le Patron se montraient assez inquiets. En Bourse, une panique subite avait fait tomber le 3 % français à 80, et même, un moment, à 78 francs. Depuis 1871, jamais la rente n'avait connu un cours aussi bas. Et les dépêches allemandes annonçaient une panique parallèle à la Bourse de Berlin.

Jaurès était retourné, l'après-midi, au quai d'Orsay. Il en était revenu fort soucieux. Il avait travaillé, sans voir personne, enfermé dans son bureau. Son article du lendemain était prêt; on n'en connaissait encore que le titre, mais ce titre en disait long : *Suprême chance de paix*. Il avait dit à Stefany : « La note autrichienne est effroyablement dure. A se demander si Vienne n'a pas voulu, en brusquant l'attaque, rendre impossible toute action préventive des puissances... »

Tout, en effet, semblait avoir été diaboliquement combiné pour provoquer en Europe le pire désarroi. Les chefs responsables du gouvernement français étaient absents jusqu'au 31; ils avaient dû apprendre la nouvelle en mer, entre la Russie et la Suède, et ne pouvaient se concerter aisément, ni avec les autres ministres français, ni avec les gouvernements alliés. (Berchtold avait fait en sorte que le Tsar ne prît connaissance de la note qu'après le départ du Président; sans doute avait-il craint que les conseils de Poincaré ne fussent pas de conciliation.) Le Kaiser, lui aussi, était en mer; et, gêné par son éloignement, ne pouvait pas, même s'il l'eût voulu, donner immédiatement à François-Joseph des avis de modération. D'autre part, les grèves russes, en pleine virulence, paralysaient la liberté d'action des dirigeants russes; de même que la guerre civile en Irlande paralysait celle de l'Angleterre. Enfin le gouvernement serbe se trouvait, ces jours-ci, dans le branle-bas des élections : la plupart des ministres voyageaient en province pour leur campagne électorale; Pachitch, le président du Conseil, n'était même pas à Belgrade lors de la remise de la note autrichienne.

Sur cette note, on commençait à avoir des précisions. Le texte, présenté la veille au gouvernement serbe, avait été communiqué aujourd'hui aux puissances. Malgré les assurances conciliantes données à plusieurs reprises par l'Autriche (Berchtold avait affirmé aux ambassadeurs russe et français que les réclamations seraient *des plus acceptables*), la note avait nettement le caractère d'un ultimatum, puisque le gouvernement de Vienne exigeait l'acceptation totale de ses conditions, et qu'il avait fixé un délai pour la réponse; — délai invraisemblablement court : quarante-huit heures! — pour empêcher sans doute une intervention des puissances en faveur de la Serbie. Un renseignement secret, recueilli au ministère des Affaires étrangères d'Autriche, et qu'un socialiste viennois, envoyé par Hosmer, avait apporté à Jaurès, légitimait toutes les inquiétudes : le baron de Giesl, l'ambassadeur autrichien à Belgrade, aurait d'ores et déjà reçu, en même temps que l'ordre de remettre la note, l'instruction formelle de rompre les relations diplomatiques et de quitter immédiatement la Serbie, au cas probable où, le lendemain, samedi, à six heures du soir, le gouvernement serbe n'aurait pas accepté, sans discussion, les exigences autrichiennes. Instruction qui laissait penser que l'ultimatum avait été volontairement rédigé sous une forme offensante, inacceptable, pour permettre à Vienne de précipiter la déclaration de guerre. D'autres informations confirmaient ces hypothèses pessimistes. Le chef d'Etat-Major Hötzendorf avait, sur dépêche, interrompu ses vacances dans le Tyrol pour regagner précipitamment la capitale autrichienne. L'am-

bassadeur d'Allemagne en France, M. de Schœn, en
congé à Berchtesgaden, venait de rentrer brusquement
à Paris. Le comte Berchtold, après avoir conféré avec
l'Empereur à Ischl, avait fait un détour par Salzburg,
pour y rencontrer le chancelier allemand Bethmann-
Hollweg.

Tout concourait donc à donner l'impression d'une
vaste machination, savamment réglée. Quelle part y
avait prise l'Allemagne? Les germanophiles rejetaient
la faute sur les Russes, et expliquaient l'attitude des
Allemands par ce fait que l'Allemagne avait soudainement appris les inquiétants desseins du panslavisme, et
l'importance des préparatifs militaires déjà commencés
en Russie. A Berlin, le mot d'ordre, dans les sphères
gouvernementales, était de prétendre que, jusqu'à ce
jour, les dirigeants allemands ignoraient tout des exigences autrichiennes, et n'en avaient eu connaissance
que par la communication faite à toutes les autres puissances. Jagow, le secrétaire d'Etat à la Wilhelmstrasse,
l'avait affirmé, disait-on, à l'ambassadeur d'Angleterre.
Mais on croyait savoir que le texte avait été communiqué à Berlin depuis au moins deux jours.

Fallait-il en conclure que l'Allemagne appuyait formellement l'Autriche, et désirait la guerre? Trauttenbach, qui venait de Berlin, et que Jacques avait retrouvé
ce soir dans le bureau de Stefany, s'élevait contre cette
déduction trop simpliste. L'attitude de l'Allemagne
s'expliquait, selon lui, par ce fait que les milieux militaires de Berlin croyaient encore à l'impréparation russe.
Si leur calcul était juste, si, par suite de la passivité
forcée de la Russie, le risque d'un conflit général était
nul, les empires germaniques pouvaient tout se permettre : ils gagnaient à coup sûr. Le tout était d'agir
avec force et rapidité. Il fallait que les troupes autrichiennes fussent à Belgrade avant que les puissances
de la Triple Entente eussent le temps d'intervenir, ou
même de délibérer. L'Allemagne, alors, entrerait en
scène : innocente de toute connivence, de toute préméditation, elle offrirait sa médiation pour localiser le
conflit et le résoudre par des négociations dont elle

prendrait l'initiative. L'Europe, afin de sauver la paix, s'empresserait d'accepter l'arbitrage allemand, et sacrifierait, sans grand débat, les intérêts de la Serbie. Grâce à l'Allemagne, tout rentrerait donc dans l'ordre, et la partie se solderait au profit des empires germaniques : le régime de la Double Monarchie se trouverait pour longtemps consolidé, et la Triplice enregistrerait un triomphe diplomatique sans précédent. Ces suppositions, relatives au plan secret de l'Allemagne, étaient confirmées par certaines confidences recueillies dans l'entourage de l'ambassade italienne à Berlin.

Stefany, ayant été appelé auprès du Patron, Jacques emmena Trauttenbach au *Progrès*.

La petite salle était houleuse. Les journaux du soir, les nouvelles apportées par les rédacteurs de *l'Humanité*, éveillaient des commentaires contradictoires et passionnés.

Vers neuf heures, un courant optimiste traversa l'atmosphère. Pagès venait de passer quelques minutes avec le Patron. Il l'avait trouvé moins inquiet. Jaurès lui avait dit : « A quelque chose malheur est bon... Le geste de l'Autriche va obliger les peuples d'Europe à secouer leur torpeur. » D'autre part, les dernières dépêches apportaient maintes preuves de l'activité de l'Internationale. Les partis belge, italien, allemand, autrichien, anglais, russe, étaient en liaison constante avec le parti français et s'apprêtaient à une manifestation générale de grande envergure. On venait justement de recevoir des précisions encourageantes, envoyées par le Parti socialiste allemand qui se portait en quelque sorte garant des intentions pacifiques de son gouvernement : ni Bethmann, ni Jagow, et moins encore le Kaiser, affirmaient les social-démocrates, n'accepteraient d'être entraînés dans une guerre : on pouvait donc compter sur une intervention énergique et efficace de l'Allemagne.

De Russie parvenaient aussi des nouvelles réconfortantes. Au reçu de la note autrichienne, un conseil des ministres, réuni en hâte sous la présidence du Tsar, avait décidé une démarche immédiate et pressante auprès du gouvernement autrichien, pour obtenir une pro-

longation du délai imposé à la Serbie. Cette demande
adroite, qui réservait le fond du procès et visait seulement la question secondaire du délai, ne semblait pas
devoir être repoussée par Vienne. Or, une prolongation,
fût-elle de deux ou trois jours, assurait aux diplomaties
européennes le temps de se mettre d'accord pour une
ligne d'action commune. Déjà, d'ailleurs, sans perdre
de temps, les Affaires étrangères de Russie avaient en-
tamé, avec les divers ambassadeurs accrédités à Pétersbourg, des conversations précises qui ne pouvaient
manquer de porter fruit. Presque en même temps, un
télégramme de Londres vint confirmer ces premières
espérances. Sir Edward Grey, le ministre des Affaires
étrangères, avait pris l'initiative d'appuyer de toute son
autorité la démarche russe pour la prolongation du
délai. De plus, il préparait en hâte un projet de médiation, auquel il voulait associer l'Allemagne, l'Italie, la
France et l'Angleterre, — les quatre grandes puissances
non intéressées directement au conflit. Projet mesuré,
qui ne risquait pas d'être rejeté, puisque, à la table de
cette assemblée arbitrale, les partenaires se trouveraient
en camps égaux : d'un côté l'Allemagne et l'Italie, pour
défendre les intérêts autrichiens; de l'autre, la France
et l'Angleterre, pour représenter les intérêts serbes et
slaves.

Mais, à partir de onze heures, de fâcheux présages
assombrirent de nouveau l'horizon. Le bruit se répandit
d'abord que, si l'Allemagne avait accepté le projet de
sir Edward Grey, elle l'avait fait en termes fort réti-
cents, qui semblaient annoncer qu'elle ne joindrait pas
franchement son action médiatrice à celle des autres
puissances. Puis, on apprit, non sans émoi, par Marc
Levoir, qui revenait du quai d'Orsay, que l'Autriche,
contre toute attente, refusait net à la Russie la prolongation du délai : ce qui apparaissait soudain comme
un aveu de sa volonté d'agression.

Vers une heure du matin, la plupart des militants
étant partis, Jacques revint à *l'Humanité*.

Dans la salle d'entrée, Gallot reconduisait deux députés socialistes qui sortaient du bureau de Jaurès. Ils

apportaient un renseignement confidentiel et inquiétant :
aujourd'hui même, tandis que toutes les chancelleries
comptaient sur l'intervention apaisante de Berlin, M. de
Schœn, ambassadeur d'Allemagne, qui venait de rentrer à Paris, s'était présenté au quai d'Orsay pour
lire à M. Bienvenu-Martin, ministre intérimaire, une
déclaration de son gouvernement; et ce document inattendu avait la sécheresse d'un avertissement, — voire
d'une menace. L'Allemagne y déclarait cyniquement
qu'elle « approuvait dans le *fond* et dans la *forme* » la
note autrichienne; elle laissait entendre que la diplomatie européenne n'avait pas à s'en occuper; elle déclarait
que le conflit devait demeurer localisé entre l'Autriche
et la Serbie; et qu' « aucune *tierce puissance* » ne devait
intervenir dans le débat; « sans quoi, il y aurait à redouter *les conséquences les plus graves* ». Ce qui signifiait
nettement : « Nous sommes décidés à soutenir l'Autriche;
si la Russie intervenait en faveur de la Serbie, nous
serions forcés de mobiliser; et, le système des alliances
jouant automatiquement, France et Russie se trouveraient devant l'éventualité d'une guerre avec la Triplice. » Cette démarche de Schœn semblait révéler
soudain, de la part de l'impérialisme allemand, une
attitude partiale, agressive, et une volonté d'intimidation
qui étaient certes de mauvais augure. Quelle allait être
la réaction française devant cette semi-provocation?

Gallot et Jacques étaient restés dans la salle d'entrée,
et Jacques allait partir, lorsqu'une porte s'ouvrit brusquement. Jaurès parut, le front brillant de sueur, son
canotier en arrière, les épaules rondes, l'œil tapi sous
les sourcils. Son bras court serrait contre son flanc une
serviette gonflée de paperasses. Il jeta sur les deux hommes
un regard absent, répondit machinalement à leur salut,
traversa la pièce d'un pas lourd, et disparut.

XXXIII

Mme de Fontanin et Daniel avaient passé la nuit sur deux chaises voisines, auprès du cercueil. Jenny, sur les instances de son frère, avait été prendre quelques heures de repos.

Lorsque, vers sept heures du matin, la jeune fille vint les rejoindre, Daniel s'approcha de sa mère et lui toucha doucement l'épaule :

— « Viens, maman... Jenny va rester là, pendant que nous irons prendre le thé. »

La voix était tendre mais ferme. Mme de Fontanin tourna vers Daniel son visage fatigué. Elle sentit que toute résistance serait vaine. « J'en profiterai », se dit-elle, « pour lui parler de mon voyage en Autriche. » Elle jeta un dernier regard vers la bière, se leva, et, docilement, suivit son fils.

Le petit déjeuner leur fut servi dans la chambre de l'annexe, où Jenny avait passé la nuit. La fenêtre était grand ouverte sur le jardin. La vue de la théière brillante, du beurre et du miel dans leurs coupes de verre, éveilla sur les traits de Mme de Fontanin un sourire involontaire et ingénu. De tout temps, le petit déjeuner en compagnie de ses enfants avait été pour elle, au début de la journée, une heure bénie, de trêve, de joie, où se retrempait son optimisme naturel.

— « C'est vrai que j'ai faim », confessa-t-elle, en s'approchant de la table. « Et toi, mon grand? »

Elle s'assit et commença machinalement à beurrer des tartines. Daniel la regardait faire, en souriant, attendri de revoir en pleine lumière les petites mains blanches et charnues accomplir délicatement ces gestes rituels, dont le souvenir était lié pour lui à tous les matins de son enfance.

Devant ce plateau copieux, Mme de Fontanin, par une association d'idées confuses, murmura :

— « J'ai tant de fois pensé à toi, mon grand, pendant ces manœuvres. Etiez-vous suffisamment nourris ?... Le soir, à l'idée que tu étais peut-être couché dans la paille, avec des vêtements mouillés de pluie, j'avais honte d'être dans mon lit; je ne pouvais pas m'endormir. »

Il se pencha et appuya sa main sur le bras de sa mère :

— « Quelle idée, maman! Au contraire, après tant de mois à la caserne, ç'a été une distraction, pour nous, de jouer à la petite guerre... » Tout en parlant, incliné vers elle, il tripotait la gourmette d'or qu'elle portait au poignet. « Et puis, tu sais », ajouta-t-il, « un sous-off' en manœuvres trouve toujours un lit chez l'habitant! »

Il avait jeté cela un peu étourdiment. Le souvenir de quelques bonnes fortunes, cueillies au hasard des cantonnements, lui traversa l'esprit et lui causa un furtif sentiment de gêne, que les antennes de Mme de Fontanin enregistrèrent obscurément. Elle évita de regarder son fils.

Il y eut un court silence; puis, timidement, elle demanda :

— « A quelle heure dois-tu repartir? »

— « Ce soir, à huit heures... Ma permission expire à minuit, mais il suffira que je sois à l'appel demain matin. »

Elle réfléchit que l'enterrement ne serait pas terminé avant une heure et demie, qu'ils ne seraient pas de retour chez eux avant deux heures, que cette dernière journée avec Daniel serait bien courte...

Comme s'il pensait aux mêmes choses, il dit :

— « Et, cet après-midi, j'aurai à sortir : une course indispensable... »

Elle sentit, à l'accent de sa voix, qu'il lui dissimulait quelque chose. Mais elle se méprit sur la nature de ce secret. Car c'était exactement le ton évasif, un peu trop désinvolte, qu'il prenait autrefois, lorsque, après avoir passé une heure avec elle, le soir, devant la cheminée, il lui disait, en se levant : « Excuse-moi, maman, j'ai rendez-vous avec *des camarades*. »

Il flaira vaguement le soupçon, et voulut le dissiper aussitôt :

— « Un chèque à toucher... Un chèque de Ludwigson. »

C'était vrai. Il ne voulait pas quitter Paris sans laisser cet argent à sa mère.

Elle n'eut pas l'air d'entendre. Elle buvait son thé, comme elle faisait toujours, en se brûlant, à petites lampées silencieuses, sans reposer la tasse, les yeux légèrement embués. Elle songeait au départ de Daniel, et son cœur était lourd. Elle en oubliait momentanément la cérémonie de tout à l'heure. Pourtant, elle n'avait pas le droit de se plaindre : l'absence de son fils, dont elle avait tant souffert depuis des mois, tirait à sa fin. En octobre, il lui reviendrait. En octobre, ils recommenceraient leur vie à trois. A cette pensée, tout un avenir paisible se levait devant elle. Sans qu'elle se l'avouât, la disparition de Jérôme éclaircissait l'horizon. Dorénavant, elle serait seule et libre, entre ses deux enfants...

Daniel la considérait avec une expression de sollicitude soucieuse :

— « Qu'est-ce que vous allez faire, toutes deux, à Paris, pendant ces mois d'été? » demanda-t-il.

(Mᵐᵉ de Fontanin, par besoin d'argent, avait loué, pour toute la saison, à des étrangers, sa propriété de Maisons-Laffitte.)

« Voilà le moment de lui parler de mon voyage », songea-t-elle.

— « Ne t'inquiète pas, mon grand... D'abord, moi, je vais être fort occupée par la liquidation de toutes ces affaires... »

Il l'interrompit :

— « C'est pour Jenny que je m'inquiète, maman... »

Bien qu'il fût, de longue date, accoutumé à la taciturne réserve de sa sœur, il avait été frappé, ces derniers jours, par le visage défait de Jenny, par son regard fiévreux.

— « Elle n'est vraiment pas bien », déclara-t-il. « Elle aurait besoin de grand air. »

Mme de Fontanin remit sa tasse sur le plateau, sans répondre. Elle aussi avait remarqué quelque chose d'insolite dans l'aspect de sa fille : une expression d'égarement, d'envoûtement, que la mort de son père ne suffisait pas à expliquer. Mais elle avait sur Jenny d'autres vues que Daniel.

— « C'est une malheureuse nature », soupira-t-elle. Et, avec une naïveté touchante : « Elle ne sait pas avoir confiance... »

Puis, de ce ton légèrement cérémonieux, déférent, qu'elle prenait pour aborder certains problèmes, elle ajouta :

— « Vois-tu, chaque créature a son lot d'épreuves intérieures, de luttes... »

— « Oui », accorda Daniel, sans la laisser poursuivre. « Mais, tout de même, si Jenny avait pu faire cet été un séjour à la montagne, ou à la mer... »

— « Ni la mer, ni la montagne, ne peuvent rien pour elle », affirma Mme de Fontanin, en secouant la tête, avec cet entêtement des êtres doux que possède une certitude inébranlable. « Ce n'est pas dans sa santé que Jenny est atteinte. Personne ne peut rien pour elle, crois-moi... Chaque créature est seule pour mener son combat, comme elle sera seule, au jour fixé, pour mourir sa mort... » Elle songeait à la fin solitaire de Jérôme. Ses yeux s'emplirent de larmes. Elle fit une courte pause et ajouta, bas, comme pour elle-même : « Seule, avec l'Esprit. »

— « C'est avec ces principes-là...! » commença Daniel. Un peu d'agacement faisait vibrer sa voix. Il tira une cigarette de son étui, et se tut.

— « Avec ces principes-là...? » demanda Mme de Fontanin, surprise.

Elle le regardait fermer son étui d'un coup sec, et tapoter la cigarette sur le dos de sa main, avant de la glisser entre ses lèvres. « Exactement les gestes de son père », pensa-t-elle. « Exactement les mêmes mains... » L'identité était d'autant plus frappante que Daniel por-

tait maintenant à l'annulaire la bague que Mme de Fontanin avait retirée elle-même des doigts de Jérôme, avant
de les croiser pour l'éternité; et ce large camée évoquait
douloureusement pour elle ces mains fines et viriles, qui
n'étaient plus vivantes que dans son souvenir. A la
moindre évocation physique de Jérôme, elle ne pouvait
retenir son cœur de battre comme à vingt ans... Mais,
toujours, ces ressemblances du fils avec le père lui cau-
saient à la fois une émotion très douce et une terrible
anxiété.

— « Avec ces principes-là...? » répéta-t-elle.

— « Je voulais seulement dire... », fit-il. Il hésitait,
les sourcils froncés, cherchant ses mots : « C'est avec
ces principes-là, que tu as toujours laissé... *les autres*...
suivre seuls et librement leur destinée, sans intervenir,
— même quand la voie qu'ils suivaient était manifestement mauvaise, — même quand cette destinée ne pouvait apporter que de la souffrance dans leur vie... et
dans la tienne! »

Elle eut un choc douloureux. Mais elle refusait de
comprendre et feignit de sourire :

— « Me reproches-tu maintenant de t'avoir laissé trop
de liberté? »

Daniel sourit à son tour, et, se penchant, mit sa main
sur celle de sa mère.

— « Je ne te reproche et ne te reprocherai jamais rien,
maman, tu le sais bien », dit-il, avec un regard câlin.
Puis il ajouta, tenace malgré lui : « Et tu sais bien aussi
que ce n'est pas à moi que je pensais. »

— « Oh, mon grand », fit-elle, avec une brusque révolte, « ce n'est pas bien!... » Elle était blessée au vif.
« Tu as toujours cherché les occasions d'accuser ton père! »

Cette discussion, ce matin-là, à quelques heures de
l'enterrement, était particulièrement déplacée. Daniel le
sentait. Il regrettait déjà ses paroles. Mais le mécontent-
tement qu'il éprouvait de les avoir prononcées le poussa
sottement à les aggraver :

— « Et toi, ma pauvre maman, tu ne penses jamais
qu'à l'innocenter, et tu oublies tout, jusqu'aux inextri-
cables difficultés dans lesquelles il nous laisse! »

Certes, elle n'aurait eu que trop de raisons de penser comme Daniel. Mais elle ne songeait plus qu'à protéger la mémoire du père contre la sévérité du fils.

— « Ah, Daniel, que tu es injuste! » s'écria-t-elle,
avec un sanglot dans la voix. « Tu n'as jamais compris
la vraie nature de ton père! » Et, avec la fougue têtue
qu'on met à plaider les causes indéfendables, elle poursuivit : « On ne peut rien reprocher de grave à ton père!
Rien!... Il était bien trop chevaleresque, bien trop géné-
reux et confiant, pour réussir dans les affaires! Voilà sa
faute! Il a été victime de gens tarés, auxquels il n'avait
pas su fermer sa porte! Voilà sa faute, sa seule faute! Je
le prouverai! Il a commis des imprudences, peut-être :
de " regrettables légèretés ", comme l'a dit devant moi
Mr. Stelling. Voilà tout! De regrettables légèretés! »

Sans regarder sa mère, Daniel eut un tressaillement
des lèvres et un bref mouvement de l'épaule; mais il se
contint, et ne répondit pas. Ainsi, malgré leur tendresse,
malgré le désir qu'ils avaient de se parler à cœur ouvert,
ils ne le pouvaient pas : dès le premier contact, leurs
pensées secrètes se heurtaient; et leurs anciens ressen-
timents envenimaient jusqu'à leurs silences... Il baissa
la tête, et demeura immobile, les yeux au sol.

Mme de Fontanin s'était tue. A quoi bon poursuivre
un entretien qu'elle sentait faussé, depuis le début? Elle
avait eu l'intention de mettre son fils au courant des
compromettantes poursuites dirigées contre son mari,
afin que Daniel comprît combien il était urgent qu'elle
fît le voyage de Vienne. Mais, devant l'irritante dureté
de Daniel, elle n'avait plus eu qu'une pensée : disculper
Jérôme, — ce qui diminuait d'autant la validité des
raisons qu'elle aurait pu donner pour légitimer son
départ. « Tant pis, » se dit-elle. « Je lui écrirai. »

Le pénible silence dura quelques minutes.

Daniel, tourné maintenant vers la fenêtre, contemplait le ciel matinal, les cimes des arbres, et fumait avec
une aisance factice, dont sa mère, pas plus que lui-même,
n'était dupe.

— « Huit heures », murmura Mme de Fontanin, après
avoir écouté sonner l'horloge de la clinique. Elle ramassa

le pain tombé sur sa robe, l'éparpilla, pour les oiseaux, sur l'appui de la croisée, et ajouta, d'une voix calme : « Je vais retourner là-bas. »

Daniel s'était levé. Il était honteux de lui-même, et bourrelé de remords. Comme chaque fois qu'il constatait le tendre aveuglement maternel, sa rancune envers son père s'en trouvait accrue. Un sentiment qu'il n'aurait su nommer l'avait toujours poussé à blesser cet amour trop indulgent... Il jeta sa cigarette, et s'approcha de sa mère avec un sourire gêné. Silencieusement, il se pencha pour déposer, comme il le faisait souvent, un baiser au sommet du front, à la racine des cheveux, prématurément blanchis. Ses lèvres connaissaient la place; ses narines, la tiède odeur de la peau. Elle renversa un peu la nuque, et lui saisit le visage entre ses deux paumes. Elle ne dit rien, mais elle lui souriait, et elle le regardait au fond des yeux, et ce regard, ce sourire, où ne demeurait aucune arrière-pensée de reproche, semblaient dire : « Tout est oublié. Pardonne-moi d'avoir été nerveuse. Et n'aie pas de regret de la peine que tu m'as faite. » Il comprit si bien ce langage muet, que, par deux fois, il abaissa les paupières, en signe d'accord. Et, comme elle se redressait, il l'aida à se mettre debout.

Sans rien dire, elle s'appuya sur son bras pour descendre jusqu'au sous-sol.

Il lui ouvrit la porte et la laissa entrer seule.

Elle reçut au visage, mêlé à la fraîche haleine du caveau, le parfum des roses qui se fanaient sur la bière.

Jenny était assise, immobile, les mains sur ses genoux.

Mme de Fontanin reprit sa place à côté de la jeune fille. Dans le sac à main qui pendait au dossier de sa chaise, elle prit sa bible et l'ouvrit au hasard. (Du moins, c'est ce qu'elle appelait « au hasard »; en réalité, ce vieux livre au dos cassé lui offrait toujours l'un des passages dont elle s'était le plus assidûment nourrie.) Elle lut :

...Qui est-ce qui tirera le pur de l'impur ? Personne.
Les jours de l'homme sont déterminés, le nombre de ses mois est entre tes mains; tu lui as prescrit ses limites, et il ne passera point au-delà.

Retire-toi de lui, afin qu'il ait du relâche, jusqu'à ce que,
comme un mercenaire, il ait achevé sa journée...

Elle releva les yeux, rêva quelques instants, puis posa
le livre au creux de sa jupe. Sa façon précautionneuse
de toucher, d'ouvrir, de fermer sa bible était, à elle seule,
un acte de piété, de gratitude.

Elle avait entièrement recouvré son calme.

XXXIV

Jacques, la veille au soir, après avoir vu Jaurès monter dans un taxi et disparaître dans la nuit, était venu
se mêler au groupe des militants noctambules qui,
souvent, s'attardaient jusqu'à une heure avancée à *la
Chope*. La salle privée que le café de la rue Feydeau
réservait aux socialistes possédait un accès par la cour,
ce qui permettait de la laisser ouverte même après la
fermeture du débit. Les discussions y avaient été si ani-
mées et s'étaient poursuivies si tard, qu'il n'en était sorti
qu'à trois heures du matin. Sans courage, à cette heure
tardive, pour regagner la place Maubert, il avait trouvé
asile, près de la Bourse, dans un hôtel borgne; et, à
peine au lit, il avait sombré dans un sommeil épais, que
les bruits matinaux de ce quartier populeux n'avaient
pas réussi à troubler.

Lorsqu'il s'éveilla, il faisait grand soleil.

Après une toilette sommaire, il descendit dans la rue,
acheta les journaux et courut les lire à la terrasse d'un
café des boulevards.

La presse, cette fois, se décidait à sonner l'alarme. Le
procès Caillaux se trouvait enfin relégué aux secondes
pages, et tous les journaux annonçaient, avec de grosses
manchettes, la gravité de la situation, traitant d' « ultimatum » la note autrichienne, et de « provocation
éhontée » le geste de l'Autriche. *Le Figaro* lui-même,
qui, depuis une semaine, consacrait son numéro quotidien au compte rendu *in extenso* des débats Caillaux,
dénonçait, aujourd'hui, dès la première page, en lettres
d'affiche : « LA MENACE AUTRICHIENNE », et
toute une feuille était réservée à la tension diplomatique

sous ce titre inquiétant : « EST-CE LA GUERRE ? »
Le *Matin,* journal semi-officiel, avait un ton belliqueux :
*Le conflit austro-serbe a été envisagé au cours de la visite
que le président de la République a faite en Russie. La
double alliance ne sera pas prise au dépourvu...* Clemen-
ceau, dans son *Homme libre,* écrivait : *Jamais, depuis
1870, l'Europe ne s'est trouvée si près d'un choc de guerre,
dont on ne peut mesurer l'étendue. L'Echo de Paris* relatait
la visite de M. de Schœn au quai d'Orsay : *La sommation
autrichienne est suivie de la menace allemande...;* et il
terminait, en dernière heure, par cet avertissement :
*Si la Serbie ne cède pas, la guerre peut être déclarée ce
soir.* Il ne s'agissait, bien entendu, que d'une guerre
austro-serbe. Mais, qui pouvait assurer qu'on parviendrait à circonscrire l'incendie?... Jaurès, dans son article
de tête, ne cachait pas que la *suprême chance de paix,*
c'était l'humiliation de la Serbie, et l'acceptation morti-
fiante des exigences autrichiennes. D'après les extraits
de presse, les journaux étrangers n'étaient pas moins
pessimistes. Ce matin-là, 25 juillet, douze heures à
peine avant l'expiration du délai imposé à la Serbie,
l'Europe entière (selon la prophétie du général autrichien, recueillie deux semaines plus tôt, par Jacques à
Vienne), s'éveillait brusquement dans la panique.

Jacques, repoussant les feuilles qui encombraient la
table, but son café refroidi. Cette lecture ne lui appre-
nait rien qu'il ne sût déjà; mais l'unanimité de l'inquiétude rendait un son nouveau et dramatique. Il restait là,
prostré, le regard errant sur la foule des travailleurs, des
employés, qui descendaient d'autobus, et couraient,
comme chaque jour, à leur besogne, avec un visage plus
sérieux que de coutume, un journal déplié à la main.
Il eut un moment de défaillance. Sa solitude lui pesait
intolérablement. La pensée de Jenny, de Daniel, de
l'enterrement qui avait lieu ce matin, l'effleura.

Il se leva vivement et partit dans la direction de
Montmartre. L'idée lui était venue de monter jusqu'à
la place Dancourt et de passer au *Libertaire.* Il avait
hâte de se retrouver dans une atmosphère de combat.

Une dizaine d'hommes, en quête de nouvelles, se

trouvaient déjà rue d'Orsel. Le numéro du 25 avait paru
le matin même. On se passait les journaux avancés. *Le
Bonnet rouge* consacrait sa première page aux grèves
russes. Pour la plupart des révolutionnaires, l'importance de l'agitation ouvrière à Pétersbourg était l'une des
plus sûres garanties de la neutralité russe, c'est-à-dire de
la localisation du conflit dans les Balkans. Et tous, au
Libertaire, étaient d'accord pour critiquer la mollesse
de l'Internationale, accuser les chefs de compromissions
avec les gouvernements. N'était-ce pas le moment de
frapper un grand coup? de provoquer, par tous les
moyens, d'autres grèves dans les autres pays, afin de
paralyser en même temps tous les gouvernements d'Europe? Occasion unique d'un soulèvement en masse, qui
pouvait, non seulement écarter les menaces actuelles,
mais avancer de plusieurs dizaines d'années la révolution!

Jacques écoutait les discussions, et il hésitait à donner
son avis. Pour lui, les grèves russes étaient une arme à
double tranchant : elles pouvaient, en effet, paralyser les
velléités belliqueuses de l'Etat-Major; mais elles pouvaient aussi offrir à un gouvernement en mauvaise posture la tentation de faire une diversion brutale : de
décréter l'état de siège, sous prétexte du danger de
guerre, et d'étouffer net l'insurrection populaire par une
répression implacable.

L'horloge marquait onze heures juste, quand il se
retrouva place Pigalle. « Qu'avais-je donc à faire, ce
matin, à onze heures? » se demanda-t-il. Il ne savait
plus. Samedi, onze heures... Inquiet soudain, il cherchait à se souvenir. L'enterrement Fontanin? Mais
jamais il n'avait eu l'intention d'y assister... Il marchait,
tête baissée, perplexe. « Je ne suis guère présentable...
Pas rasé... C'est vrai que, perdu dans la foule... Je suis
si près du cimetière Montmartre... Si je me décidais, un
coiffeur, en cinq minutes... Je serrerais la main de Daniel;
ça serait gentil... Ça serait gentil, et ça ne m'engagerait
à rien... »

Il cherchait déjà des yeux l'enseigne d'un coiffeur.

Lorsqu'il arriva au cimetière, le gardien de l'entrée lui annonça que le convoi était déjà passé, et lui indiqua la direction à suivre.

Bientôt, à travers les tombes, il aperçut un groupe massé devant une étroite chapelle :

FAMILLE DE FONTANIN

Il reconnut, de dos, Daniel et Gregory.

La voix rauque du pasteur s'élevait dans le silence :

— « Dieu a dit à Moïse : *Je serai avec!* Ainsi, pécheur, même quand tu marches dans la vallée d'ombre, ne crains pas, car Dieu est avec! »

Jacques fit le tour pour voir les assistants de face. Le front nu de Daniel, en pleine lumière, dominait toutes les têtes. Près de lui, se tenaient trois femmes, pareillement cachées sous leurs voiles noirs. La première était Mme de Fontanin. Mais, des deux autres, laquelle était Jenny?

Le pasteur, debout, hirsute, l'œil extatique, le bras levé en un geste de menace, apostrophait le cercueil de bois jaune, qui reposait, sous la lumière crue, au seuil du caveau :

— « Pauvre, pauvre pécheur! Ton soleil s'est couché avant la fin du jour! Mais nous ne pleurons pas sur toi comme ceux qui sont vidés d'espérance! Tu as quitté le champ de la visibilité, mais ce qui a disparu pour nos yeux de matière, c'était seulement l'illusoire forme de ta matière détestable! Aujourd'hui tu resplendis, appelé auprès de Christ pour le grand glorieux Service! Et tu es arrivé avant nous dans la joie de l'Avènement!... Vous tous, frères, qui êtes ici, priant autour de moi, affermissez vos cœurs de patience! Car l'avènement de Christ est pareillement proche pour chacun!... Mon Père, je remets nos âmes entre Tes mains! *Amen.* »

Maintenant, des hommes soulevaient la bière, la basculaient, la laissaient descendre sans heurt au bout de leurs cordes. Mme de Fontanin, soutenue par Daniel, se penchait sur le trou béant. Derrière elle, Jenny, sans doute? Près de Nicole Héquet?... Puis les trois femmes, conduites par un employé des Pompes funèbres, gagnèrent discrètement une voiture de deuil qui attendait dans le chemin, et qui partit aussitôt, au pas.

Daniel se tenait, seul, à l'extrémité de la petite allée, son casque étincelant sous le bras. Il avait grand air. Elancé, gracieux, parfaitement à l'aise bien que toujours un peu solennel dans ses attitudes, il recevait les condoléances des assistants, dont le flot s'écoulait lentement devant lui.

Jacques l'observait; et rien qu'à le regarder ainsi, de loin, il éprouvait, comme au temps de jadis, une douce et pénétrante sensation de chaleur.

Daniel l'avait reconnu, et, tout en serrant des mains, tournait de temps à autre les yeux vers lui, avec une expression de surprise affectueuse.

— « Merci d'être venu », dit-il. Il hésitait : « Je repars ce soir... J'aurais tant aimé te revoir encore une fois! »

Devant son ami, Jacques pensait à la guerre, aux troupes de choc, aux premières victimes...

— « Tu as lu les journaux? » demanda-t-il.

Daniel le considéra, sans bien comprendre.

— « Les journaux? Non, pourquoi? » Puis, d'une voix qui cherchait à ne pas être trop insistante : « Tu ne viendrais pas ce soir, me dire adieu, à la gare de l'Est? »

— « A quelle heure? »

Le visage de Daniel s'illumina.

— « Le train est à 9 h 30... Veux-tu que je t'attende, à la buvette, à 9 heures? »

— « J'y serai. »

Ils se regardèrent une seconde, avant de se serrer la main.

— « Merci », murmura Daniel.

Jacques s'éloigna, sans se retourner.

XXXV

Plusieurs fois pendant la matinée, Jacques s'était
demandé quelles pouvaient être les réactions d'Antoine
devant l'aggravation de la situation politique. Il avait
vaguement espéré rencontrer son frère à l'enterrement.

Il résolut de déjeuner rapidement, et de passer rue
de l'Université.

— « Monsieur est encore à table », dit Léon, en me-
nant Jacques vers la salle à manger. « Mais je viens de
donner les fruits. »

Jacques fut dépité de voir, en entrant, Isaac Studler,
Jousselin et le jeune Roy, attablés autour de son frère.
Il ignorait qu'ils déjeunaient tous les jours là. (Antoine
l'avait exigé : c'était pour lui un moyen sûr, entre la
matinée à l'hôpital et l'après-midi accaparée par la
clientèle, de prendre quotidiennement contact avec ses
collaborateurs. Pour eux, d'ailleurs, — tous trois céli-
bataires, — c'était une économie de temps, et un avantage pécuniaire appréciable.)

— « Tu viens déjeuner ? » dit Antoine.

— « Merci, c'est fait. »

Il fit le tour de la grande table, serra les mains qui
se tendaient, et, avant de s'asseoir, il demanda, à la
cantonade :

— « Vous avez les journaux ? »

Antoine dévisagea une seconde son frère avant de
répondre; et ce regard semblait avouer : « Peut-être que
tu avais raison. »

— « Oui », fit-il, pensif. « Nous avons tous lu les journaux. »

— « Nous n'avons pas parlé d'autre chose depuis le

début du repas », confessa Studler, en caressant sa barbe noire.

Antoine se surveillait pour ne pas trop laisser voir son inquiétude. Toute la matinée, il avait ressenti une sourde irritation. Il avait besoin, autour de lui, d'une société convenablement organisée, comme il avait besoin d'une maison bien réglée, où les questions matérielles fussent résolues, en dehors de lui et de façon satisfaisante, par un personnel consciencieux. Il voulait bien tolérer certains vices du régime, passer l'éponge sur certains scandales parlementaires, de même qu'il fermait les yeux sur les gaspillages de Léon et les petits profits de Clotilde. Mais, en aucun cas, le sort de la France ne devait lui donner plus de souci que le fonctionnement de l'office ou de la cuisine. Et il supportait mal l'idée que des perturbations politiques pussent venir entraver sa vie, menacer ses projets de travail.

— « Je ne crois pas », dit-il, « qu'il faille s'effrayer outre mesure. On en a vu d'autres... Il est évident, néanmoins, que la presse, ce matin, fait entendre un bruit de sabre assez inattendu... assez désagréable... »

Manuel Roy, au dernier mot, avait levé vers Antoine son jeune visage, aux yeux noirs :

— « Un bruit de sabre, Patron, qu'on entendra de l'autre côté des frontières. Et qui ne manquera pas, sans doute, d'intimider les voisins trop gourmands ! »

Jousselin, penché sur son assiette, leva la tête pour considérer Roy. Puis il se remit à sa besogne : méticuleusement, du bout de la fourchette et du couteau, il pelait une pêche.

— « Rien n'est moins sûr », dit Studler.

— « Malgré tout, c'est probable », fit Antoine. « Et c'était peut-être nécessaire. »

— « Savoir ! » dit Studler. « La politique d'intimidation est toujours périlleuse. Elle exaspère l'adversaire, plus souvent qu'elle ne le paralyse. Je pense surtout que le gouvernement commet une faute grave en laissant se propager à tous les échos votre... bruit de sabre ! »

— « Il est bien difficile de se mettre à la place des hommes responsables », déclara Antoine, d'un ton pondéré.

— « Je demande aux hommes responsables d'être, avant tout, des hommes prudents », repartit Studler. « Adopter une attitude agressive est une première imprudence. Faire croire que cette attitude est devenue nécessaire, en est une seconde. Rien ne serait plus dangereux pour la paix que de laisser s'ancrer dans l'opinion l'idée qu'une guerre nous menace... Ou même qu'une guerre est possible! »

Jacques se taisait.

— « Pour moi », reprit Antoine, sans regarder son frère, « je comprends parfaitement qu'un ministre, même si, en tant qu'homme, il condamne la guerre, soit amené à prendre certaines mesures agressives. Et cela, par le seul fait qu'il est au pouvoir. Un homme qui a été mis à la tête d'un pays pour veiller à sa sécurité, s'il a le sens des faits, si la politique menaçante des Etats voisins lui apparaît comme une réalité... »

— « Sans compter », interrompit Roy, « qu'on ne conçoit pas un homme d'Etat qui serait décidé, par sensiblerie personnelle, à éviter coûte que coûte, la guerre! Etre à la tête d'un pays qui tient une place sur l'échiquier, d'un pays qui possède un territoire, un empire colonial, ça oblige à une vision réaliste. Le plus pacifiste des présidents du Conseil, dès qu'il est en fonction, doit s'apercevoir très vite qu'un Etat ne peut pas conserver ses richesses, soustraire ses propriétés à la convoitise des voisins, sans avoir une armée forte, qui impose le respect, et qui fasse, de temps à autre, sonner son sabre, ne fût-ce que pour rappeler au reste du monde qu'elle existe! »

« Conserver ses richesses », songeait Jacques. « Nous y voilà! Conserver ce qu'on possède et s'approprier à l'occasion ce que possède le voisin! C'est toute la politique capitaliste, — qu'il s'agisse des particuliers ou des nations... Les particuliers luttent pour s'assurer des profits; les nations, pour conquérir des débouchés, des territoires, des ports! Comme s'il n'y avait pas d'autre loi à l'activité humaine, que la concurrence... »

— « Malheureusement », dit Studler, « quel que soit le tour que prendront les choses demain, votre bruit de sabre risque d'avoir les plus déplorables conséquences sur la politique française, tant extérieure qu'intérieure... »

En parlant, il s'était penché vers Jacques, comme pour lui demander son avis. Ses prunelles avaient un éclat languide, troublant, qui forçait presque à détourner les yeux.

Jousselin leva de nouveau la tête pour regarder Studler; puis son regard passa les autres visages en revue. Il avait une figure de blond, tout en finesse et en douceur : un nez aquilin, assez long et triste; une bouche longue, fine, facilement souriante; des yeux, longs aussi, étranges, d'un gris doux.

— « Tout de même », murmura-t-il distraitement, « vous paraissez trop oublier que, la guerre, personne n'en veut! Personne! »

— « En êtes-vous sûr ? » dit Studler.

— « Quelques vieillards », concéda Antoine.

— « Quelques dangereux vieillards qui se gargarisent de belles formules héroïques », reprit Studler, « et qui savent bien que, au cours d'une guerre, ils pourraient se gargariser tout à loisir, sans risque aucun, à l'arrière... »

— « Le danger », insinua Jacques, avec une prudence qu'Antoine remarqua, « c'est que, presque partout en Europe, les postes de commande sont aux mains de ces vieillards-là... »

Roy regarda Studler en riant :

— « Vous, Calife, qui ne craignez pas les idées neuves, vous pourriez préventivement lancer cette idée-là : en cas de mobilisation, toutes les vieilles classes d'abord! tous les vieux en première ligne! »

— « Ça ne serait déjà pas si bête », murmura Studler.

Il y eut un silence, tandis que Léon servait le café.

— « Il existe pourtant un moyen, un seul, d'éviter presque à coup sûr les guerres », déclara Studler, sombrement. « Un moyen radical, et parfaitement réalisable en Europe. »

— « Et c'est? »

— « D'exiger le référendum populaire! »

Jacques fut le seul à approuver d'un signe de tête.

Studler, encouragé, poursuivit :

— « N'est-ce pas illogique, n'est-ce pas absurde, que, dans nos démocraties de suffrage universel, l'acte de déclarer la guerre soit laissé à l'initiative des gouvernements?... Jousselin dit : « Personne ne veut la guerre. » Eh bien, aucun gouvernement, dans aucun pays, ne devrait plus avoir le droit de décider, ou même d'accepter une guerre, contre la volonté formelle de la majorité des citoyens! Quand il y va de la vie ou de la mort des peuples, le moins qu'on puisse dire, c'est que la consultation des peuples eux-mêmes est légitime. Et elle devrait être obligatoire. »

Dès qu'il s'animait, les narines de son nez busqué commençaient à frémir, des taches assombrissaient ses pommettes, et le blanc de son grand œil chevalin s'injectait d'un peu de sang.

— « Ça n'a rien de chimérique », reprit-il. « Il suffirait que chaque peuple oblige ses gouvernants à ajouter trois lignes d'amendement à la Constitution : *La mobilisation ne pourra être décrétée, une guerre ne pourra être déclarée, qu'après un plébiscite, et à la majorité de 75 %.* Réfléchissez-y. C'est le seul moyen légal, et à peu près infaillible, d'empêcher à jamais de nouvelles guerres... En temps de paix, — nous l'avons vu en France — on trouve, à la rigueur, une majorité pour élire au gouvernement l'homme d'une politique cocardière : il y a toujours des imprudents pour jouer avec le feu. Mais, à la veille d'une mobilisation, cet homme-là, s'il était obligé de consulter ceux qui l'ont mis au pouvoir, ne trouverait plus personne pour lui consentir le droit de déclarer la guerre! »

Roy riait silencieusement.

Antoine, qui s'était levé, lui toucha l'épaule :

— « Donnez-moi une allumette, mon petit Manuel... Qu'est-ce que vous dites de tout ça, vous? Et qu'en dirait votre journal? »

Roy leva sur Antoine son regard lisse de bon élève; il continuait à rire, avec un petit air de défi.

— « Manuel », expliqua Antoine en se tournant vers son frère, « est un fidèle lecteur de *l'Action française.* »

— « Je la lis, moi aussi, tous les jours », déclara
Jacques, en examinant le jeune médecin, qui, pareillement, le dévisageait. « Il y a là une remarquable équipe
de dialecticiens, qui construisent des raisonnements assez
souvent impeccables. Malheureusement, — à mon avis,
du moins, — c'est presque toujours sur des données
fausses. »

— « Croyez-vous », nasilla Roy.

Il ne cessait pas de sourire, avec crânerie et suffisance.
Il semblait ne pas vouloir condescendre à discuter, avec
des profanes, de choses qui lui tenaient à cœur. Il faisait
penser à un enfant qui veut garder un secret. Dans son
regard, cependant, passait par instant une lueur inso-
lente. Et, comme si le jugement de Jacques l'avait
décidé, malgré tout, à sortir de sa réserve, il fit un pas
vers Antoine et lança, brutalement :

— « Moi, Patron, je vous avoue que j'en ai assez du
problème franco-allemand! Voilà quarante ans que nous
traînons ce boulet-là, nos pères et nous. Ça suffit. S'il
faut une guerre pour en finir, eh bien, soit, allons-y!
Puisqu'il faudra bien en arriver là! Pourquoi attendre?
A quoi bon retarder l'inévitable? »

— « Retardons toujours », dit Antoine en souriant.
« Une guerre indéfiniment différée, ça ressemble beaucoup à la paix! »

— « Moi, je préfère en finir, une bonne fois. Car,
une chose au moins est certaine : c'est que, après une
guerre, — que nous soyons vainqueurs, comme il est
probable, ou même que nous soyons vaincus — la question se trouvera enfin réglée définitivement, dans un
sens ou dans l'autre; et il n'y aura plus de problème
franco-allemand!... Sans compter », ajouta-t-il, avec un
visage devenu sérieux, « tout le bienfait qu'une bonne
saignée pourrait nous faire, au point où nous en sommes.
Quarante ans de paix croupissante n'arrangent pas le
moral d'un pays! Si le redressement spirituel de la
France n'est possible qu'au prix d'une guerre, nous
sommes, Dieu merci, quelques-uns qui sacrifieraient
sans marchander leur peau! »

Il n'y avait pas trace de forfanterie dans l'accent de

ces paroles. La sincérité de Roy était manifeste. Tous le sentirent. Ils avaient devant eux un homme convaincu, prêt à donner sa vie pour ce qu'il croyait être la vérité.

Antoine avait écouté, debout, la cigarette aux lèvres, les paupières plissées. Sans répondre, il enveloppa le jeune homme d'un regard affectueux et grave, nuancé de mélancolie; le courage lui plaisait toujours. Puis, fixement, il considéra quelques secondes le bout embrasé de sa cigarette.

Jousselin s'était approché de Studler. De son index, que terminait une corne jaunâtre, rongé par les acides, il toucha plusieurs fois la poitrine du Calife :

— « Voyez-vous, on en revient toujours à la distinction de Minkowski : les *syntones* et les *schizoïdes :* ceux qui acceptent la vie, et ceux qui la refusent... »

Roy, gaiement, éclata de rire :

— « Alors, moi, je suis un *syntone?* »

— « Oui. Et le Calife, lui, c'est un *schizoïde.* Vous ne changerez jamais, ni l'un ni l'autre. »

Antoine s'était tourné vers Jacques; et il souriait, en consultant sa montre :

— « Tu n'es pas pressé, *Schizoïde!...* Viens un instant dans ma turne... »

— « J'aime beaucoup le petit Roy », dit-il en ouvrant la porte de son petit bureau, et en s'effaçant devant son frère. « C'est une nature saine et généreuse... Un esprit droit... Limité, j'en conviens », ajouta-t-il, devant le silence réticent de Jacques. « Assieds-toi. Une cigarette?... Je suis sûr qu'il t'a un peu agacé? Il faut le connaître, le comprendre. C'est un tempérament essentiellement sportif. Il a le goût d'affirmer. Il accepte toujours joyeusement, crânement, les réalités, les faits. Il se refuse aux complaisances de l'analyse, bien qu'il ne manque pas d'esprit critique, — dans son travail du moins. Mais il repousse, d'instinct, le doute, qui paralyse. Peut-être n'a-t-il pas tort... Pour lui, la vie ne doit pas être une discussion intellectuelle. Il ne dit jamais : « Qu'est-ce qu'il faut penser? » Il dit : « Qu'est-ce qu'il faut faire? Comment agir utilement? » Ses travers, je les

vois bien; mais ce sont surtout des défauts de jeunesse.
Ça passera. Tu as remarqué sa voix? Par moments, elle
mue encore, comme celle d'un gosse; alors, il force le
ton, pour atteindre les notes graves, celle des grandes
personnes... »

Jacques s'était assis. Il écoutait sans approuver.

— « Je préfère les deux autres », avoua-t-il. « Ton
Jousselin, notamment, me paraît assez sympathique. »

— « Ah! » dit Antoine en riant, « celui-là, c'est un type
qui vit dans un conte de fées perpétuel. Un vrai tempérament d'inventeur. Il a passé sa vie à rêver de choses
qui sont à la frontière du possible et de l'impossible,
dans ce domaine à demi réel où les esprits comme le sien
réussissent quelquefois à faire des découvertes. Et il en
a fait, le bougre. Il en a même fait d'importantes. Je
pourrai t'expliquer ça, quand nous aurons le temps...
Roy est très amusant quand il parle de lui. Il dit : " Jousselin n'a voulu voir que des veaux à trois pattes. Le jour
où il consentira à regarder un veau normal, il croira
avoir découvert un prodige, et il criera partout : Vous
savez, il y a aussi des veaux à quatre pattes! " »

Il allongea ses jambes sur le divan et croisa les mains
sous sa nuque.

— « Tu vois, c'est une assez bonne équipe que je me
suis constituée là... Tous trois fort différents, mais des
esprits qui se complètent bien... Tu connaissais déjà le
Calife? Il me rend d'immenses services. Une puissance
de travail peu commune. Il est extraordinairement doué,
l'animal! Je dirais même que c'est ce qui le caractérise :
d'être doué. A la fois, sa force et sa limite. Il comprend
tout, sans effort; et chaque acquisition nouvelle vient
aussitôt prendre sa place dans les cadres de son cerveau,
dans des casiers qu'on dirait préétablis : de sorte qu'il
n'y a jamais aucun désordre dans sa caboche. Mais j'ai
toujours senti en lui quelque chose d'étranger, d'indéfi-
nissable, — qui vient de la race, sans doute... Je ne sais
comment dire... Jamais ses idées n'ont tout à fait l'air
de sortir de lui, de faire vraiment corps avec lui-même.
C'est extrêmement curieux. Il ne se sert pas de son cerveau comme d'un organe qui lui appartient, mais plutôt

comme d'un outil... un outil venu d'ailleurs, et qu'on lui aurait prêté... »

Tout en discourant, il avait regardé l'heure, et retirait paresseusement ses jambes du divan.

« Il a pourtant lu les journaux », se disait Jacques. « Il n'a donc pas compris la gravité de la menace? Ou bien parle-t-il pour éviter le dialogue? »

— « De quel côté vas-tu? » questionna Antoine, en se levant. « Veux-tu que je te dépose quelque part, avec l'auto?... Moi, je vais au ministère... au quai d'Orsay. »

— « Ah? » fit Jacques, intrigué, sans chercher à masquer sa surprise.

— « J'ai à voir Rumelles », expliqua Antoine, sans se faire prier. « Oh! ce n'est pas pour parler politique... J'ai, en ce moment, une piqûre à lui faire, tous les deux jours. D'habitude, il vient ici; mais il m'a fait téléphoner qu'il était surchargé de besogne, et ne pourrait quitter son bureau. »

— « Qu'est-ce qu'il pense des événements », hasarda Jacques.

— « Je ne sais pas. J'ai l'intention de l'interroger un peu... Repasse ce soir, je te raconterai... Ou bien, veux-tu m'accompagner? J'en ai pour dix minutes avec lui : tu m'attendras dans la voiture. »

Jacques, tenté, réfléchit une seconde, et accepta d'un signe de tête.

Antoine, avant de sortir, fermait à clef les tiroirs de son bureau.

— « Sais-tu », murmura-t-il, « ce que j'ai fait, tout à l'heure, en rentrant? J'ai cherché mon livret militaire pour lire mon feuillet de mobilisation... » Il ne souriait pas. Il annonça, calmement : « Compiègne... Et le *premier* jour!... »

Les deux frères échangèrent un regard, en silence. Après une hésitation, Jacques dit, gravement :

— « Je suis sûr que, depuis ce matin, il y a des milliers de types, en Europe, qui ont fait comme toi... »

— « Ce pauvre Rumelles », reprit Antoine, tandis qu'ils descendaient l'escalier. « Il était très surmené par son hiver. Il devait partir en congé ces jours-ci. Et puis,

— à cause de toutes ces histoires, sans doute, — Berthelot lui a demandé de renoncer à ses vacances. Alors, il est venu me trouver, pour que je l'aide à tenir le coup. J'ai commencé un traitement. J'espère réussir. »

Jacques n'écoutait pas. Il était en train de constater que, aujourd'hui, sans qu'il s'expliquât pourquoi, il se sentait repris pour Antoine d'une affection fraternelle, pleine de chaleur, mais aussi d'exigence et d'insatisfaction.

— « Ah! Antoine », fit-il spontanément, « si seulement tu connaissais mieux les hommes, la masse, le peuple qui peine, — comme tu serais... différent! » (L'accent disait : « Comme tu serais meilleur... Comme tu serais plus près de moi... Comme ce serait bon de pouvoir t'aimer... »)

Antoine, qui marchait devant, se retourna, vexé :

— « Crois-tu que je ne les connaisse pas? Après quinze années d'hôpital! Tu oublies que, depuis quinze ans, chaque matin, pendant trois heures, je ne fais rien d'autre que de voir des hommes... Des hommes de tous les milieux, des ouvriers d'usine, la population des faubourgs... Et moi, médecin, c'est l'homme à nu que je vois : l'homme dépouillé de tous les faux-semblants par la souffrance! Si tu crois que cette expérience-là ne vaut pas la tienne! »

« Non », pensait Jacques, avec une irritation têtue. « Non, ce n'est pas la même chose. »

Vingt minutes plus tard, lorsque Antoine, sortant du ministère, revint vers l'auto où Jacques l'attendait, son visage était soucieux.

— « Ça chauffe là-dedans », grommela-t-il. « C'est un va-et-vient affolé entre tous les services... Des dépêches qui arrivent de toutes les ambassades... Ils attendent avec anxiété le texte de la réponse que la Serbie doit remettre, ce soir... » Et, sans répondre à l'interrogation muette de son frère, il demanda : « Où vas-tu maintenant? »

Jacques fut sur le point de dire : « A *l'Huma*. » Il se contenta de répondre :

— « Dans le quartier de la Bourse. »

— « Je ne peux pas te conduire, je serais en retard. Mais, si tu veux, je te déposerai place de l'Opéra. »

Aussitôt assis, Antoine reprit la parole :

— « Rumelles a l'air embêté... Ce matin, on faisait grand état, au cabinet du ministre, d'une note officieuse de l'ambassade d'Allemagne, déclarant que la note autrichienne n'était pas un ultimatum, mais seulement une « demande de réponse, à court délai ». Ce qui, paraît-il, dans le jargon diplomatique, signifiait un tas de choses : d'une part, que l'Allemagne se préoccupait d'atténuer la gravité du geste autrichien; d'autre part, que l'Autriche ne refuserait pas de négocier avec la Serbie... »

— « On en est là? » dit Jacques. « On en est à s'accrocher à de pareilles arguties? »

— « Par ailleurs, comme la Serbie semblait prête à capituler presque sans discussion, somme toute, ce matin, on avait assez bon espoir. »

— « Mais?... » fit Jacques, impatiemment.

— « Mais, tout à l'heure, on vient d'apprendre que la Serbie mobilisait trois cent mille hommes; et que le gouvernement serbe, craignant de rester à Belgrade, trop proche de la frontière, s'apprêtait ce soir à quitter la capitale, pour se réfugier au centre du pays. D'où l'on est enclin à conclure que la réponse serbe ne sera pas une capitulation, comme on l'espérait; et que la Serbie a des raisons de prévoir une attaque brutale... »

— « Et la France? A-t-elle l'intention d'agir, de prendre une initiative quelconque? »

— « Rumelles, naturellement, ne peut pas tout dire. Mais, d'après ce que j'ai cru comprendre, l'opinion qui prévaut aujourd'hui parmi les membres du gouvernement est qu'il faut se montrer très ferme : au besoin, multiplier ouvertement les préparatifs de guerre. »

— « Toujours la politique de l'intimidation! »

— « Rumelles dit — et l'on sent bien que c'est le mot d'ordre du jour : " Au point où en sont les choses, la France et la Russie n'ont chance de retenir les Empires centraux qu'en se montrant résolues à tout. " Il dit : " Si l'un de nous recule, c'est la guerre. " »

— « Et ils ont tous, naturellement, cette arrière-pen-

sée : " Si, malgré notre attitude menaçante, la guerre
éclatait, nos préparatifs nous donneraient l'avantage "! »

— « Sans doute. Et ça me paraît très juste. »

— « Mais », s'écria Jacques, « les Empires centraux
doivent raisonner de même! Alors, où va-t-on?... Studler
a raison : cette politique belliqueuse est la plus dangereuse de toutes! »

— « Il faut s'en rapporter aux gens du métier », trancha Antoine, nerveux. « Ils doivent savoir mieux que
nous ce qu'il convient de faire. »

Jacques haussa les épaules, et se tut.

L'auto approchait de l'Opéra.

— « Quand te reverrai-je? » demanda Antoine. « Est-ce
que tu restes à Paris? »

Jacques fit un geste vague :

— « Je ne sais pas... »

Il ouvrait déjà la portière. Antoine lui toucha le bras :

— « Ecoute... » Il hésitait, cherchait ses mots : « Tu
sais — ou tu ne sais pas — que, maintenant, tous les
quinze jours, le dimanche après-midi, je reçois quelques
amis... Demain, Rumelles doit venir, à trois heures, pour
sa piqûre, et il m'a promis de rester, ne fût-ce qu'un
instant, à la réunion. Si ça t'intéresse de le voir, tu seras
le bienvenu. Etant donné les circonstances, sa conversation pourra être instructive. »

— « Demain, trois heures? » fit Jacques, évasif. « Peut-
être, oui... Je tâcherai... Merci. »

XXXVI

A *l'Humanité*, on ne savait rien de plus que ce que Jacques avait appris par Antoine et Rumelles.

Jaurès était parti pour vingt-quatre heures dans le Rhône, afin d'appuyer la campagne électorale de son ami Marius Moutet. Bien que l'absence du Patron, en ces heures graves, causât un certain désarroi parmi les rédacteurs, le vent était plutôt à l'optimisme. On attendait sans trop d'inquiétude la réponse à l'ultimatum. On croyait savoir que la Serbie, sous la pression des grandes puissances, se montrerait assez conciliante pour que l'Autriche n'eût plus aucun prétexte à se dire offensée. On attachait surtout un grand prix aux assurances répétées que le Parti socialiste d'Allemagne prodiguait aux socialistes français : l'entente, en face du danger commun, semblait vraiment totale. En outre, les renseignements les plus encourageants sur l'extension du mouvement pacifiste international, ne cessaient d'affluer. De toutes parts, s'intensifiaient les manifestations contre la menace de guerre. Les divers partis socialistes d'Europe échangeaient activement leurs vues pour une action concertée et énergique; l'idée d'une grève générale préventive semblait de plus en plus prendre corps.

Comme il sortait du bureau de Stefany, Jacques croisa Mourlan, qui venait aux nouvelles. Après quelques mots sur les événements, le vieux révolutionnaire poussa Jacques dans une encoignure :

— « Où loges-tu, gamin ? Tu sais que, en ce moment, la police des garnis fourre son nez partout... Gervais vient d'avoir des embêtements. Crabol aussi. »

Jacques n'ignorait pas que son logeur du quai de la

Tournelle était suspect; et, bien que ses papiers fussent en règle, il ne se souciait guère de prendre contact avec la police.

— « Crois-moi », conseilla Mourlan, « n'attends pas ! Déménage ce soir. »

— « Ce soir ? »

La chose était faisable. Sept heures et demie venaient de sonner, et le rendez-vous avec Daniel n'était qu'à neuf. Mais où aller ?

Mourlan eut une idée. Un camarade de *l'Etendard*, voyageur de commerce, s'absentait justement pour une semaine. Sa chambre, qu'il louait à l'année, était située au dernier étage d'un immeuble de la rue du Jour, aux Halles, devant le portail de Saint-Eustache : une vieille bâtisse paisible, qui n'avait aucune raison d'être sur les listes policières.

— « Allons jusque-là », dit Mourlan. « C'est à deux pas. »

Le camarade était chez lui. La question fut réglée sur-le-champ. Et, moins d'une heure après, Jacques venait apporter son léger bagage.

L'horloge marquait neuf heures et quelques minutes lorsqu'il arriva devant la gare de l'Est.

Daniel attendait dehors, devant l'entrée de la buvette. Dès qu'il vit Jacques, il vint à lui, l'air gêné.

— « Jenny est là », dit-il aussitôt.

Le front de Jacques s'empourpra. Ses lèvres s'entrouvrirent par un : « Ah... » imperceptible. En une seconde, plusieurs projets contradictoires lui vinrent à l'esprit. Il détourna la tête, afin de dissimuler son trouble.

Daniel crut qu'il cherchait la jeune fille des yeux :

— « Elle est sur le quai », expliqua-t-il. Puis, comme pour s'excuser : « Elle a voulu m'accompagner jusqu'au train... Ça n'aurait pas été gentil de lui parler de notre rendez-vous : elle n'aurait pas osé venir. Je ne l'ai avertie qu'à l'instant. »

Jacques s'était ressaisi :

— « Je vais vous laisser », dit-il vivement. « Je voulais te serrer la main... » Il sourit : « C'est fait. Je me sauve. »

— « Ah, non ! » fit Daniel. « J'ai tant de choses à te
dire... » Et, tout de suite, il ajouta : « J'ai lu les journaux. »

Jacques leva les yeux, mais ne répondit rien.

— « Toi », demanda Daniel, « s'il y avait une guerre,
qu'est-ce que tu ferais ? »

— « Moi ? » (Son balancement de tête semblait dire :
« Ce serait trop long à expliquer. »)

Il se tut quelques secondes.

— « Il n'y aura pas la guerre », affirma-t-il, enfin, de
toute la force de son espoir.

Daniel le dévisageait attentivement.

— « Je ne peux pas te mettre au courant de tout ce
qui se prépare », reprit Jacques. « Mais, crois-moi. Je
sais ce que je dis. Il y a déjà, dans tous les milieux
populaires d'Europe, un tel soulèvement d'opinion, un
tel rassemblement des forces socialistes, qu'aucun gouvernement ne peut plus être assez sûr de son autorité
pour jeter son peuple dans une guerre. »

— « Oui ? » murmura Daniel, visiblement incrédule.

Jacques baissa les yeux une seconde. L'ensemble de
la situation se présenta brusquement à son esprit. Il
aperçut, avec une netteté schématique, les deux cou-
rants qui, dans tous les pays, divisaient les partis socialistes : la gauche, farouchement hostile aux gouvernements, cherchant de plus en plus à agir sur les masses
pour des fins insurrectionnelles ; la droite, les réfor-
mistes, croyant à l'efficacité des chancelleries, et s'efforçant de collaborer avec les gouvernements... Il eut peur,
tout à coup : un doute l'effleura. Mais, déjà, il relevait
les paupières : et, avec une conviction qui, malgré tout,
ébranla Daniel, il répéta :

— « Oui !... Tu n'as aucune idée, je crois, de la puissance actuelle de l'Internationale ouvrière ! Tout est
prévu. Tout est préparé pour une résistance opiniâtre.
Partout, en France, en Allemagne, en Belgique, en Italie... La moindre tentative de guerre serait le signal
d'une insurrection générale ! »

— « Peut-être que ce serait plus horrible encore que
la guerre », émit timidement Daniel.

Le visage de Jacques s'assombrit.

— « Je n'ai jamais été partisan de la violence », avoua-
t-il, après une pause. « Néanmoins, entre l'éventualité
d'une guerre européenne et celle d'une insurrection préventive, comment hésiter?... S'il fallait quelques milliers de morts sur des barricades, pour empêcher l'absurde massacre de plusieurs millions d'hommes, il y a,
en Europe, bon nombre de socialistes qui n'hésiteraient
pas plus que moi... »

« Que fait Jenny », se demandait-il. « Si son frère
tarde trop, elle va venir... »

— « Jacques », s'écria soudain Daniel, « promets-
moi... » Il se tut, n'osant formuler sa pensée. « J'ai
peur pour toi », balbutia-t-il.

« Il est cent fois plus exposé que moi; et, pas un
instant, il ne songe à lui-même », pensa Jacques, très
ému. Il s'efforça de sourire :

— « Je te le répète : il n'y aura pas de guerre!...
Seulement, l'alerte sera peut-être chaude, et j'espère
que, cette fois, les peuples auront compris l'avertissement... Nous recauserons de tout ça, un jour, si tu
veux... Maintenant, je te laisse... Au revoir. »

— « Non! Ne pars pas encore. Pourquoi? »

— « On... t'attend », murmura Jacques avec effort; et,
de la main, il indiquait vaguement l'intérieur de la gare.

— « Conduis-moi au moins jusqu'au wagon », dit Daniel, tristement. « Tu diras bonjour à Jenny. »

Jacques tressaillit. Pris au dépourvu, il regardait son
ami, stupidement.

— « Allons, viens », fit Daniel, en lui saisissant affectueusement le bras. Il sortit un ticket du parement de
sa manche. « J'ai pris pour toi un billet de quai... »

« J'ai tort de me laisser entraîner », se disait Jacques.
« C'est idiot... Il faut refuser, il faut fuir... » Et cependant, au fond de lui, une louche complaisance le faisait suivre son ami.

Le hall était encombré de soldats, de voyageurs, de
chariots. C'était un samedi soir, et, pour beaucoup, le
début des vacances. Une foule joyeuse, bruyante, se
pressait aux guichets. Ils arrivèrent aux grilles des quais.

Sous l'immense verrière, l'atmosphère, plus sombre, était fumeuse, bourdonnante. Des gens se hâtaient, en tous sens, dans un vacarme assourdissant.

— « Devant Jenny, pas un mot sur la guerre », cria Daniel à l'oreille de Jacques.

La jeune fille les avait aperçus de loin, et s'était précipitamment détournée, feignant de ne pas les avoir vus. La gorge sèche, la nuque raide, elle les sentait approcher. Enfin, son frère lui toucha l'épaule. Elle eut la force de pivoter sur ses talons, de simuler la surprise. Daniel fut frappé de sa pâleur. La fatigue, l'émotion de la séparation, sans doute? et peut-être aussi le contraste avec ses vêtements noirs?

Sans regarder Jacques, elle esquissa un salut de la tête; mais, devant son frère, elle n'osa pas ne pas tendre la main. Elle annonça, d'une voix saccadée :

— « Je vais vous laisser ensemble. »

— « Non, pas du tout! » fit Jacques vivement. « C'est moi qui... D'ailleurs, je ne peux pas rester... Il faut que je sois, avant dix heures à... très loin... sur la rive gauche... »

A côté d'eux, sous un wagon, fusait un jet strident qui empêchait de s'entendre; un nuage de vapeur fade les enveloppa.

— « Alors, au revoir, mon vieux », dit Jacques, en touchant le bras de son ami.

Les lèvres de Daniel remuèrent. Avait-il répondu? Un demi-sourire grimaçant retroussait un coin de sa bouche; ses yeux, à l'ombre du casque, étaient très brillants; son regard, désespéré. Il tenait la main de Jacques serrée entre les siennes. Puis, se penchant tout à coup, il étreignit gauchement le buste de son ami, et l'embrassa. C'était la première fois de leur vie.

— « Au revoir », répéta Jacques. Sans bien savoir ce qu'il faisait, il se dégagea, jeta vers Jenny un regard d'adieu, inclina la tête, sourit tristement à Daniel, et s'enfuit.

Mais, lorsqu'il eut traversé la gare, une force secrète l'arrêta au bord du trottoir.

Dans le faux jour du crépuscule, la place, piquée de

globes électriques, sillonnée de véhicules, s'étendait devant lui : zone de démarcation entre deux univers. Au-
delà, sa vie de militant l'attendait, toute prête à le
reprendre; sa solitude, aussi. Tant qu'il s'attardait en
deçà, dans la gare, d'autres choses restaient possibles.
Quoi? Il ne savait pas, ne voulait pas préciser. Il lui
semblait seulement que franchir cette place, c'était
presque refuser une offre du destin, renoncer pour
toujours à quelque chance merveilleuse.

Lâchement, les jambes molles, il ne cherchait qu'à
retarder la décision. Plusieurs chariots de bagages, vides,
étaient rangés le long du mur. Il en choisit un, et s'y
assit. Pour réfléchir? Non. Il en était incapable; à la
fois trop apathique et trop anxieux. Le dos plié, les
bras ballants entre les genoux, le chapeau sur la nuque,
les yeux au sol, il respirait bruyamment et ne songeait
à rien.

Sans doute — si le hasard ne s'en était pas mêlé, —
serait-il demeuré longtemps là, immobile; puis, enfin
reposé, il se serait ressaisi; et, cédant de nouveau au
rythme fiévreux de sa vie, il aurait couru à l'*Humanité*
pour connaître le texte de la réponse serbe... Alors,
tout un monde de possibilités se fût sans doute à jamais
fermé devant lui... Mais le hasard intervint : un homme
d'équipe avait besoin des chariots. Jacques se leva,
regarda l'homme, puis sa montre, et sourit bizarrement.

Presque à regret, comme obéissant à une impulsion
fortuite, il rentra sans hâte dans la gare, reprit un ticket,
traversa le hall, et se retrouva devant le quai de départ.

XXXVII

L'express de Strasbourg n'avait pas démarré. A l'arrière, les trois lanternes du fourgon brillaient, immobiles. Daniel et Jenny, perdus dans la foule, étaient invisibles.

Neuf heures vingt-huit. Neuf heures trente. Sur le quai, un remous agita la fourmilière. Les dernières portières claquaient. La locomotive siffla. Dans la lumière blafarde des lampes à arc, d'épaisses bouffées blanches montaient vers la verrière. L'enfilade des wagons éclairés tressaillit. Il y eut des grincements, quelques heurts sourds. Jacques, arrêté, fixait des yeux le fourgon de queue qui ne bougeait pas encore; qui, enfin, s'ébranla. Les trois feux rouges, s'éloignant, démasquèrent les rails de la voie; lentement, le train qui emportait Daniel s'enfonça dans les ténèbres.

« Et maintenant? » se dit Jacques, croyant de bonne foi qu'il hésitait encore sur ce qu'il allait faire.

Il s'était avancé jusqu'au commencement du quai. Il regardait venir à lui le flot des gens qui, après le départ de l'express, gagnaient la sortie. En passant sous les globes électriques, les figures, un instant, prenaient vie avant de se perdre de nouveau dans la pénombre.

Jenny...

Lorsqu'il la reconnut, de loin, son premier mouvement fut de fuir, de se cacher. Mais la honte ne fut pas la plus forte : il se rapprocha, au contraire, pour se trouver sur son chemin.

Elle venait droit vers lui. Son visage portait encore la trace de la séparation. Elle marchait vite, sans rien voir.

Brusquement, à deux mètres, elle l'aperçut. Jacques vit ses traits se crisper sous le choc, et, comme l'autre soir chez Antoine, une brève lueur d'effroi dilater ses prunelles.

Tout d'abord, elle n'eut pas l'idée qu'il avait eu le front de l'attendre : elle crut qu'il se trouvait là, attardé par hasard. Son unique pensée fut de détourner les yeux, d'éviter la rencontre. Mais elle était prise dans le courant, obligée de passer devant lui. Elle sentit qu'il la regardait fixement, et comprit alors qu'il s'était posté là, pour elle. Quand elle fut à son niveau, il souleva machinalement son chapeau. Elle ne répondit pas à son salut, et, tête baissée, trébuchant un peu, se glissant à travers les voyageurs qui la précédaient, elle piqua droit vers la sortie. Elle se retenait de courir. Elle n'avait qu'un seul but : être le plus vite possible hors d'atteinte; se fondre dans la foule, gagner le métro, s'y terrer.

Jacques s'était retourné pour la suivre des yeux, mais il restait rivé à sa place. « Et maintenant? » se dit-il de nouveau. Il fallait prendre un parti. La minute était décisive... « Avant tout, ne pas la perdre! »

Il se jeta dans son sillage.

Les voyageurs, les porteurs, les chariots, encombraient le chemin. Il dut contourner une famille accroupie sur des bagages; il buta contre une roue de bicyclette. Quand il chercha Jenny des yeux, elle avait disparu. Il fit quelques zigzags, en courant. Il se soulevait sur la pointe des pieds pour fouiller d'un œil hagard cette agglomération de dos mouvants. Enfin, par miracle, dans le troupeau qui se pressait vers la sortie, il reconnut le voile noir, les épaules étroites... Ne plus la perdre... la tenir harponnée au bout de son regard!

Mais elle avait de l'avance. Tandis qu'il piétinait sur place, bloqué par la foule, il la vit franchir le guichet, traverser le hall, tourner à droite vers le métro. Fou d'impatience, il joua des coudes, bouscula des gens, parvint au guichet, s'engouffra dans l'escalier du souterrain. Où était-elle? Il l'aperçut soudain au bas des marches. En quelques bonds, il rattrapa la distance.

« Et maintenant? » se dit-il encore une fois.

Il était tout près. L'aborder? Il fit encore un pas, se

trouva juste derrière elle. Alors, d'une voix essoufflée, il prononça son nom :

— « Jenny... »

Elle se croyait sauvée. Cet appel, brutal comme un coup entre les épaules, la fit chanceler.

Il répéta :

— « Jenny! »

Elle ne parut pas entendre, et partit comme une flèche. La terreur l'éperonnait. Mais son cœur était devenu si pesant qu'il lui semblait pareil à ces fardeaux intransportables qu'on traîne dans les rêves, et qui paralysent les fuites...

Au bout de la galerie, un escalier plongeait devant elle, presque désert. Elle s'y rua, sans s'occuper de la direction. Une rampe rétrécissait de moitié la largeur des marches. Tout en bas, elle apercevait le portillon d'accès au quai, et l'employé qui poinçonnait les billets. D'une main fébrile, elle fouillait dans son sac. Jacques vit le geste. Elle avait des tickets; lui, non! Sans billet, on ne le laisserait pas franchir le tourniquet; si elle atteignait le portillon, il ne la rattraperait pas! Sans hésiter, il prit son élan, la rejoignit, passa devant elle, et, se retournant, lui barra brutalement le passage.

Elle comprit qu'elle était prise. Ses jambes vacillèrent. Mais elle fit front, et le dévisagea.

Il était là, en travers du chemin, le chapeau sur la tête, rouge, les traits gonflés, l'œil effronté et fixe : il avait l'air d'un malfaiteur ou d'un aliéné...

— « Je veux vous parler! »

— « Non! »

— « Si! »

Elle le regardait, sans rien laisser paraître de sa peur; ses prunelles pâles, dilatées, n'exprimaient que rage et dédain.

— « Allez-vous-en ! » cria-t-elle d'une voix basse, essoufflée et rauque.

Quelques secondes, ils s'immobilisèrent, face à face, grisés par leur violence, croisant leurs regards haineux.

Mais ils obstruaient l'étroit passage : des voyageurs, pressés, se faufilaient entre eux en bougonnant, et se retournaient ensuite, intrigués. Jenny s'en aperçut. Aussitôt, elle perdit tous ses moyens. Plutôt céder que de prolonger ce scandale... Il était le plus fort; elle ne se déroberait pas à une explication. Du moins, pas là, pas sous l'œil des curieux!

Elle fit un brusque demi-tour, et, rebroussant chemin, remonta précipitamment les marches.

Il la suivit.

Ils se trouvèrent tout à coup hors de la gare.

« Qu'elle arrête un taxi, ou qu'elle saute dans un tram, j'y monte avec elle », se dit Jacques.

La place était très éclairée. Jenny, hardiment, se jeta au milieu des voitures. Lui aussi. Il évita de justesse un autobus, et entendit les injures du chauffeur. L'œil rivé sur la silhouette fuyante, il se moquait du danger. Jamais il ne s'était senti si sûr de lui.

Elle atteignit enfin le trottoir, et se retourna. Il était là, à quelques mètres. Elle ne lui échapperait pas; elle en avait pris son parti. Maintenant, même, elle souhaitait presque de pouvoir lui crier son mépris, pour en finir. Mais, où? Pas dans cette cohue...

Elle connaissait mal ce quartier. Un boulevard montait vers la droite. Il était grouillant. Elle s'y engagea cependant, au hasard.

« Où va-t-elle? » se demandait Jacques. « C'est idiot... »

Ses sentiments avaient changé; à la mauvaise excitation qui le possédait tout à l'heure, se substituaient la confusion et la pitié.

Soudain, elle hésita. A gauche s'ouvrait un bout de rue étroite, déserte, que la masse d'un édifice emplissait d'ombre. Délibérément, elle s'y jeta.

Qu'allait-il faire? Elle le sentit se rapprocher. Il allait parler... L'oreille tendue, les nerfs à vif, elle s'apprêta : au premier mot, elle se retournerait, et donnerait enfin libre cours à sa colère.

— « Jenny... Je vous demande pardon... »

La seule parole qu'elle n'attendait pas!... Cette voix humble et pathétique... Elle crut défaillir.

Elle s'arrêta et appuya sa main au mur. Un long moment elle demeura immobile, sans souffle, les yeux clos.

Il n'avançait pas. Il s'était découvert.

— « Si vous l'exigez, je vous laisse... Je m'en vais, tout de suite, sans ajouter un mot. Je vous le promets... »

Elle ne saisissait le sens des paroles que quelques secondes après les avoir entendues.

— « Voulez-vous que je m'en aille? » reprit-il à mi-voix.

Elle pensa : « Non! » et, tout à coup, demeura interdite devant elle-même.

Sans attendre qu'elle eût répondu, il répéta, plusieurs fois, tout bas : « Jenny... » Et l'inflexion était si douce, si compatissante, si timide, qu'elle équivalait au plus tendre aveu.

Elle ne s'y trompa pas. Dans l'ombre, elle leva un furtif regard sur ce visage anxieux et volontaire. Une bouffée de bonheur lui contracta la gorge.

Il demanda de nouveau :

— « Voulez-vous que je vous laisse? »

Mais l'intonation était toute différente : il était sûr maintenant qu'elle ne le chasserait pas sans l'avoir écouté.

Elle eut un bref haussement d'épaules, et, d'instinct, ses traits prirent une froideur méprisante : le seul masque qui pût, quelques instants encore, sauvegarder sa fierté.

— « Jenny, laissez-moi vous parler... Il le faut... Je vous en prie... Après, je m'en irai... Venez jusqu'au square qui est devant l'église... Là, au moins, vous pourrez vous asseoir... Voulez-vous? »

Elle sentit passer sur elle un regard insistant, qui la troubla plus encore que la voix. Comme il paraissait résolu à déchiffrer ses secrets!

Elle n'avait pas eu la force de répondre. Mais, d'un geste raide, comme si elle ne cédait encore qu'à la contrainte, elle s'était détachée du mur, et, le buste droit, les yeux fixés devant elle, elle avait repris sa marche, d'un pas de somnambule.

Il se tenait à son côté, silencieux, légèrement en retrait. Du sillage de la jeune fille se dégageait, par instants, un parfum frais, à peine perceptible, qu'il respirait avec l'air tiède de la nuit. L'émotion, le remords, lui faisaient monter les larmes aux yeux.

Ce soir seulement, il consentait à s'avouer à lui-même
quelle humilité repentante, quel besoin de pardon et
d'amour, le tenaillaient en secret depuis que Jenny lui
était réapparue. Le lui dirait-il? Elle ne le croirait pas.
Il n'avait su lui montrer que violence et grossièreté...
Rien, jamais, ne pourrait effacer l'offense de cette incon-
venante poursuite!

XXXVIII

Ils pénétrèrent par en haut dans le petit square en terrasse, aménagé devant le porche de l'église Saint-Vincent de Paul. Sur la place La Fayette, en contrebas, ne passaient plus que de rares véhicules. L'endroit était totalement désert, mais baigné d'une paisible lumière qui lui enlevait tout caractère clandestin.

Jacques orienta leur marche vers le banc le plus éclairé. Elle se laissa conduire; et elle s'assit d'elle-même, avec décision — une aisance qui était feinte, car ses jambes ne la soutenaient plus. Malgré la rumeur que faisait la ville autour d'eux, elle se sentait enveloppée de ce silence opaque, chargé de foudre, qui précède les orages : quelque chose de grave, de terrible, planait : quelque chose qui ne dépendait pas d'elle, qui peut-être même ne dépendait pas de lui, et qui allait éclater soudain...

— « Jenny... »

Cette voix humaine lui parut une délivrance. Elle était calme, cette voix : douce, presque bienfaisante.

Il avait jeté son chapeau sur le banc : il se tenait debout, à quelque distance d'elle. Et il parlait. Que disait-il?

— « ... Je n'ai jamais pu vous oublier! »

Un mot monta aux lèvres de Jenny : « Menteur! » Mais elle se tut, les yeux au sol.

Il répéta avec force :

— « Jamais. » Puis, après une pause qui sembla très longue, il ajouta, plus bas : « Et vous non plus! »

Cette fois, elle ne put réprimer un geste de protestation.

Il poursuivit tristement :

— « Non!... Vous m'avez détesté, oui, c'est possible. Et je me déteste moi-même pour ce que j'ai fait!... Mais *oublié*, non : nous n'avons pas cessé, en secret, de nous défendre l'un de l'autre. »

Elle ne pouvait pas articuler un son. Pour que, du moins, il ne se méprît pas sur son silence, avec toute l'énergie qui lui restait, elle secoua négativement la tête.

Il se rapprocha brusquement :

— « Vous ne me pardonnerez sans doute jamais. Je ne l'espère pas. Je vous demande seulement de me comprendre. De me croire, si je vous dis, les yeux dans les yeux : Quand je suis parti, voici quatre ans, *il le fallait!* Vis-à-vis de moi-même, je ne pouvais pas faire autrement! »

Il avait mis, malgré lui, dans ces derniers mots, le frémissement de l'évasion, de la liberté.

Elle ne bougeait pas, et fixait un regard dur sur le gravier.

— « Ce que je suis devenu, pendant toutes ces années... », commença-t-il, avec un geste évasif. « Oh! ce n'est pas que je cherche à vous rien cacher, à vous. Non! Mon plus profond désir, au contraire, serait de pouvoir tout vous dire, tout... »

— « Je ne vous demande rien! » s'écria-t-elle, retrouvant, avec la parole, ce ton coupant qui la rendait inaccessible.

Un silence.

— « Comme je vous sens loin de moi, en ce moment », soupira-t-il. Et, après une nouvelle pause, avec une désarmante simplicité, il confessa : « Je me sens, moi, si près, si près de vous... »

La voix, de nouveau, avait pris cette intonation chaude, prenante... Jenny fut soudain ressaisie par la peur. Elle se vit, seule avec Jacques, dans ce lieu écarté, nocturne. Elle ébaucha un mouvement pour se lever, pour fuir.

— « Non », dit-il, en faisant un geste autoritaire de la main. « Non, écoutez-moi. Jamais je n'aurais osé aller vers vous, après ce que j'ai fait. Mais, vous voici. Vous êtes là. Le hasard, depuis huit jours, nous a remis face à face... Ah! si vous pouviez lire au fond de moi, ce soir!

Ça compte si peu, pour moi, en ce moment, mon départ, et ces quatre années, et même... — c'est monstrueux, ce que je vais dire, — et même toute la peine que j'ai pu vous faire ! Oui, tout ça compte si peu, auprès de ce que j'éprouve... Tout ça, pour moi, ce n'est plus rien, Jenny, plus rien, puisque vous êtes là, et que je vous parle enfin ! Vous ne pouvez pas deviner ce qui s'est passé en moi, l'autre jour, chez mon frère, quand je vous ai revue... »

« Et en moi ! » songea-t-elle involontairement. Mais, en cet instant, elle ne pensait à son trouble de ces derniers jours que pour condamner sa faiblesse, et la renier.

— « Tenez », dit-il, « je ne veux pas vous mentir, je vous parle comme à moi-même : il y a une semaine, je n'aurais sans doute pas osé dire que, pendant ces quatre ans, je n'avais pas cessé de penser à vous. Peut-être que je ne le savais pas. Je le sais maintenant. Maintenant, je comprends ce que je traînais en moi de si douloureux, toujours et partout : une nostalgie profonde, une blessure. C'était... C'était votre absence, mon regret de vous. C'était la mutilation que je m'étais faite, et que rien ne pouvait cicatriser. Je vois clair, maintenant, grâce à cette lumière qui s'est faite en moi, tout d'un coup, depuis que vous avez repris votre place dans ma vie ! »

Elle écoutait mal. Elle était tout étourdie. Le battement de ses artères faisait dans sa tête un bruit assourdissant. Autour d'elle, tout était flou et chancelait, les arbres, les façades des maisons. Mais, lorsqu'elle levait le front une seconde, et que ses yeux croisaient ceux de Jacques, elle parvenait à braver son regard, sans faiblir ; et son silence, son expression, son port de tête, semblaient dire : « Quand cesserez-vous de me faire tout ce mal ? »

Il continuait à parler, dans le silence sonore :
— « Vous vous taisez. Je ne devine pas vos pensées. Mais ça m'est égal. Oui, c'est vrai : ça m'est presque égal ce que vous pensez de moi ! tellement je sens que, si vous m'écoutez, je pourrai vous convaincre ! Est-ce qu'on peut nier l'évidence ? Tôt ou tard, tôt ou tard, vous comprendrez. Je me sens la force, la patience, de

vous reconquérir... Pendant toute mon enfance, mon univers a tourné autour de vous : je ne pouvais imaginer mon avenir que mêlé au vôtre — fût-ce malgré vous. Malgré vous, comme ce soir. Car vous avez toujours été un peu... sévère pour moi, Jenny! Mon caractère, mon éducation, mes brusqueries, tout, en moi, vous déplaisait. Pendant des années, vous avez opposé à mes avances une espèce d'antipathie, qui me rendait plus gauche, plus antipathique encore! Est-ce vrai? »

« C'est vrai », songea-t-elle.

— « Mais, déjà en ce temps-là, ça m'était presque égal, votre antipathie... Comme ce soir... Est-ce que ça pouvait compter auprès de ce que j'éprouvais, moi? auprès de ce sentiment si fort, si obstiné... et si naturel, si central, que, pendant bien longtemps je n'ai même pas su, ou pas osé, lui donner son vrai nom? » Sa voix tremblait et devint haletante : « Rappelez-vous... Ce bel été... Notre dernier été à Maisons!... Est-ce que vous n'avez pas compris, cet été-là, qu'il y a une fatalité sur nous? Et que nous ne lui échapperons pas? »

Chaque souvenir réveillé en faisait lever d'autres, et la troublait si profondément qu'elle eut de nouveau la tentation de fuir, pour ne plus l'entendre. Et, cependant, elle écoutait, sans perdre une syllabe. Elle était aussi haletante que lui, et concentrait son énergie à maîtriser son souffle, pour ne pas se trahir.

— « Quand il y a eu, entre deux êtres, ce qu'il y a eu entre nous, Jenny — cette attraction, cette promesse, cet immense espoir — quatre ans, dix ans peuvent passer, qu'importe? Ça ne s'efface pas... Non, ça ne s'efface pas », reprit-il brusquement. Et, plus bas, comme une confidence : « Ça ne fait que croître et s'enraciner, sans même qu'on le sache! »

Elle se sentit atteinte au plus intime, comme s'il venait de dénuder une place douloureuse, une plaie cachée, à peine connue d'elle-même. Elle renversa un peu la tête, et appuya sa main au banc, le bras raidi pour garder le buste droit.

— « Et vous êtes toujours la Jenny de cet été-là. Je le sens, je ne me trompe pas. La même! Seule, comme autrefois. » Il hésita : « Pas heureuse... comme autrefois !... Et moi aussi je suis le même. Seul; aussi seul qu'autrefois... Ah! ces deux solitudes, Jenny! Ces deux solitudes qui, chacune de leur côté, depuis quatre ans, s'enfoncent désespérément dans le noir! Et qui, tout à coup, se retrouvent! Et qui pourraient si bien, maintenant... »

Il s'interrompit une seconde. Puis, violemment :

— « Rappelez-vous ce dernier jour de septembre, quand j'ai rassemblé tout mon courage pour vous dire, comme ce soir : " Il faut que je vous parle. " Vous vous rappelez? Cette fin de matinée, sur la berge de la Seine, avec nos bicyclettes dans l'herbe, devant nous?... Comme ce soir, c'est moi qui parlais... Comme ce soir, vous ne répondiez pas... Mais vous étiez venue. Et vous m'écoutiez, comme ce soir... Je vous devinais consentante... Nous avions les yeux pleins de larmes... Et, quand je me suis tu, nous nous sommes séparés tout de suite, sans pouvoir nous regarder... Ah! quelle gravité, dans ce silence! Quelle tristesse! Mais une tristesse rayonnante, — rayonnante d'espoir! »

Cette fois, un brusque haut-le-corps la redressa :

— « Oui... », s'écria-t-elle. « Et, trois semaines après !... »

La phrase s'acheva dans un hoquet étouffé. Mais inconsciemment, elle se servait de sa colère pour se masquer à ses propres yeux le vertige qui la gagnait.

Tout ce qui, jusque-là, subsistait en Jacques de crainte ou d'incertitude, venait d'être balayé d'un coup par ce cri de reproche, chargé d'aveu! Une joie intense le souleva :

— « Ah! Jenny », reprit-il, d'une voix qui tremblait, « cela aussi, ce brusque départ, il faudra bien que je vous l'explique... Oh! je ne veux pas me chercher d'excuses. J'ai cédé à un coup de folie. Mais, j'étais si misérable! Mes études, ma vie de famille, mon père!... Et autre chose aussi... »

Il pensait à Gise. Pouvait-il, dès ce soir?... Il lui sembla qu'il avançait en tâtonnant le long d'un précipice.

Il répéta, très bas :

— « Autre chose, aussi... Je vous expliquerai tout.

Je veux être sincère avec vous. Totalement sincère. C'est si difficile! Quand on parle de soi, on a beau faire, on ne dit jamais toute la vérité... Ces fugues, ce besoin de me libérer en brisant tout, c'est une chose terrible, c'est comme une maladie... J'ai aspiré, toute ma vie, au calme, à la sérénité! Je m'imagine toujours que je suis la proie des autres; que, si je leur échappais, si je parvenais à recommencer, ailleurs, loin d'eux, une vie entièrement neuve, je l'atteindrais enfin, cette sérénité! Mais, écoutez-moi, Jenny: je suis sûr, aujourd'hui, que s'il existe au monde un être qui pourrait me guérir, me fixer... — c'est vous! »

Elle se tourna, une seconde fois, avec la même violence:

— « Est-ce que je vous ai retenu, il y a quatre ans? »

Il eut le sentiment qu'il se heurtait à quelque chose de dur, qui était en elle, qui y demeurerait toujours. Jadis aussi, même aux heures si rares où leurs natures disparates semblaient un instant s'accorder, il butait sans cesse contre cette dureté secrète.

— « C'est vrai... Mais... » Il hésita: « Laissez-moi oser dire tout ce que je pense: qu'aviez-vous fait, jusqu'alors, pour me retenir? »

« Ah! » songea-t-elle tout d'un trait, « j'aurais sûrement tenté quelque chose, si j'avais su qu'il voulait partir! »

— « Comprenez bien: je ne cherche pas à atténuer ma faute! Non. Je veux seulement... » (Son demi-sourire, la douceur de sa voix, semblaient, d'avance, demander pardon de ce qu'il allait dire:) « Qu'avais-je obtenu de vous? Si peu!... De temps en temps, un regard moins sévère, une attitude moins fuyante, moins réservée. Parfois, une parole qui trahissait un peu de confiance. C'est tout... Parmi combien de réticences, et de reprises, et de refus! Est-ce vrai? M'aviez-vous jamais donné le moindre encouragement, capable de contrebalancer cet élan maladif qui me poussait vers l'inconnu? »

Elle était trop loyale pour ne pas reconnaître la justesse de ce reproche. Au point que, à cette minute, elle eût été soulagée de pouvoir s'accuser à son tour. Mais il venait de s'asseoir auprès d'elle; et elle se raidit brusquement.

— « Je ne vous ai pas encore dit toute la vérité... »

Il avait murmuré ces derniers mots, d'une voix différente, angoissée, si grave, et en même temps si résolue, qu'elle se mit à trembler.

— « Comment vous expliquer une chose aussi... Pourtant, je ne veux rien, rien garder de secret, aujourd'hui... Il y avait, à ce moment-là, dans ma vie, quelqu'un d'autre. Un être délicat, charmant... Gise... »

Elle sentit une pointe aiguë lui entrer dans le cœur. Toutefois, la spontanéité de cet aveu — *qu'il aurait pu ne pas faire* — l'émut si fort, qu'elle en oublia presque sa douleur. Il ne lui cachait rien, elle pouvait s'abandonner à la confiance! Une sorte d'allégresse s'empara d'elle. Elle eut l'intuition qu'elle touchait à la délivrance, qu'elle allait enfin pouvoir renoncer à cette résistance inhumaine qui l'étouffait.

Lui, au moment où le nom de Gise était venu sur ses lèvres, il avait dû refouler un appel étrange, une poussée de cette trouble tendresse qu'il croyait depuis longtemps éteinte en lui. Cela ne dura qu'une seconde : la dernière flamme d'un feu sous la cendre, qui avait peut-être attendu ce soir pour achever de mourir.

Il poursuivit :

— « Ce que j'éprouvais pour Gise, comment l'expliquer? Les mots dénaturent... Un attrait, un attrait inconscient, superficiel, fait surtout de souvenirs d'enfance... Non, ce n'est pas assez dire, je ne veux rien renier, je ne dois pas être injuste pour ce qui a été... Sa présence était ma seule joie à la maison. C'est une exquise nature, vous savez... Un petit cœur chaud, plein d'abandon... Elle aurait dû être pour moi comme une sœur... Mais », reprit-il, d'une voix qui s'étranglait à chaque fin de phrase, « je vous dois la vérité, Jenny : ce que je ressentais pour elle n'avait plus rien de... fraternel. Plus rien de... pur! » Il se tut, puis ajouta, très bas : « C'est vous que j'aimais d'un amour fraternel, d'un amour *pur*. C'est vous que j'aimais comme une sœur... Comme une sœur! »

Ces souvenirs étaient si poignants à évoquer, ce soir,

que, brusquement, ses nerfs le trahirent. Un sanglot, qu'il n'avait su ni prévoir ni étouffer, lui laboura la gorge. Il baissa la tête, et cacha son visage dans ses mains.

Jenny, subitement, s'était mise debout, et elle s'était écartée d'un pas. Cette faiblesse inattendue la choquait, mais la bouleversait aussi. Et, pour la première fois, elle se demanda si elle ne s'était pas méprise, jusqu'ici, dans ses griefs contre Jacques.

Il ne l'avait pas vue se lever. Lorsqu'il s'aperçut qu'elle avait quitté le banc, il crut qu'elle lui échappait, qu'elle allait partir. Pourtant, il ne fit pas un geste; ployé sur lui-même, il continuait à pleurer. Eut-il, à ce moment-là, dans un dédoublement semi-conscient, semi-perfide, l'intuition du parti qu'il pouvait tirer de ces larmes?

Elle ne s'éloignait pas. Elle restait là, interdite. Figée dans sa pudeur, dans son orgueil, mais frémissante de compassion et de tendresse, elle luttait désespérément contre elle-même. Elle parvint enfin à faire le pas qui la séparait de Jacques. Elle distinguait, à la hauteur de ses genoux, la tête penchée, enfouie dans les mains. Alors, avec gaucherie, elle avança le bras, et ses doigts effleurèrent une épaule, qui tressaillit. Avant qu'elle eût pu faire un mouvement de retrait, il avait saisi sa main, et retenu la jeune fille devant lui. Doucement, il appuya son front contre la robe. Ce contact la brûlait. Une voix intérieure, à peine perceptible, l'avertit, une dernière fois, qu'elle sombrait dans un gouffre redoutable; qu'elle avait tort d'aimer, tort d'aimer justement celui-là... Elle se crispa, elle se raidit, mais elle ne recula pas. Avec frayeur, avec délice, elle consentit à l'inévitable, à son destin. Plus rien maintenant ne la délivrerait.

Il avança les bras comme pour l'étreindre, mais se contenta de saisir entre les siennes les deux mains gantées de noir. Et, par ces mains qu'elle consentait maintenant à lui abandonner, il l'attira vers le banc, il la força à se rasseoir.

— « Vous seule... Vous seule pouviez me donner cet apaisement intérieur que je n'ai jamais connu, et que je trouve, ce soir, auprès de vous... »

« Moi aussi », se dit-elle. « Moi aussi... »

— « Peut-être quelqu'un, déjà, vous a-t-il dit qu'il vous aimait », reprit-il, d'une voix qui sonnait mat, et qui parut à Jenny avoir juste assez de résonance pour l'atteindre, descendre en elle, y faire un trouble et délicieux ravage. « Mais, ce dont je suis sûr, c'est que personne ne pourra vous apporter un sentiment pareil au mien, aussi profond, aussi ancien, resté aussi vivace, en dépit de tout ! »

Elle ne répondit pas. Elle était épuisée d'émotion. Elle sentait, de seconde en seconde, qu'il s'emparait d'elle davantage : et, réciproquement, qu'il lui appartenait davantage, dans la mesure même où elle cédait à son amour.

Il répéta :

— « Peut-être avez-vous aimé quelqu'un d'autre ? Je ne sais rien de votre vie. »

Elle leva alors sur lui ses yeux pâles, étonnés, si limpides, qu'il eût donné tout au monde, à cette minute, pour effacer jusqu'au souvenir de sa question.

Simplement, sur le ton ferme et naïf, dont il aurait constaté un phénomène physique indiscutable, il déclara :

— « Aucun être n'a jamais été aimé comme vous l'êtes par moi... » Puis, après une pause : « Je sens que toute ma vie n'a été que l'attente de ce soir ! »

Elle ne répondit pas tout de suite. Enfin, d'une voix saccadée, d'une voix de gorge qu'il ne lui connaissait pas, elle murmura :

— « Moi aussi, Jacques. »

Elle s'appuya au dossier du banc, et s'immobilisa, la nuque un peu renversée, les yeux ouverts sur la nuit. En une heure, elle avait plus changé qu'en dix ans : la certitude d'être aimée lui forgeait une âme neuve.

Chacun d'eux sentait contre son épaule, contre son bras, la vivante chaleur de l'autre. Oppressés, les cils battants, le cœur plein de tumulte, ils se taisaient, effrayés de leur isolement, de ce silence, de la nuit; effrayés de leur bonheur, comme si ce bonheur n'était pas une conquête, mais une capitulation devant d'obscures forces.

Tout à coup, au-dessus d'eux, dans le temps suspendu, l'horloge de l'église emplit l'espace de ses coups martelés, insistants.

Jenny fit un effort pour se redresser.

— « Onze heures ! »

— « Vous n'allez pas me quitter, Jenny ! »

— « Maman doit être inquiète », dit-elle, désespérée.

Il n'essaya pas de la retenir. Il éprouva même un étrange et nouveau plaisir à renoncer pour elle à ce qu'il eût souhaité le plus : la garder contre lui.

Côte à côte, sans parler, ils descendirent les degrés, jusqu'à la place La Fayette. Comme ils atteignaient le trottoir, un taxi, en maraude, vint s'arrêter devant eux.

— « Au moins », dit-il, « laissez-moi vous reconduire ? »

— « Non... »

L'accent était triste, tendre et ferme à la fois. Et tout à coup, comme pour s'excuser, elle lui sourit. C'était la première fois, depuis bien longtemps, qu'il la voyait sourire.

— « J'ai besoin d'être un peu seule, avant de revoir maman... »

Il se dit : « Peu importe », et fut surpris lui-même que cette séparation leur fût possible, sans plus d'effort.

Elle avait cessé de sourire. Sur ses traits fins se lisait même une expression d'angoisse, comme si la griffe ancienne de la souffrance restait plantée dans ce bonheur trop neuf.

Timidement, elle proposa :

— « Demain ? »

— « Où ? »

Elle répondit, sans hésiter :

— « A la maison. Je ne bougerai pas. Je vous attendrai. »

Il était un peu étonné, malgré tout. Et, aussitôt, il pensa, avec un sentiment d'orgueil, qu'ils n'avaient pas à se cacher.

— « Chez vous, oui... Demain... »

Elle dégagea doucement ses doigts, qu'il serrait trop fort. Elle inclina la tête, et disparut dans l'ombre de la voiture, qui démarra.

Et, brusquement, il pensa :

« La guerre... »

L'univers, soudain, avait changé de lumière, de température. Les bras ballants, les yeux fixés sur l'auto que déjà il perdait de vue, il lutta un instant contre une mortelle sensation de peur; l'anxiété qui pesait ce soir-là sur l'Europe semblait avoir attendu, pour s'emparer de lui, qu'il fût de nouveau vacant, et seul.

— « Non, pas la guerre! » murmura-t-il, en crispant les poings. « Mais la révolution! »

Pour cet amour, qui engageait toute sa vie, il avait plus que jamais besoin d'un monde nouveau, de justice et de pureté.

XXXIX

Jacques s'éveilla en sursaut. Cette chambre minable...
Hébété, il clignait des yeux dans la lumière, attendant
que la mémoire lui revînt.

Jenny... Le square de l'église... Les Tuileries... Ce
petit hôtel de voyageurs, où il avait échoué, au petit
jour, derrière la gare d'Orsay...

Il bâilla, jeta les yeux vers sa montre : « Déjà neuf
heures !... » Il se sentait las. Cependant, il sauta du lit,
but un verre d'eau, examina dans la glace ses traits
fatigués, ses yeux brillants, et sourit.

Il avait passé la nuit dehors. Vers minuit, il s'était
trouvé, sans trop savoir comment, devant *l'Humanité*.
Il était même entré, il avait gravi quelques marches.
Mais, à mi-étage, il avait fait demi-tour. Les dépêches
des journaux du soir, parcourues sous un réverbère
après le départ de Jenny, l'avaient mis au courant des
nouvelles de la dernière heure. Le courage lui manquait pour affronter les commentaires politiques des
camarades. Rompre la trêve qu'il s'était accordée, laisser le tragique des événements saccager cette joyeuse
confiance qui, ce soir, lui rendait la vie si belle... Non !...
Alors, il était parti, au hasard, dans la nuit chaude, la
tête sonore, l'âme en fête. L'idée que, dans ce grand
Paris nocturne, personne d'autre que Jenny ne connaissait le secret de son bonheur, l'exaltait. Pour la première fois, peut-être, il se sentait délivré du fardeau
de solitude qu'il traînait partout, depuis toujours. Il
allait devant lui, d'un pas rapide, allégé, dansant, comme
si le rythme de la course pouvait seul exprimer son
allégresse. La pensée de Jenny ne le quittait pas. Il se

répétait ses paroles, il vibrait tout entier à leur écho,
il entendait encore les moindres inflexions de sa voix.
Ce n'était pas assez dire que cette présence ne le quittait
pas : elle vivait en lui; il en était accaparé; au point qu'il
était dépossédé de lui-même; au point que l'aspect des
choses, le sens même de l'univers, s'en trouvaient trans-
formés, spiritualisés... Beaucoup plus tard, il était arrivé
près du pavillon de Marsan, dans cette partie des Tuileries qui reste ouverte le soir. Les jardins, complètement
déserts à cette heure, s'offraient comme un asile. Il
s'était allongé sur un banc. Des pelouses, des bassins,
s'élevait une senteur fraîche que traversait, par effluves,
l'odeur des pétunias, des géraniums. Il redoutait de
s'endormir, il ne voulait pas cesser de savourer sa joie.
Et il était demeuré là, très longtemps, jusqu'aux premières lueurs de l'aube, sans pensée précise, les yeux
ouverts sur le ciel où pâlissaient peu à peu les étoiles,
pénétré d'un sentiment de grandeur et de paix, si pur,
si vaste, qu'il ne se souvenait pas d'avoir jamais rien
éprouvé de pareil.

A peine sorti de l'hôtel, il chercha un kiosque de
journaux. Toute la presse de ce dimanche 26 juillet
reproduisait, sous des titres indignés, la dépêche Havas
relative à la réponse serbe, et protestait, avec une unanimité qui trahissait un mot d'ordre gouvernemental,
contre la démarche menaçante faite au Quai d'Orsay par
M. de Schœn.

La seule vue des manchettes, l'odeur d'encre que
répandaient ces feuilles encore humides, réveilla en lui
le militant. Il bondit dans un autobus pour arriver plus
vite à l'*Humanité*.

Malgré l'heure matinale, une animation inaccoutu-
mée régnait dans les bureaux. Gallot, Pagès, Stefany,
étaient déjà à leurs postes.

On venait de recevoir des précisions déroutantes sur
les événements balkaniques. La veille, à l'heure fixée
pour le délai de l'ultimatum, Pachitch, le président du
Conseil, avait porté la réponse serbe au baron Giesl,
le ministre d'Autriche à Belgrade. Cette réponse n'était

pas seulement conciliante : c'était une capitulation. La
Serbie consentait à tout : elle acceptait de condamner
publiquement la propagande serbe contre la monarchie
austro-hongroise, et à insérer cette condamnation dans
son *Journal officiel;* elle s'engageait à dissoudre la société
nationaliste *Norodna Obrana,* et même à rayer des
cadres de l'armée les officiers jugés suspects d'une action
anti-autrichienne. Elle sollicitait seulement un supplé-
ment d'information sur la forme littérale à donner au
texte du *Journal officiel,* et sur la composition du tribunal chargé de désigner les officiers suspects. Réserves
infimes, qui ne pouvaient pas donner matière à grief.
Cependant, comme si la légation autrichienne avait reçu
l'ordre de rompre coûte que coûte les relations diplomatiques afin de rendre inévitable une sanction par les
armes, à peine Pachitch avait-il eu le temps de regagner
son ministère, qu'il recevait de Giesl l'avis stupéfiant
que « la réponse serbe était jugée insuffisante », et que
la légation autrichienne, au complet, quittait le soir
même le territoire serbe. Aussitôt, le gouvernement
serbe qui, par prudence, avait procédé dans l'après-
midi à des préparatifs de mobilisation, s'était hâté
d'évacuer Belgrade et de transporter ses services à Kra-
gouyevatz.

La gravité de ces faits sautait aux yeux. Plus de
doute : l'Autriche voulait la guerre.

La menace du danger, loin d'ébranler la confiance
des socialistes réunis à *l'Humanité,* semblait même renforcer leur foi dans la victoire finale de la paix. Les
renseignements précis que centralisait Gallot sur l'activité de l'Internationale, légitimaient d'ailleurs ces espoirs. La résistance prolétarienne ne cessait de faire des
progrès. Les anarchistes eux-mêmes se joignaient à la
lutte : leur congrès se tenait dans une huitaine, à Londres;
et la discussion des événements d'Europe, inscrite à
l'ordre du jour, devait y précéder tout autre débat. A
Paris, la Confédération générale du travail projetait une
manifestation massive, pour un jour prochain, dans les
salles de l'avenue de Wagram. Son organe officieux, *la
Bataille syndicaliste,* venait de rappeler, en gros carac-

tères, les décisions formellement prises par les congrès
confédéraux sur l'attitude de la classe ouvrière en cas
de guerre : *A toute déclaration de guerre, les travailleurs doivent, sans délai, répondre par la grève générale
révolutionnaire.* Enfin, par d'incessants échanges de vues,
les grands leaders européens de l'Internationale, convo-
qués d'urgence, cette semaine, à la Maison du Peuple
de Bruxelles, préparaient activement la réunion de leur
Bureau, — réunion dont le but précis était d'unifier la
résistance dans tous les Etats d'Europe, et de prendre
des mesures collectives efficaces, afin de donner sans
retard aux peuples menacés un moyen d'opposer leur
veto radical à la politique périlleuse des gouvernements.

Tout cela semblait de bon augure.

Dans les pays germaniques, la résistance pacifiste
était particulièrement significative. Les derniers numéros des journaux d'opposition autrichiens et allemands,
qui étaient arrivés ce matin même, circulaient de mains
en mains, et Gallot les traduisait, avec des commentaires
réconfortants. L'*Arbeiterzeitung* de Vienne donnait le
texte d'un manifeste solennel que le parti socialiste
autrichien venait de lancer pour condamner sans réserve l'ultimatum, et réclamer, au nom de tous les travailleurs, des négociations pacifiques : *La paix ne tient
plus qu'à un fil... Nous ne pouvons pas accepter la responsabilité de cette guerre que nous repoussons de toutes
nos forces!...*

En Allemagne aussi, les partis de gauche s'insurgeaient. La *Leipziger Volkszeitung* et le *Vorwärts*, en
des articles violents, sommaient le gouvernement allemand de désavouer ouvertement les agissements de
l'Autriche. La social-démocratie organisait, à Berlin,
pour le mardi 28, un meeting de grande envergure.
Dans une protestation très ferme, adressée à tous les
citoyens, elle déclarait crûment que, même si le conflit
éclatait dans les Balkans, l'Allemagne devait demeurer
strictement neutre. Gallot attachait une importance très
grande au manifeste lancé, la veille, par le comité directeur. Il en traduisit à haute voix des passages : *La furie
guerrière, déchaînée par l'impérialisme autrichien, se pré-*

*pare à répandre la mort et la ruine sur toute l'Europe.
Si nous condamnons les menées des nationalistes panserbes,
la provocation du gouvernement austro-hongrois mérite
d'autre part les protestations les plus véhémentes. Ses
demandes sont d'une brutalité telle qu'il n'en a jamais été
fait de semblables à un Etat indépendant. Elles ne peuvent
avoir été calculées qu'avec l'intention de provoquer directement à la guerre. Le prolétariat conscient d'Allemagne,
au nom de l'humanité et de la civilisation, élève une ardente
protestation contre les menées criminelles des fauteurs de
guerre. Il exige impérieusement que le gouvernement exerce
son influence sur l'Autriche pour le maintien de la paix.*
Cette lecture provoqua dans le petit groupe une explosion d'enthousiasme.

Jacques ne partageait pas l'approbation sans réserve de
ses amis. Ce manifeste lui paraissait encore trop mesuré.
Il regrettait que les socialistes allemands n'eussent pas
osé faire une allusion ouverte à la complicité des deux
gouvernements germaniques. Il pensait que, en rendant
public le soupçon qu'on avait d'une action concertée
entre les chanceliers Berchtold et Bethmann-Hollweg,
la social-démocratie eût soulevé contre le gouvernement
l'opinion de toutes les classes de l'Allemagne. Il défendit son point de vue avec conviction, et critiqua assez
âprement la position trop prudente que le socialisme
allemand lui semblait prendre. (Sans le dire, à travers
le socialisme allemand, il visait aussi le socialisme français, et spécialement le groupe parlementaire, les socialistes de *l'Humanité*, dont l'attitude, ces derniers jours,
lui avait souvent paru timorée, trop gouvernementale
et diplomatique, trop nationale.) Gallot lui opposa l'avis
de Jaurès, qui ne mettait pas en doute la fermeté des
social-démocrates et l'efficacité de leur opposition. Cependant, sur une question que lui posa Jacques, Gallot
dut convenir que, d'après des renseignements qu'on
tenait de Berlin, la plupart des chefs officiels de la
social-démocratie, reconnaissant qu'une action militaire
de l'Autriche en Serbie était devenue quasi inévitable,
semblaient prêts à soutenir la thèse de la Wilhelmstrasse :
nécessité de *localiser* la guerre sur la frontière austro-serbe.

— « Etant donné l'attitude actuelle de l'Autriche »,
dit-il, « et la façon dont elle se trouve déjà engagée dans
l'action, — ce dont il faut bien, malgré tout, tenir
compte, — la thèse de la *localisation* est rationnelle et
réaliste : faire la part du feu; se borner à empêcher
l'extension du conflit. »

Jacques n'était pas de cet avis :

— « S'en tenir à la localisation du conflit, ça implique
l'aveu qu'on accepte — pour ne pas dire plus — la
guerre austro-serbe; ça implique, par suite, le refus plus
ou moins tacite de participer à l'action médiatrice des
puissances. C'est déjà grave. Ce n'est pas tout. Une
guerre, même localisée, met la Russie devant cette alter-
native : ou bien de baisser pavillon, de consentir à
l'écrasement des Serbes; ou bien de se battre pour eux
contre l'Autriche. Or, il y a beaucoup de chances pour
que l'impérialisme russe saisisse cette occasion attendue
d'affirmer son prestige, et se trouve autorisé à mobiliser
contre l'Autriche. Vous voyez où ça nous mènerait :
par le jeu automatique des alliances, la mobilisation
russe, ce serait la guerre générale... Donc, sciemment
ou non, en s'obstinant à localiser le conflit, l'Allemagne
pousse la Russie à la guerre! L'unique chance de paix,
semble-t-il, serait, au contraire, comme le demande
l'Angleterre, de *ne pas localiser le conflit*, d'en faire un
problème diplomatique *européen*, auquel toutes les puissances seraient directement intéressées, et que toutes
les chancelleries s'appliqueraient à résoudre... »

On l'avait écouté sans l'interrompre, mais, dès qu'il
se tut, les objections jaillirent. Chacun affirmait, d'un
ton sans réplique : « L'Allemagne veut... », « La Russie
est bien décidée à... », comme si tous eussent été dans
la confidence des conseils de la Couronne.

La discussion devenait de plus en plus confuse,
lorsque Cadieux parut. Il venait du Rhône; il avait
accompagné Jaurès et Moutet à Vaize; il débarquait à
l'instant du train.

Gallot s'était levé :

— « Le Patron est revenu? »

— « Non. Il rentrera dans l'après-midi. Il s'est arrêté

à Lyon, où il avait rendez-vous avec un *soyeux*... »
Cadieux sourit : « Oh! je ne pense pas commettre une
indiscrétion... Ce *soyeux* est un industriel socialiste, —
il y en a — et pacifiste... Un type colossalement riche,
paraît-il... Et il offre de verser immédiatement une partie de sa fortune aux caisses du Bureau international,
pour la propagande! Ça mérite considération... »

— « Si tous les socialistes qui ont de la galette en
faisaient autant!... » grommela Jumelin.

Jacques tressaillit. Son regard, fixé sur Jumelin, se
figea.

Au centre de la pièce, Cadieux continuait à parler.
Il s'était lancé dans un récit émouvant de son voyage,
de la soirée de la veille. « Le Patron s'est surpassé! »
affirmait-il. Il conta que Jaurès, une demi-heure avant
la réunion, avait appris, coup sur coup, la capitulation
serbe, le refus de l'Autriche, puis la rupture diplomatique, et la mobilisation des deux armées. Il était monté
à la tribune, bouleversé. « C'est le seul discours pessimiste qu'il ait jamais prononcé! » disait Cadieux. Jaurès, soulevé par une inspiration subite, avait improvisé
un saisissant tableau d'histoire contemporaine. D'une
voix vengeresse, il avait stigmatisé tour à tour les res-
ponsabilités de tous les gouvernements européens. Responsabilité de l'Autriche, dont les audaces répétées
avaient, plusieurs fois déjà, risqué de mettre le feu à
l'Europe; dont la préméditation, aujourd'hui, était évi-
dente; et qui n'avait d'autre but, en cherchant cette
querelle à la Serbie, que de consolider par un nouveau
coup de force sa monarchie chancelante. Responsabilité
de l'Allemagne, qui, pendant ces semaines préliminaires,
avait paru soutenir les ambitions belliqueuses de l'Autriche, au lieu de la modérer et de la retenir! Responsabilité de la Russie, qui poursuivait obstinément son
extension vers le Sud; et qui, depuis des années, souhaitait une guerre balkanique, où, sous prétexte de défendre son prestige, elle pût intervenir sans trop de
risques, s'avancer vers Constantinople, s'emparer enfin
des Détroits! Responsabilité de la France, enfin; de la
France, qui, par sa politique coloniale et surtout sa

conquête du Maroc, s'était mise dans l'impossibilité de protester contre les annexions des autres, et de défendre avec autorité la cause de la paix. Responsabilité de tous les hommes d'Etat européens, de toutes les chancelleries, qui, depuis trente ans, travaillaient dans l'ombre à ces traités secrets dont dépendait la vie des peuples, à ces alliances dangereuses qui ne servaient aux Etats qu'à perpétrer leur œuvre de guerre et d'expéditions impérialistes! « Nous avons contre nous, contre la paix, des chances terribles... », s'était-il écrié. « Il n'y a plus qu'une chance pour le maintien de la paix : c'est que le prolétariat rassemble toutes ses forces... Je dis ces choses avec une sorte de desespoir... »

Jacques écoutait d'une oreille inattentive; et, dès que Cadieux eut terminé, il se leva.

Un homme maigre et long, d'apparence souffreteuse, la barbe et les cheveux gris, cravaté d'une lavallière et coiffé d'un feutre à grands bords, venait d'entrer. C'était Jules Guesde.

Les conversations s'étaient tues. La présence de Guesde, l'expression désabusée, un peu aigrie, de son visage d'ascète, créaient toujours un instant de gêne.

Jacques demeura quelques minutes encore, le dos au mur; tout à coup, il parut prendre une décision, regarda l'heure, fit un petit signe d'adieu à Gallot, et gagna la porte.

Dans l'escalier, des militants montaient et descendaient, par petits groupes, occupés d'eux-mêmes, poursuivant des discussions bruyantes. En bas, un vieil ouvrier, en cotte bleue, les mains dans les poches, seul, appuyé au chambranle de l'entrée, regardait d'un œil rêveur le va-et-vient de la rue, et fredonnait d'une voix creuse la vieille chanson des anarchos (celle que Ravachol avait entonnée au pied de l'échafaud) :

> Pour être heureux,
> Nom de Dieu,
> Pends ton propriétaire...

Jacques, au passage, contempla un instant l'homme immobile. Ce visage tanné, raviné, ce grand front chauve,

ce mélange de noblesse et de vulgarité, d'énergie et
d'usure, ne lui était pas inconnu. Ce fut seulement dans
la rue qu'il se souvint : il l'avait rencontré, un soir de
l'hiver dernier, rue de la Roquette, à *l'Etendard*, et
Mourlan lui avait dit que le vieux sortait de prison pour
avoir distribué des tracts antimilitaristes à la porte des
casernes.

Onze heures. Un soleil brumeux faisait peser sur la
ville une chaleur orageuse. L'image de Jenny, dont la
pensée, fidèle comme l'ombre, l'accompagnait depuis
son réveil, se précisa : la fine silhouette, la courbe frêle
des épaules, la nuque claire sous les plis du voile... Un
sourire heureux lui vint aux lèvres. Sûrement, elle
approuverait la résolution qu'il venait de prendre.

Place de la Bourse, une troupe joyeuse passa devant
lui : de jeunes cyclistes, chargés de provisions, qui s'en
allaient sans doute déjeuner à la fraîche, dans les bois.
Il les suivit des yeux, un instant, et prit la direction
de la Seine. Il n'était pas pressé. Il voulait voir Antoine,
mais il savait que son frère ne rentrait guère avant midi.
Les rues étaient silencieuses et vides. L'asphalte, arrosé,
sentait fort. Il marchait, tête basse, fredonnant sans y
penser :

> Pour être heureux,
> Nom de Dieu...

— « Le docteur n'est pas encore de retour », lui dit
la concierge, lorsqu'il arriva rue de l'Université.

Il décida qu'il attendrait dehors, en faisant les cent
pas. Il reconnut l'auto de loin. Antoine conduisait; il
était seul et paraissait soucieux. Avant de stopper, il
regarda son frère, et branla plusieurs fois la tête.

— « Qu'est-ce que tu dis de tout ça, ce matin? »
demanda-t-il, dès que Jacques se fut approché de la
portière. Du doigt, il désignait, sur les coussins, une
demi-douzaine de journaux.

Jacques fit la grimace, sans répondre.

— « Tu montes déjeuner? » proposa Antoine.

— « Non. J'ai seulement un mot à te dire. »

— « Là, sur le trottoir? »

— « Oui. »

— « Entre au moins dans la voiture. »

Jacques s'assit à côté de son frère.

— « Je viens te parler argent », déclara-t-il aussitôt, d'une voix un peu oppressée.

— « D'argent? » L'espace d'une seconde, Antoine avait paru surpris. Tout de suite, il s'écria : « Mais, naturellement! Ce que tu voudras. »

Jacques l'arrêta d'un geste courroucé :

— « Il ne s'agit pas de ça!... Je voudrais te parler de la lettre, tu sais, après la mort de père... Au sujet de... »

— « De l'héritage? »

— « Oui. »

Il était naïvement soulagé de n'avoir pas eu à prononcer le mot.

— « Tu... Tu as changé d'avis? » demanda Antoine, prudemment.

— « Peut-être. »

— « Bon! »

Antoine souriait. Il avait pris cet air qui exaspérait Jacques : cet air de devin qui voit clair dans la pensée d'autrui.

— « Sans reproche », commença-t-il, « ce que tu m'avais répondu, à cette époque-là... »

Jacques lui coupa la parole :

— « Je voudrais simplement savoir... »

— « Ce qu'est devenue ta part? »

— « Oui. »

— « Elle t'attend. »

— « Si je voulais... toucher à cette part, est-ce que ça serait compliqué? Long? »

— « Rien de plus simple. Une démarche à l'étude de Beynaud, le notaire, pour qu'il te rende compte de sa gestion. Et une autre à la charge de Jonquoy, notre agent de change, où sont déposés les titres, — pour que tu lui donnes tes instructions. »

— « Et ça pourrait se faire... dès demain? »

— « A la rigueur... Tu es si pressé? »

— « Oui. »

— « Eh bien », fit Antoine, sans se risquer à poser

d'autres questions, « il n'y a qu'à prévenir le notaire de ta visite... Tu ne viendras pas chez moi, cet après-midi, pour voir Rumelles? »

— « Peut-être... Oui... »

— « Alors, ça va tout seul : je te remettrai une lettre que tu pourras porter toi-même à Beynaud, demain. »

— « Entendu », dit Jacques, en ouvrant la portière. « Je file. Merci. Je reviendrai chercher la lettre tout à l'heure. »

Antoine, en retirant ses gants, le regarda s'éloigner : « Quel original! Il ne m'a même pas demandé à combien elle se monte, sa part! »

Il ramassa le paquet de journaux, et, laissant la voiture au bord du trottoir, rentra chez lui, songeur.

— « *On* a téléphoné », lui annonça Léon, sans lever les yeux. C'était la formule évasive qu'il avait, une fois pour toutes, adoptée afin de n'avoir pas à prononcer le nom de Mme de Battaincourt; et Antoine ne s'était jamais décidé à lui faire une observation à ce sujet. « *On* a bien recommandé que Monsieur rappelle, en rentrant. »

Antoine fronça les sourcils. Cette manie qu'avait Anne de le relancer sans cesse au téléphone!... Néanmoins, il alla droit dans son petit bureau, et s'approcha de l'appareil. Le canotier sur la nuque, la main en suspens, il demeura quelques secondes devant le récepteur, sans décrocher. Il regardait, d'un œil absent, les journaux qu'il venait de jeter sur la table. Brusquement, il tourna les talons.

— « Et puis, zut! » fit-il, à mi-voix.

Vraiment, aujourd'hui, il avait d'autres choses en tête.

Jacques, rasséréné par sa conversation avec Antoine, ne pensait plus qu'à revoir Jenny. Mais, à cause de Mme de Fontanin, il n'osait pas se présenter avenue de l'Observatoire avant une heure et demie ou deux heures.

« Qu'aura-t-elle dit à sa mère? » se demandait-il. « Quel accueil m'attend? »

Il entra dans un bouillon d'étudiants, près de l'Odéon,

et déjeuna sans hâte. Puis, pour tuer le temps, il gagna le Luxembourg.

De lourdes nuées, venant de l'Ouest, cachaient par moments le soleil.

« D'abord, l'Angleterre ne marcherait pas », se dit-il, songeant à l'article cocardier qu'il avait lu dans *l'Action française*. « L'Angleterre resterait neutre, et compterait les coups, en attendant l'heure d'arbitrer... La Russie mettrait deux mois à entrer en campagne... La France serait vite battue... Donc, même pour un nationaliste, la paix est la seule solution raisonnable!... De pareils articles sont criminels; quoi qu'en dise Stefany, leur puissance suggestive est indéniable... Heureusement qu'il y a aussi, dans les masses, un instinct de conservation, très fort; et, malgré tout, un sens étonnant des réalités... »

Le grand jardin était plein de rayons et d'ombres, de verdure, de fleurs, de jeux d'enfants. Un banc vide le tenta, au tournant d'un massif. Il s'y laissa choir. Tourmenté par son impatience, incapable de fixer son esprit, il pensait à mille choses, à l'Europe, à Jenny, à Meynestrel, à Jaurès, à Antoine, à l'argent paternel. Il entendit sonner le quart, puis la demie, à l'horloge du Palais. Il se contraignit à attendre dix minutes encore. Enfin, n'y tenant plus, il se leva et partit à grands pas.

Jenny n'était pas chez elle.

C'était la seule chose qu'il n'eût pas prévue. N'avait-elle pas dit : « Je ne bougerai pas de la journée »?

Complètement désemparé, il se fit répéter plusieurs fois les mêmes explications : Madame était partie en voyage pour quelques jours... Mademoiselle l'avait accompagnée au train, et n'avait pas dit à quelle heure elle serait de retour.

Enfin, il consentit à quitter la loge, et se retrouva dehors, tout étourdi. Son désarroi était tel qu'il alla jusqu'à se demander, un moment, s'il n'y avait pas quelque rapport entre le brusque départ de Mme de Fontanin et les confidences que Jenny avait sans doute faites à sa mère, la veille au soir, en rentrant. Absurde hypothèse... Non, il fallait renoncer à comprendre, avant d'avoir revu Jenny. Il se rappela les mots de la concierge :

« ... Madame est partie en voyage pour quelques jours. »
Ainsi, pendant quelques jours, Jenny allait se trouver
seule à Paris? Cette perspective favorable atténuait un
peu sa déception.

Mais, pour l'instant, que faire? Il s'était réservé
l'après-midi, jusqu'à huit heures et quart, — heure où
Stefany devait le mettre en rapport avec deux militants
particulièrement actifs d'une section de la Glacière.
Jusque-là, il était libre.

L'invitation d'Antoine lui revint à l'esprit. Il résolut
d'aller attendre, chez son frère, l'heure de revenir chez
Jenny.

Une demi-douzaine d'hommes étaient déjà réunis dans le grand salon d'Antoine.

Jacques, en entrant, chercha son frère des yeux. Manuel Roy vint au-devant de lui : Antoine allait revenir : il était dans son cabinet, avec le docteur Philip.

Jacques serra les mains de Studler, de René Jousselin et du docteur Thérivier, petit homme barbu et jovial, qu'il avait rencontré naguère au chevet de M. Thibault.

Un personnage de haute stature, encore jeune, et dont les traits énergiques évoquaient le masque de Bonaparte jeune, pérorait à voix haute devant la cheminée.

— « Mais oui », disait-il, « tous les gouvernements protestent, avec la même force et la même apparence de sincérité, qu'ils ne veulent pas la guerre. Que ne le prouvent-ils, plutôt, en se montrant moins intransigeants? Ils ne parlent que d'honneur national, de prestiges, de droits imprescriptibles, d'aspirations légitimes... Ils ont tous l'air de dire : " Oui, je veux la paix; mais une paix qui me profite. " Et ce langage n'indigne personne! Tant les individus sont pareils à leurs gouvernements : soucieux, avant tout, de faire une bonne affaire!... C'est grave : il ne pourra pas y avoir profit pour tous; le maintien de la paix ne s'obtiendra pas sans concessions réciproques... »

— « Qui est-ce? » demanda Jacques à Roy.

— « Finazzi, l'oculiste... Un Corse... Voulez-vous que je vous présente? »

— « Non, non... », fit Jacques, précipitamment.

Roy sourit; et, entraînant Jacques à l'écart, il s'installa aimablement auprès de lui.

Il connaissait la Suisse, et spécialement Genève, pour y avoir pris part, plusieurs étés de suite, à des régates. Jacques, interrogé sur ses occupations, parla de travaux personnels, de journalisme. Il était résolu à demeurer sur la réserve, et, dans ce milieu, à ne pas afficher inutilement ses opinions. Il se hâta d'amener l'entretien sur la guerre : l'état d'esprit du jeune médecin, d'après ce qu'il lui avait entendu dire l'autre jour, l'intriguait.

— « Moi », fit Roy, en peignant du bout des ongles sa fine moustache brune, « depuis l'automne de 1905, je pense à la guerre! Je n'avais pourtant que seize ans : je venais de passer mon premier bac', je faisais ma philo à Stan'... N'empêche : j'ai très bien senti, cet automne-là, se dresser devant ma génération la menace allemande. Et beaucoup de mes camarades l'ont senti comme moi. Nous ne souhaitons pas la guerre; mais, depuis cette époque-là, nous nous y préparons, comme à un événement naturel, inévitable. »

Jacques leva les sourcils :

— « Naturel? »

— « Ma foi, oui : il y a un compte à régler. Il faudra bien s'y décider, un jour ou l'autre, si nous voulons que la France continue à être! »

Jacques fut contrarié de voir Studler se retourner vivement et s'approcher d'eux. Il eût préféré poursuivre sans tiers sa petite enquête. Il éprouvait de l'hostilité contre Roy, mais aucune antipathie.

— « Si nous voulons que la France continue à être? » répéta Studler, d'un ton rogue. « Y a-t-il rien de plus irritant », remarqua-t-il, mais en s'adressant à Jacques, « que cette manie qu'ont les nationalistes de s'attribuer le monopole du patriotisme, et de chercher toujours à masquer sous des sentiments patriotiques leurs velléités belliqueuses? Comme si l'attirance vers la guerre était, en fin de compte, un brevet de patriotisme! »

— « Je vous admire, Calife », fit Roy avec ironie. « Les hommes de ma génération n'ont pas votre patience : ils sont plus chatouilleux; nous nous refusons à encaisser plus longtemps les provocations allemandes. »

— « Jusqu'ici, tout de même, il ne s'agit que de pro-

vocations autrichiennes... et pas dirigées contre nous! »
remarqua Jacques.

— « Alors, en attendant que vienne notre tour, vous
accepteriez d'assister, en spectateur, à l'écrasement de
la Serbie par le germanisme? »

Jacques ne répondit rien.

Studler ricana :

— « La défense des faibles?... Mais, quand les Anglais
ont cyniquement fait main basse sur les mines d'or du
Sud africain, pourquoi la France ne s'est-elle pas élan-
cée au secours des Boers, petit peuple autrement faible
et sympathique que les Serbes? Et, aujourd'hui, pourquoi ne volons-nous pas à l'aide de la pauvre Irlande?...
Pensez-vous que l'honneur d'accomplir un de ces beaux
gestes vaille le risque de jeter les unes contre les autres
toutes les armées de l'Europe? »

Roy se contenta de sourire. Il se tourna délibérément
vers Jacques :

— « Le Calife fait partie de ces braves gens que leur
sensiblerie entraîne à penser beaucoup de sottises sur
la guerre... à méconnaître absolument ce qu'elle est en
réalité. »

— « En réalité? » coupa Studler. « A savoir? »

— « A savoir, plusieurs choses... A savoir, d'abord,
une loi de nature; un instinct profondément ancré dans
l'homme, et que vous n'extirperiez pas sans lui imposer
une dégradante mutilation. L'homme sain doit vivre
selon la force; c'est sa loi... A savoir, ensuite : l'occasion,
pour l'homme, de développer un tas de vertus, très
rares, très belles... et très toniques! »

— « Lesquelles donc? » demanda Jacques, s'efforçant
à conserver un ton purement interrogatif.

— « Hé, mais », fit Roy, en dressant sa petite tête
ronde, « de celles que justement je prise le plus haut :
l'énergie virile, le goût du risque, la conscience du devoir,
et mieux encore : le sacrifice de soi, le sacrifice des
volontés particulières à une vaste action collective,
héroïque... Vous ne comprenez pas que, pour un être
jeune et bien trempé, il y ait dans l'héroïsme un irrésistible attrait? »

— « Si », concéda Jacques, laconiquement.

— « C'est beau, la vaillance ! » poursuivit Roy, avec
un sourire conquérant qui fit briller son regard... « La
guerre, pour des gens de notre âge, c'est un sport magnifique : le sport *noble*, par excellence ! »

— « Un sport », grogna Studler, indigné, « qui se
paie en vies humaines ! »

— « Et puis après ? » lança Roy. « L'humanité n'est-
elle pas assez prolifique pour s'offrir, de temps à autre,
ce luxe-là, si ça lui est nécessaire ? »

— « Nécessaire ? »

— « Une bonne saignée est périodiquement nécessaire à l'hygiène des peuples. Dans les trop longues
périodes de paix, le monde fabrique un tas de toxines
qui l'empoisonnent, et dont il a besoin d'être purgé,
comme l'individu trop sédentaire. Une bonne saignée
serait, je crois, particulièrement nécessaire, en ce moment, à l'âme française. Et même à l'âme européenne.
Nécessaire, si nous ne voulons pas que notre civilisation
d'Occident sombre dans la décadence, dans la bassesse. »

— « La bassesse, pour moi, c'est justement de céder
à la cruauté et à la haine ! » fit Studler.

— « Qui vous parle de cruauté ? Qui vous parle de
haine ? » riposta Roy, en haussant les épaules. « Toujours
les mêmes lieux communs, les mêmes clichés ridicules !
Pour ceux de ma génération, je vous assure que la guerre
n'implique aucun appel à la cruauté, et moins encore
un appel à la haine ! La guerre n'est pas une querelle
d'homme à homme ; elle dépasse les individus : elle est
une aventure entre des nations... Une aventure merveilleuse ! Le match, à l'état pur ! Sur le champ de bataille
exactement comme sur le stade, les hommes qui se
battent sont les joueurs de deux équipes rivales : ils ne
sont pas des ennemis, ils sont des adversaires ! »

Studler fit entendre une sorte de rire, semblable à un
hennissement. Immobile, il considérait le jeune gladia-
teur, de son œil où la prunelle sombre, dilatée, mais peu
expressive, nageait dans un blanc de lait.

— « J'ai un frère capitaine au Maroc », reprit Roy,
avec douceur. « Vous ignorez tout de l'armée, Calife !

Vous ne soupçonnez pas ce qu'est l'état d'esprit des jeunes officiers, leur vie de renoncement, leur noblesse morale! Ils sont un exemple vivant de ce que peut le courage désintéressé, au service d'une grande idée... Vos socialistes feraient bien d'aller se mettre à cette école! Ils verraient ce qu'est une société disciplinée, dont les membres consacrent vraiment leur vie à la collectivité dans une existence presque ascétique, où il n'y a place pour aucune basse ambition! »

Il s'était penché vers Jacques, et semblait l'appeler en témoignage. Il fixait sur lui son regard franc, et Jacques sentit qu'il y aurait de la déloyauté à prolonger son silence.

— « Je crois tout ça très exact », commença-t-il, en pesant ses mots. « Du moins dans les jeunes cadres de l'armée coloniale... Et il n'y a rien de plus émouvant que de voir des hommes, quel que soit d'ailleurs leur idéal, offrir stoïquement leur vie à cet idéal... Mais je crois aussi que cette jeunesse courageuse est la victime d'une monstrueuse erreur : elle croit, de bonne foi, se consacrer à une noble cause; en réalité, elle est simplement au service du Capital... Vous parlez de la colonisation du Maroc... Eh bien... »

— « La conquête du Maroc », trancha Studler, « ça n'est pas autre chose qu'une " affaire "; une " combine " de vaste envergure!... Et ceux qui vont se faire tuer là-bas sont des dupes! Ils ne se doutent pas un instant que c'est à un brigandage qu'ils font le sacrifice de leur peau! »

Roy lança vers Studler un regard chargé d'étincelles. Il était pâle.

— « Dans notre époque pourrie », s'écria-t-il, « l'armée reste un refuge sacré, le refuge de la grandeur et de la... »

— « Ah, voici votre frère », dit Studler, en touchant le bras de Jacques.

Le docteur Philip venait d'entrer, suivi par Antoine.

Jacques ne connaissait pas Philip; mais il en avait si souvent entendu parler par son frère, qu'il examina curieusement le vieux praticien, à barbiche de chèvre, qui s'avançait, de son pas sautillant, dans une jaquette d'alpaga trop large, pendue à ses épaules maigres comme des hardes à un épouvantail. Ses petits yeux luisants, cachés comme ceux d'un barbet dans la broussaille des sourcils, furetaient de droite et de gauche, sans se fixer sur personne.

Les conversations particulières s'étaient tues. Tous, à tour de rôle, s'approchaient pour saluer le maître, qui laissait avec indifférence serrer sa main molle.

Antoine lui présenta son frère. Jacques se sentit dévisagé par un regard investigateur, dont l'impertinence dissimulait peut-être une grande timidité.

— « Ah, votre frère... Bon... Bien... », nasilla Philip, en mâchonnant sa lèvre inférieure, d'un air intéressé, comme s'il sût parfaitement à quoi s'en tenir sur les moindres détails du caractère et de la vie de Jacques.

Et, tout de suite, sans quitter le jeune homme des yeux :

— « Vous avez fait de fréquents séjours en Allemagne, m'a-t-on dit... Moi aussi. C'est intéressant, ça. »

Il avançait peu à peu, en parlant, poussant Jacques devant lui, si bien qu'ils se trouvèrent bientôt près d'une des fenêtres, seuls.

— « De tous temps », reprit-il, « l'Allemagne, pour moi, a été une énigme... N'est-ce pas? Le pays des extrêmes... de l'imprévisible... Y a-t-il, en Europe, un type humain plus spécifiquement pacifique que l'homme allemand? Non... Et, d'autre part, ce militarisme qu'ils ont dans le sang... »

— « L'internationalisme allemand est cependant l'un des plus actifs d'Europe », hasarda Jacques.

— « Vous croyez? Oui... C'est intéressant, tout ça... Néanmoins, à l'encontre de ce que j'avais pensé, jusqu'ici il semble bien, d'après les événements de ces derniers jours... Au quai d'Orsay, paraît-il, on s'imaginait pouvoir compter sur une action conciliatrice de l'Allemagne. On n'en revient pas... Vous dites : l'internationalisme allemand... »

— « Mais oui... En Allemagne, dès qu'on s'écarte

des milieux militaires, on constate une méfiance assez
générale de l'armée et du nationalisme. L'Association
pour la conciliation internationale est une ligue d'une
vitalité exceptionnelle, où figurent tous les grands noms
de la bourgeoisie allemande, et qui a autrement d'influence que nos ligues pacifistes françaises. Il ne faut pas
oublier que l'Allemagne est le pays où un militant forcené, comme Liebknecht, après avoir été jeté en prison
pour son tract sur *l'Antimilitarisme*, a pu être élu au
Landtag de Prusse, et ensuite au Reichstag! Est-ce chez
nous qu'un antimilitariste notoire entrerait à la Chambre,
et s'y ferait écouter? »

Philip reniflait, avec attention :

— « Bon... Bien... C'est intéressant, tout ça... » Et,
sans transition : « J'ai cru longtemps que l'internationalisme des capitaux, du crédit, des grandes entreprises,
en rendant le monde entier solidaire du moindre trouble
local, serait un facteur nouveau, un facteur décisif de la
paix générale... » Il sourit, et caressa sa barbiche. « C'est
une vue de l'esprit », conclut-il énigmatiquement.

— « Jaurès l'a cru aussi. Jaurès le croit encore. »

Philip fit la grimace :

— « Jaurès... Jaurès compte aussi sur l'influence des
masses, pour empêcher la guerre... Vue de l'esprit!...
On imagine très bien un mouvement populaire qui
serait belliqueux, combatif... mais un mouvement populaire qui présenterait ce caractère de réflexion, de
volonté, de mesure, indispensable au maintien de la
paix?... »

Puis, après une pause :

— « Peut-être que ceux qui, comme moi, éprouvent
de la répugnance pour la guerre n'obéissent, au fond,
qu'à des mobiles particuliers, personnels, organiques...
à une simple intolérance constitutionnelle... La sagesse
scientifique serait peut-être de considérer l'instinct de
destruction comme un instinct naturel. Ce qui semble
assez bien confirmé par les biologistes... Voyez-vous »,
reprit-il, changeant encore de sujet, « le comique, c'est
que, parmi tous les vrais, les urgents problèmes qui se
posent actuellement en Europe, et dont la solution exi-

gerait de patientes études, je n'en vois pas un, pas un seul, qu'on puisse espérer trancher, à la manière du nœud gordien, par une guerre... Alors? »

Il souriait. Ses paroles ne semblaient jamais se greffer sur ce qu'il venait de dire ou d'entendre. Avec son regard embroussaillé et pétillant de malice, il avait toujours l'air de se faire à lui-même quelque récit piquant, dont il lui suffisait de goûter *in petto* le sel.

— « Mon père était officier », continua-t-il. « Il avait fait toutes les campagnes du Second Empire. J'ai été nourri d'histoire militaire. Eh bien, pour peu qu'on cherche à démêler les origines, les causes précises, d'un conflit, on est toujours frappé par son caractère de *non-nécessité*. C'est très intéressant... Vue avec quelque recul, il n'y a pas une guerre moderne qui n'aurait pu être évitée, semble-t-il, très aisément : par le simple bon sens et la volonté pacifique de deux ou trois hommes d'Etat... Ce n'est pas tout. La plupart du temps, il apparaît que les belligérants ont, des deux côtés, cédé à un sentiment injustifié de méfiance et de peur, dû à la méconnaissance des véritables intentions de l'adversaire... C'est par peur que, neuf fois sur dix, les peuples se jettent les uns sur les autres... » Il eut une sorte de quinte, un rire bref et tôt étranglé. « Exactement comme ces promeneurs peureux qui se rencontrent la nuit, qui hésitent à se croiser, et qui finissent par s'élancer l'un contre l'autre... parce que chacun s'imagine qu'il est sur le point d'être attaqué... parce que chacun préfère l'offensive, même dangereuse, à l'hésitation, à l'incertitude... C'est tout à fait comique... Regardez en ce moment l'Europe : elle est la proie des fantômes. Tous les Etats ont peur. L'Autriche a peur des Slaves; et peur de compromettre son prestige. La Russie a peur des Germains; et peur qu'on prenne sa passivité pour un signe de faiblesse. L'Allemagne a peur d'une invasion des cosaques; et peur de se trouver encerclée. La France a peur des armements de l'Allemagne, et l'Allemagne ne s'arme, elle-même, que préventivement, et par peur... Et tous refusent de faire la moindre concession pour la paix, parce qu'ils ont peur de paraître avoir peur... »

— « Sans compter », dit Jacques, « que les gouvernements impérialistes, qui sentent bien que la peur travaille pour eux, l'entretiennent avec soin! La politique de Poincaré, la politique intérieure de la France, depuis des mois, on pourrait la définir : une utilisation méthodique de la peur nationale... »

Philip, qui n'avait pas écouté, reprit :

— « Et le plus odieux... » (Il eut un bref ricanement.) « Non : le plus comique — c'est que tous les hommes d'Etat s'ingénient à dissimuler cette peur derrière un étalage de nobles sentiments, de crânerie... »

Il s'interrompit, en apercevant Antoine qui se dirigeait vers eux, accompagné d'un homme d'une quarantaine d'années, que Léon venait d'introduire.

C'était Rumelles.

Sa prestance semblait l'avoir prédestiné aux cérémonies officielles. La tête était forte, rejetée en arrière, comme entraînée par le poids d'une toison dense et laineuse, d'un blond blanchissant. L'épaisse et courte moustache, aux bouts très relevés, donnait du relief à son visage adipeux et plat. Les yeux étaient assez petits, noyés dans la chair; mais les prunelles mobiles, d'un bleu de faïence, mettaient deux flammes vivantes dans ce masque d'une solennité romaine. L'ensemble ne manquait pas de caractère, et l'on imaginait le parti que pourrait en tirer, un jour, quelque fabricant de bustes pour sous-préfectures.

Antoine présenta Rumelles à Philip, et Jacques à Rumelles. Le diplomate s'inclina devant le vieux médecin comme s'il eût été devant une célébrité contemporaine; puis il tendit la main à Jacques, avec un empressement courtois. Il semblait s'être dit, une fois pour toutes : « Chez un homme de premier plan, la simplicité des manières est un atout de plus. »

— « Inutile de vous dire, mon cher, de quoi nous parlions », attaqua Antoine, en posant la main sur le bras de Rumelles, qui eut un sourire de complaisance.

— « Vous possédez évidemment, Monsieur, des données que nous n'avons pas », dit Philip. Il dévisageait

Rumelles de son œil narquois. « Pour nous, profanes, il faut avouer que la lecture des journaux... »

Le diplomate esquissa un geste prudent :

— « Ne croyez pas, Monsieur le Professeur, que j'en sache beaucoup plus long que vous... » Il s'assura que sa boutade faisait sourire, et poursuivit : « Ceci dit, je ne pense pas qu'il faille pousser les choses au noir : on a le devoir d'affirmer qu'il reste beaucoup plus de raisons d'avoir confiance, que de raisons de désespérer. »

— « A la bonne heure », fit Antoine.

Il avait manœuvré pour rapprocher Philip et Rumelles du reste des invités, et pour les faire asseoir au centre de la pièce.

— « Des raisons de confiance? » articula le Calife, d'un ton dubitatif.

Rumelles promena son regard bleu sur les assistants, qui s'étaient groupés en cercle autour de lui, et l'arrêta sur Studler.

— « La situation est sérieuse, mais il ne faut rien exagérer », déclara-t-il, en renversant un peu la tête. Et, du ton d'un homme public dont la mission est de relever les défaillances de l'opinion, il déclara, avec force : « Dites-vous bien que les éléments favorables au maintien de la paix sont encore les plus nombreux! »

— « Par exemple? » reprit Studler.

Rumelles fronça légèrement les sourcils. L'insistance de ce Juif l'agaçait; il y sentait une sourde malveillance.

— « Par exemple? » répéta-t-il, comme s'il n'avait que l'embarras du choix. « Eh bien, mais, d'abord, l'élément anglais... Les Empires centraux ont rencontré, dès le début, au Foreign Office, une résistance énergique... »

— « L'Angleterre? » interrompit Studler. « Bagarres à Belfast! Emeutes sanglantes à Dublin! Echec lamentable de la conférence irlandaise de Buckingham! C'est une véritable guerre civile qui commence en Irlande... L'Angleterre est paralysée par cette flèche qui lui est plantée dans le dos! »

— « A peine une épine au talon, je vous assure! »

— « On demande Monsieur au téléphone », dit Léon, de la porte.

— « Dites que je suis occupé », cria Antoine, avec humeur.

— « L'Angleterre en a vu d'autres ! » poursuivit Rumelles. « Et si vous connaissiez comme moi le flegme de sir Edward Grey... C'est un beau type de diplomate », continua-t-il, en évitant de regarder Studler, et en se penchant du côté de Philip et d'Antoine. « Un vieil aristocrate campagnard, qui a une conception très particulière de ce que doivent être les relations internationales. Les rapports qu'il entretient avec ses collègues européens ne sont pas des rapports officiels, mais ceux d'un gentleman avec des gens de son monde. Je sais qu'il a été personnellement scandalisé par le ton de l'ultimatum. Vous avez vu qu'il avait aussitôt agi avec la plus grande fermeté, à la fois par ses remontrances à l'Autriche et par ses conseils de modération à la Serbie. Le sort de l'Europe se trouve pareillement entre ses mains, et il n'en est pas de meilleures, de plus loyales. »

— « Les refus que lui a opposés l'Allemagne... » interrompit encore Studler.

Rumelles lui coupa la parole :

— « La neutralité prudente, et très compréhensible, de l'Allemagne, a pu retarder les premiers efforts de la médiation anglaise. Mais sir Edward Grey ne se tient pas pour battu. Et — je peux bien le dire, puisque la presse l'annoncera demain, peut-être même ce soir — le Foreign Office achève de mettre sur pied, en collaboration avec le Quai d'Orsay, un projet nouveau, qui peut être décisif pour la solution pacifique du conflit. Sir Edward Grey propose de réunir immédiatement, en conférence, à Londres, les ambassadeurs allemand, italien et français, pour un débat sur toutes les questions en litige. »

— « Et, pendant ces honorables tergiversations », dit Studler, « les troupes autrichiennes occupent Belgrade ! »

Rumelles se raidit, comme s'il eût été piqué.

— « Mais, Monsieur, sur ce point encore, je crains que vous ne soyez imparfaitement renseigné ! Malgré ces apparentes démonstrations militaires, rien ne prouve, à l'heure présente, qu'il y ait, entre l'Autriche et la

Serbie, autre chose qu'un simulacre... Je ne sais si vous
attachez tout le prix qui convient à ce fait capital :
jusqu'à ce jour, aucune déclaration de guerre n'a été
notifiée, par voie diplomatique, aux gouvernements européens ! Bien plus : aujourd'hui, à midi, le ministre de
Serbie en Autriche n'avait pas quitté Vienne ! Pourquoi ?
Parce qu'il sert d'intermédiaire à un actif échange de
vues entre les deux gouvernements. C'est de très bon
augure. Tant qu'on négocie !... D'ailleurs, même si la
rupture diplomatique devenait effective, et même si
l'Autriche se décidait à faire une déclaration de guerre,
je crois savoir que la Serbie, cédant à de sages pressions,
refuserait cette lutte inégale de trois cent mille hommes
contre un million cinq cent mille, et qu'elle replierait
son armée, sans accepter le combat... N'oubliez pas
ceci », ajouta-t-il en souriant, « aussi longtemps que la
parole n'est pas aux canons, elle reste aux diplomates... »

Le regard d'Antoine croisa celui de son frère, et y
surprit une lueur irrévérencieuse : évidemment, Rumelles
n'en imposait pas à Jacques.

— « Vous auriez peut-être plus de peine », hasarda
Finazzi, en souriant, « à trouver des raisons de confiance
dans l'attitude de l'Allemagne ? »

— « Pourquoi donc, Monsieur ? » répliqua Rumelles,
en enveloppant l'oculiste d'un bref coup d'œil investigateur. « En Allemagne, les influences belliqueuses, que,
certes, je ne nie pas, sont contrebalancées par d'autres,
qui ont le plus grand poids. Le retour précipité du
Kaiser, qui sera cette nuit à Kiel, semble devoir modi-
fier l'orientation politique de ces derniers jours. Le Kaiser, on le sait, s'opposera jusqu'au bout aux risques
d'une guerre européenne. Tous ses conseillers intimes
sont partisans convaincus de la paix. Et, parmi ses amis
les plus écoutés, je compte le prince Lichnowsky, l'ambassadeur à Berlin, que j'ai eu l'honneur de fréquenter
autrefois à Londres ; c'est un homme avisé, prudent,
et dont l'influence est considérable, en ce moment, à
la Cour allemande... Vous savez, les risques d'une guerre
seraient graves pour l'Allemagne ! Avec des frontières
bloquées, l'Empire crèverait littéralement de faim. Le

jour où les Allemands ne trouveraient plus en Russie leurs céréales et leurs bestiaux, ce n'est pas avec leur acier, leur charbon, leurs machines-outils, qu'ils pourraient nourrir leurs quatre millions de mobilisés et leurs soixante-trois millions d'habitants! »

— « Et qu'est-ce qui les empêcherait d'acheter ailleurs? » objecta Studler.

— « Ceci, Monsieur : qu'ils seraient contraints de payer ces achats en or, parce que le papier allemand cesserait vite d'être accepté à l'étranger. Eh bien, les calculs sont faciles à faire : le stock d'or allemand est connu. En *quelques semaines*, l'Allemagne se trouverait dans l'impossibilité de continuer les sorties d'or qui lui seraient quotidiennement nécessaires; et ce serait la famine! »

Le docteur Philip fit entendre son petit rire nasillard.

— « Vous n'êtes pas de cet avis, Monsieur le Professeur? » fit Rumelles, sur un ton de surprise polie.

— « Si fait... Si fait... », murmura Philip sur un ton bonasse. « Mais je me demande si ce n'est pas là... une vue de l'esprit? »

Antoine ne put s'empêcher de sourire. Il connaissait de longue date cette expression du patron : « C'est une vue de l'esprit » était sa manière de dire : « C'est idiot. »

— « Ce que je vous expose là », poursuivit Rumelles, avec assurance, « est confirmé par tous les experts. Même les économistes allemands reconnaissent que le problème du ravitaillement en temps de guerre est insoluble pour leur pays. »

Roy intervint avec vivacité :

— « Aussi l'Etat-Major allemand professe-t-il que la seule chance pour l'Allemagne est dans une victoire immédiate, foudroyante : pour peu que cette victoire tarde seulement quelques semaines, l'Allemagne — c'est connu — sera forcée de capituler. »

— « Si encore elle était sûre de ses alliances! » grasseya le docteur Thérivier, en riant malicieusement dans sa barbe. « Mais l'Italie...! »

— « L'Italie, en effet, semble fermement résolue à rester neutre », confirma Rumelles.

— « Et, quant à l'armée autrichienne...! », lança Roy avec une moue méprisante, en faisant de la main un geste ironique par-dessus son épaule.

— « Non, non, Messieurs », reprit alors Rumelles, satisfait de ces diverses interventions, « je vous le répète : ne nous exagérons pas le danger... Tenez : sans divulguer un secret d'Etat, je crois encore pouvoir vous annoncer ceci : en ce moment même, à Pétersbourg, se poursuit, entre le ministre des Affaires étrangères, Son Excellence M. Sazonov et l'ambassadeur d'Autriche, un entretien dont on attend beaucoup. Eh bien! le seul fait que cette conversation directe ait été acceptée de part et d'autre, n'indique-t-il pas un désir commun d'éviter toute démonstration de force?... Nous savons, d'autre part, que de nouvelles interventions pacifiques sont imminentes... Celle des Etats-Unis... Celle du Pape... »

— « Le Pape? » demanda Philip, avec le plus grand sérieux.

— « Mais oui, le Pape! » attesta le jeune Roy, qui, à califourchon sur sa chaise, le menton sur ses bras croisés, ne perdait pas un mot des paroles de Rumelles.

Philip ne se décidait pas à sourire, mais son œil à l'affût pétillait d'humour.

— « L'intervention du Pape? » répéta-t-il. Puis, avec douceur : « Ça aussi, je crains que ce ne soit une vue de l'esprit... »

— « Détrompez-vous, Monsieur le Professeur. Il en est très précisément question. Le veto catégorique du Saint-Père suffirait à arrêter net le vieil empereur François-Joseph, et à faire aussitôt rentrer dans leurs frontières les troupes autrichiennes. Toutes les chancelleries le savent. Et, en ce moment, il se livre au Vatican, un véritable assaut d'influence. Qui l'emportera? Les quelques partisans de la guerre obtiendront-ils que le Pape s'abstienne de toute remontrance? Ou bien les nombreux partisans de la paix sauront-ils le décider à intervenir? »

Studler ricana :

— « C'est dommage que nous n'ayons plus d'ambassadeur au Vatican : il aurait pu conseiller à Sa Sainteté d'ouvrir les Evangiles... »

Philip, cette fois, sourit.

— « M. le Professeur reste sceptique sur l'influence papale », constata Rumelles, avec une nuance de mécontentement et d'ironie.

— « Le patron reste toujours sceptique », plaisanta Antoine, en enveloppant son maître d'un regard un peu complice, et tout chargé de respectueuse affection.

Philip se tourna vers lui, et plissa finement les yeux :

— « Mon ami », dit-il, « j'avoue — et sans doute est-ce un grave symptôme de déliquescence sénile — que j'ai de plus en plus de peine à me faire une opinion... Je ne crois pas avoir jamais entendu prouver quoi que ce soit dont le contraire n'aurait pu être prouvé par d'autres, avec la même force d'évidence. C'est peut-être ça que vous appelez mon scepticisme?... Dans le cas présent, d'ailleurs, vous vous trompez tout à fait. Je m'incline devant la compétence de M. Rumelles, et suis aussi sensible que quiconque à la force de son argumentation... »

— « Mais... », souffla Antoine, en riant.

Philip sourit.

— « Mais », poursuivit-il, en se frottant les mains avec vigueur, « à mon âge, il est difficile de compter sur le triomphe de la raison... Si la paix ne dépend plus que du bon sens des hommes, autant reconnaître alors qu'elle est bien malade!... Ce qui, d'ailleurs », reprit-il aussitôt, « ne serait pas un motif pour se croiser les bras. J'approuve pleinement que les diplomates se démènent. Il faut toujours se démener, comme s'il y avait quelque chose à faire. En médecine, c'est notre principe, n'est-ce pas, Thibault? »

Manuel Roy lissait d'un doigt agacé sa moustache. Rien ne l'irritait plus que les palinodies désuètes du vieux maître.

Rumelles, auquel ce scepticisme académique déplaisait également, regardait obstinément du côté d'Antoine; et, dès qu'il eut rencontré son regard, il lui fit un signe pour lui rappeler le véritable objet de sa visite : la piqûre.

Mais, à ce moment, Manuel Roy, s'adressant à Rumelles, déclara sans ambages :

— « Ce qui est grave c'est que, si, malgré tout, les choses se gâtaient, la France n'est pas prête. Ah! si nous disposions aujourd'hui d'une force armée indiscutable... écrasante... »

— « Pas prête? Qui a dit ça? » protesta le diplomate, en se redressant.

— « Hé mais! je crois que les révélations de Humbert au Sénat, il y a trois semaines, étaient assez précises! »

— « Allons, allons », s'écria Rumelles, en haussant très légèrement les épaules. « Les faits que M. le sénateur Humbert a " révélés ", comme vous dites, étaient connus de tout le monde, et n'ont nullement l'importance qu'on a voulu leur prêter dans une certaine presse. N'ayez pas la candeur de croire que le pioupiou français est condamné à partir en campagne nu-pieds, comme un soldat de l'an II... »

— « Mais je ne pense pas seulement aux godillots... L'artillerie lourde, par exemple... »

— « Savez-vous que beaucoup de spécialistes, et parmi les plus autorisés, contestent absolument l'utilité de ces pièces à longue portée, dont s'est entichée l'armée allemande? C'est comme ces mitrailleuses, dont ils ont alourdi la marche de leurs fantassins... »

— « Comment est-ce fait, une mitrailleuse? » interrompit Antoine.

Rumelles se mit à rire :

— « C'est quelque chose qui tient le milieu entre le flingot et la machine infernale qu'avait fabriquée Fieschi, vous savez, celui qui a si bien raté le roi Louis-Philippe... Ce sont des engins terribles, en théorie, dans les stands de tir. Mais dans la pratique! Il paraît que ça s'enraye au moindre grain de sable... »

Il reprit, plus sérieusement, se tournant vers Roy :

— « Au dire des spécialistes, ce qui importe, c'est l'artillerie de campagne. Eh bien, la nôtre est très supérieure à celle des Allemands. Nous avons plus de canons 75 qu'ils n'ont de 77, et notre 75 n'est pas à comparer à leur 77... Rassurez-vous, jeune homme... La vérité, c'est que, depuis trois ans, la France a fait un effort considérable. Tous les problèmes de concentration, d'utilisation de voies ferrées, d'approvisionnement, sont aujourd'hui résolus. S'il fallait faire la guerre, croyez-moi : la France serait en excellente posture. Et nos alliés le savent bien! »

— « C'est bien ça qui est dangereux! » marmonna Studler.

Rumelles leva impertinemment les sourcils, comme si la pensée du Calife lui paraissait incompréhensible. Ce fut Jacques qui insista :

— « Mieux vaudrait peut-être pour nous, en effet, que la Russie n'ait pas, en ce moment, une trop grande confiance en l'armée française! »

Fidèle à ses résolutions, il avait, jusqu'ici, écouté en silence. Mais il rongeait son frein. La question, — capitale à ses yeux : l'opposition des masses — n'avait même pas été effleurée. Il se tâta rapidement, s'assura qu'il était assez maître de lui pour adopter, à son tour, ce ton détaché, spéculatif, qui semblait de règle ici; puis il se tourna vers le diplomate :

— « Vous passiez en revue, tout à l'heure, les raisons d'avoir confiance », commença-t-il d'une voix mesurée. « Ne pensez-vous pas qu'il convienne de compter, parmi les principales chances de paix, la résistance des partis pacifistes? » Son regard glissa sur le visage d'Antoine, y cueillit au passage une nuance d'inquiétude, et revint se poser sur Rumelles. « Il y a tout de même, à l'heure actuelle, en Europe, dix ou douze millions d'internationalistes convaincus, bien décidés, si la menace s'aggravait, à empêcher leurs gouvernements de céder aux tentations de guerre... »

Rumelles avait écouté, sans un geste. Il considérait Jacques avec attention.

— « Je n'attache peut-être pas tout à fait la même importance que vous à ces manifestations populacières », prononça-t-il enfin, avec un calme qui ne dissimulait qu'à demi des sous-entendus ironiques. « Notez, d'ailleurs, que les mouvements d'enthousiasme patriotique sont, dans toutes les capitales, beaucoup plus nombreux et plus imposants que les protestations de quelques récalcitrants... Hier soir, à Berlin, un million de manifestants ont parcouru la ville, conspué l'ambassade russe, chanté la *Wacht am Rhein* sous les fenêtres du château royal, et couvert de fleurs la statue de Bismarck... Ce n'est pas que je songe à nier l'existence de quelques mouvements d'opposition mais leur action est purement négative. »

— « Négative? » s'écria Studler. « Jamais encore menace de guerre n'a soulevé, dans les masses, pareille impopularité! »

— « Qu'entendez-vous par *négative?* » demanda Jacques posément.

— « Mon Dieu », répliqua Rumelles, en faisant mine de chercher ses mots, « j'entends par là que ces partis dont vous parlez, hostiles à toute perspective de guerre, ne sont ni assez nombreux, ni assez disciplinés, ni assez unis internationalement, pour constituer, en Europe, une force avec laquelle il faille compter... »

— « Douze millions! » répéta Jacques.

— « Douze millions peut-être, mais dont la plupart sont de simples *adhérents*, des " gens qui payent une cotisation ". Ne vous y trompez pas! Combien de militants réels, actifs? Et, parmi ces militants, il en est encore un grand nombre qui sont sensibles aux réactions patriotiques... Dans certains pays, ces partis révolutionnaires sont peut-être capables de dresser quelques obstacles contre l'autorité de leurs gouvernements; mais ce sont des obstacles théoriques; et, en tout cas, provisoires : car ce genre d'opposition ne peut s'exercer qu'autant qu'elle est tolérée par le pouvoir. Si les circonstances s'aggravaient, chaque gouvernement n'aurait qu'à serrer un peu la vis du libéralisme, sans même recourir à l'état de siège, pour être aussitôt délivré de ces perturbateurs... Non... Nulle part encore, l'Internationale ne représente une force susceptible de contrecarrer effectivement les actes d'un gouvernement. Et ce n'est pas en pleine période de crise, que les extrémistes pourraient improviser un parti sérieux de résistance... » Il sourit : « C'est trop tard... Pour cette fois... »

— « A moins », riposta Jacques, « que ces forces de résistance, assoupies en temps de sécurité, ne s'exas-

pèrent sous la pression du danger, et ne deviennent tout
à coup invincibles!... En ce moment, croyez-vous que
la violence des grèves russes ne paralyse pas le gouvernement du Tsar? »

— « Erreur », dit froidement Rumelles. « Permettez-moi
de vous dire que vous retardez d'au moins vingt-quatre
heures... Les dernières dépêches sont, heureusement,
formelles : l'agitation révolutionnaire de Pétersbourg
est réprimée. Cruellement, mais dé-fi-ni-ti-ve-ment. »

Il sourit encore, comme pour s'excuser d'avoir si certainement raison; puis, tournant les yeux vers Antoine,
il souleva ostensiblement la montre fixée à son poignet.

— « Cher ami... L'heure, malheureusement, me
presse... »

— « Je suis à vous », fit Antoine, en se levant.

Il redoutait les réactions de Jacques, et n'était pas
fâché de clore au plus tôt ce débat.

Tandis que Rumelles prenait congé de tous, avec une
politesse appliquée, Antoine sortit une enveloppe de sa
poche et s'approcha de son frère :

— « Voilà la lettre pour le notaire. Tu la cachèteras...
Comment trouves-tu Rumelles? » ajouta-t-il, distraitement.

Jacques se contenta de remarquer, en souriant :

— « Ce qu'il a le physique de son personnage!... »

Antoine semblait penser à d'autres choses, qu'il hésitait à dire. Il s'assura d'un bref coup d'œil que personne
ne pouvait l'entendre, et, baissant la voix, il dit brusquement, sur un ton faussement désinvolte :

— « A propos... Toi, en cas de guerre?... Tu as été
ajourné, n'est-ce pas? Mais... si on mobilisait? »

Jacques le dévisagea un instant, avant de répondre.
(« Jenny me posera sûrement la même question », songea-t-il.)

Avec brusquerie, il déclara :

— « Je ne me laisserai jamais mobiliser. »

Antoine, par contenance, regardait du côté de Rumelles. Il n'avait pas eu l'air d'entendre.

Les deux frères s'éloignèrent l'un de l'autre, sans
ajouter un mot.

XLI

— « Merveilleuses, vos piqûres », déclara Rumelles, dès qu'ils furent seuls. « Je me sens déjà sensiblement mieux. Je me lève sans trop d'effort, j'ai meilleur appétit... »

— « Pas de fièvre, le soir? Pas de vertiges? »

— « Non. »

— « Nous allons pouvoir augmenter la dose. »

La pièce où ils entraient, attenant au cabinet de consultation, était revêtue de faïence blanche; le centre était occupé par un lit opératoire, sur lequel, docilement, Rumelles s'étendit, après s'être à demi dévêtu.

Antoine, le dos tourné, debout près de l'autoclave, préparait son dosage.

— « Ce que vous dites est assez rassurant », émit-il, songeur.

Rumelles tourna les yeux vers lui, se demandant s'il parlait médecine ou politique.

— « Alors », continua Antoine, « pourquoi laisse-t-on la presse insister d'une manière aussi tendancieuse sur la duplicité de l'Allemagne et ses arrière-pensées provocatrices? »

— « On ne la " laisse " pas : on l'y encourage! Il faut bien préparer l'opinion à toute éventualité... »

Le ton était grave. Antoine fit demi-tour. Le visage de Rumelles avait perdu son assurance avantageuse. Il dodelinait de la tête, le regard fixe et absent.

— « Préparer l'opinion? » dit Antoine. « L'opinion ne consentira jamais à admettre que les intérêts de la Serbie puissent nous entraîner dans des complications sérieuses! »

— « L'opinion? » fit Rumelles, avec une moue d'homme entendu. « Mon cher, avec un peu de poigne et un filtrage judicieux des informations, il nous faut trois jours pour provoquer un revirement d'opinion, *en n'importe quel sens!*... D'ailleurs, la majorité des Français s'est toujours montrée flattée par l'alliance franco-russe. Il serait facile, une fois de plus, de faire vibrer cette corde-là. »

— « Savoir! » objecta Antoine en s'approchant.

Avec un tampon imbibé d'éther, il nettoya la place de la piqûre, et, d'un mouvement preste, piqua profondément l'aiguille dans le muscle. Il se tut, surveillant la seringue, où le niveau du liquide baissait rapidement. Puis il retira l'aiguille.

— « Les Français », reprit-il, « ont accueilli avec enthousiasme l'alliance franco-russe; mais c'est la première fois qu'ils ont l'occasion de se demander à quoi ça les engage... Restez allongé une minute... Qu'est-ce qu'il y a dans nos traités avec la Russie? Personne n'en sait rien. »

La question était indirecte, Rumelles y répondit de bonne grâce :

— « Je ne suis pas dans les secrets des dieux », dit-il, en se soulevant sur un coude. « Je sais... ce qu'on sait dans les coulisses ministérielles. Il y a eu deux accords préliminaires, en 1891 et en 1892; puis un vrai traité d'alliance, que Casimir Perier a signé en 1894. Je n'en connais pas tout le texte, mais — et ce n'est pas un secret d'État — la France et la Russie se sont promis le secours militaire, au cas où l'une d'elles se trouverait menacée par l'Allemagne... Depuis, il y a eu M. Delcassé. Il y a eu M. Poincaré, et ses voyages en Russie. Tout cela, évidemment, n'a fait que préciser et renforcer nos engagements. »

— « Eh bien! » observa Antoine, « si la Russie intervient aujourd'hui, contre la politique germanique, c'est elle qui menacerait l'Allemagne! Et alors, aux termes du traité, nous ne serions pas obligés... »

Rumelles eut un demi-sourire, grimaçant et vite dissipé.

— « C'est plus compliqué que ça, mon cher... Suppo

sons que la Russie, protectrice résolue des Slaves du Sud, rompe demain avec l'Autriche, et qu'elle mobilise pour défendre la Serbie. L'Allemagne, tenue par son traité de 1879 avec l'Autriche, est nécessairement amenée à mobiliser contre la Russie... Or, cette mobilisation forcerait la France à tenir les engagements qu'elle a pris envers la Russie, et à mobiliser immédiatement contre une Allemagne menaçant notre alliée... C'est automatique... »

Antoine ne put contenir un mouvement d'irritation :

— « De telle façon que cette coûteuse amitié franco-russe, par laquelle nos diplomates se sont vantés d'acheter une assurance de sécurité, se trouve être aujourd'hui exactement le contraire! Non pas une garantie de paix, mais un danger de guerre! »

— « Les diplomates ont bon dos... Pensez à ce qu'était, en 1890, la situation de la France en Europe. Nos diplomates avaient-ils tort de préférer doter leur pays d'une arme à double tranchant, plutôt que de le laisser désarmé? »

L'argument parut spécieux à Antoine; mais il ne trouva rien à y répondre : il connaissait mal l'histoire contemporaine. Tout cela, d'ailleurs, n'avait qu'un intérêt rétrospectif.

— « Quoi qu'il en soit », reprit-il, « à l'heure présente, si je vous comprends bien, c'est uniquement de la Russie que notre sort dépend? Ou, plus exactement », ajouta-t-il après une seconde d'indécision, « tout dépend de notre fidélité au pacte franco-russe? »

Rumelles eut encore un bref sourire crispé :

— « Çà, mon cher, ne comptez pas que nous puissions nous dérober à nos engagements. C'est M. Berthelot, en ce moment, qui dirige notre politique extérieure. Tant qu'il sera à son poste, et tant qu'il aura M. Poincaré derrière lui, soyez sûr que la fidélité à nos alliances ne pourra jamais être mise en question. » Il hésita : « On l'a bien vu, paraît-il, à ce Conseil des ministres qui a suivi l'inqualifiable proposition de Schœn... »

— « Alors », s'écria Antoine avec agacement, « s'il n'y a aucune chance de nous libérer de la tutelle russe, il faut contraindre la Russie à rester neutre! »

— « Le moyen? » Rumelles fixait sur Antoine son regard bleu. Il murmura : « Et qui nous dit qu'il n'est pas trop tard?... »

Puis, après un silence, il reprit :

— « En Russie, le parti militaire est très fort. Les défaites de la guerre russo-japonaise ont laissé dans l'Etat-Major russe un amer besoin de revanche; et ils n'ont jamais encaissé le camouflet que leur a infligé l'Autriche, en annexant la Bosnie-Herzégovine. Des gens comme M. Iswolsky — qui, entre parenthèses, doit arriver ce soir à Paris — ne cachent guère qu'ils désirent une guerre européenne, pour porter les frontières russes jusqu'à Constantinople. Ils voudraient bien retarder la guerre jusqu'à la mort de François-Joseph et, si possible, jusqu'en 1917; mais, ma foi, si l'occasion se présente avant... »

Il parlait vite, le souffle court, l'air abattu tout à coup. Un pli soucieux barrait les sourcils. Il semblait avoir laissé glisser le masque.

— « Oui, mon cher, franchement, je commence à désespérer... Tout à l'heure, devant vos amis, j'étais bien obligé de plastronner. Mais la vérité est que ça va mal. Si mal, que le ministre des Affaires étrangères renonce à accompagner le Président en Danemark, et revient en France par les voies les plus rapides... Les dépêches de midi ont été mauvaises. L'Allemagne, au lieu d'adhérer avec empressement aux propositions de Sir Edward Grey, tergiverse, ergote, et semble faire tout ce qu'il faut pour torpiller la réunion d'arbitrage. Souhaite-t-elle vraiment d'envenimer les choses? Ou plutôt repousse-t-elle l'idée d'une conférence à quatre, parce qu'elle sait d'avance, étant donné la tension des rapports austro-italiens, que, à ce tribunal, l'Autriche serait infailliblement condamnée par trois voix contre une?... C'est l'hypothèse la moins désobligeante... et la plus plausible. Mais, pendant ce temps-là, les événements se précipitent... On prend déjà, partout, des mesures militaires... »

— « Des mesures militaires? »

— « C'est fatal : tous les Etats songent naturellement

à une mobilisation possible; et, *à tout hasard*, ils s'y préparent... En Belgique, il y a eu, aujourd'hui même, sous la présidence de M. de Broqueville, un conseil extraordinaire, qui a toutes les apparences d'un conseil de guerre préventif : on projette le rappel de trois classes, pour pouvoir mettre cent mille hommes de plus en ligne... Chez nous, c'est la même chose : il y a eu, ce matin, au Quai d'Orsay, un conseil de cabinet, où l'on a dû, *par précaution*, envisager des préparatifs de guerre. A Toulon, à Brest, la flotte est consignée dans les ports. Ordre a été télégraphié au Maroc d'embarquer sans délai cinquante bataillons de troupes noires, à destination de la France. Et cætera... Tous les gouvernements s'engagent ensemble sur cette voie; et c'est ainsi que, peu à peu, la situation s'aggrave d'elle-même. Car il n'y a pas un technicien d'état-major qui ne sache que, lorsqu'on a mis en branle ce diabolique engrenage qu'est une mobilisation nationale, il devient matériellement impossible de ralentir la préparation, et d'attendre. Alors, le gouvernement le plus pacifique se trouve placé devant ce dilemme : déclencher la guerre, pour la seule raison qu'il l'a préparée. Ou bien... »

— « Ou bien donner des contrordres, faire machine en arrière, arrêter la préparation! »

— « En effet. Mais, dans ce cas-là, il faut être absolument certain *de ne plus avoir besoin de mobiliser, avant de longs mois...* »

— « Parce que? »

— « Parce que — et ceci encore est un axiome indiscuté par les techniciens — un arrêt net brise tous les rouages de ce mécanisme compliqué, et les rend pour longtemps inutilisables. Or, quel gouvernement, à l'heure actuelle, peut avoir la certitude qu'il n'aura pas besoin de mobiliser bientôt? »

Antoine se taisait. Il considérait Rumelles avec émotion. Il murmura enfin :

— « C'est effarant... »

— « Ce qui est effarant, mon cher, c'est que, sous toutes ces apparences, il n'y a peut-être qu'un jeu! En ce moment, ce qui se passe en Europe, ce n'est peut-être pas autre chose qu'une monumentale partie de poker, où chacun cherche à gagner par intimidation... Pendant que l'Autriche étranglera en douce la perfide Serbie, sa partenaire, l'Allemagne, prend des mines menaçantes, — sans autre but, peut-être, que de paralyser l'action russe et l'intervention conciliatrice des puissances. Comme au poker : ceux qui *blufferont* le mieux, le plus longtemps, gagneront... Seulement, comme au poker, personne ne connaît les cartes du voisin. Personne ne sait quelle part de finasserie et quelle part de volonté vraiment agressive, il y a, présentement, dans l'attitude de l'Allemagne, dans l'attitude de la Russie. Jusqu'à présent, les Russes ont toujours cédé devant les audaces germaniques. Alors, évidemment, l'Allemagne et l'Autriche se croient en droit de penser : " Pour peu que nous *bluffons* bien, que nous paraissions décidées à tout, la Russie capitulera encore. " Mais il est possible aussi, et justement parce que la Russie a toujours dû capituler, que, cette fois, elle jette pour de bon son épée dans le jeu... »

— « Effarant... » répéta Antoine.

D'un geste découragé, il posa dans le plateau de l'autoclave la seringue qu'il avait gardée à la main, et fit quelques pas jusqu'à la fenêtre. En entendant Rumelles tracer ce tableau de la politique européenne, il éprouvait l'angoisse du passager qui découvrirait soudain, au milieu d'une tempête, que tous les officiers du bord ont perdu la raison.

Il y eut un silence.

Rumelles s'était levé. Il rajustait ses bretelles. Machinalement, il jeta un coup d'œil autour de lui, comme pour s'assurer qu'on ne pouvait l'entendre, et, s'approchant d'Antoine :

— « Ecoutez, Thibault », fit-il, en baissant la voix. « Je ne devrais pas divulguer ces choses-là : mais, vous, un médecin, vous savez garder un secret, n'est-ce pas ? »

Il regardait Antoine au visage. Celui-ci inclina silencieusement la tête.

— « Eh bien... ce qui se passe en Russie est incroyable ! Son Excellence M. Sazonov nous a, en quelque sorte, signifié par avance que son gouvernement repousserait toute action modératrice!... Et, en effet, nous avons reçu, tout à l'heure, de Pétersbourg, des nouvelles extrêmement graves : l'intention de la Russie ne paraît plus douteuse : elle est déjà en pleine mobilisation! Les manœuvres annuelles ont été interrompues; les troupes ont rejoint dare-dare leurs garnisons; les quatre principales circonscriptions militaires russes, Moscou, Kiev, Kazan et Odessa, mobilisent!... C'est hier, le 25, ou avant-hier peut-être même, au cours d'un conseil de guerre, que l'Etat-Major aurait arraché au Tsar l'ordre écrit de préparer, en hâte, " à titre préservatif ", un acte de force contre l'Autriche... L'Allemagne le sait, sans aucun doute; et cela suffit, de reste, à expliquer son attitude. Elle mobilise aussi, secrètement; et elle n'a, hélas, que trop de raisons de se hâter... Elle vient, d'ailleurs, de faire aujourd'hui une démarche de la plus haute importance : elle vient de prévenir publiquement Pétersbourg que si les préparatifs militaires russes ne cessaient pas, et, à plus forte raison, s'ils s'accéléraient, elle se verrait forcée de décréter sa mobilisation; ce qui, précise-t-elle, signifierait la guerre générale... Que répondra la Russie? Sa responsabilité, qui est déjà très lourde, sera écrasante, si elle ne cède pas... Et il est... peu probable qu'elle cède... »

— « Mais nous, dans tout ça? »

— « Nous, cher ami?... Nous?... Que faire? Dénoncer la Russie? Pour démoraliser l'opinion de notre pays, à la veille peut-être du jour où nous allons avoir besoin de toutes nos forces, de tout notre élan national? Dénoncer la Russie? Pour nous isoler tout à fait? Pour nous brouiller avec nos seuls alliés? Et pour que l'opinion anglaise, indignée, se détourne du groupe franco-russe et oblige son gouvernement à se prononcer en faveur des germaniques?... »

Deux coups discrets, frappés à la porte, l'interrompirent; et la voix de Léon s'éleva, du couloir :

— « *On* re-demande Monsieur au téléphone... »

Antoine fit un geste d'impatience.

— « Dites que je suis... Non! » cria-t-il, « j'y vais! » Et s'adressant à Rumelles : « Vous permettez? »

— « Faites, mon cher. D'ailleurs, il est affreusement tard, je me sauve... Au revoir... »

Antoine regagna rapidement son petit bureau, et décrocha le récepteur :

— « Qu'est-ce qu'il y a ? »

Au bout du fil, Anne, heurtée par ce ton sec, tressaillit.

— « C'est vrai », dit-elle humblement; « dimanche !... Vous avez des amis chez vous, peut-être... »

— « Qu'est-ce qu'il y a ? » répéta-t-il.

— « Je voulais simplement... Mais, si je te dérange ?... »

Antoine ne répondit pas.

— « Je... »

Elle le devinait si contracté qu'elle ne savait plus que dire, quel mensonge improviser.

Timidement, ne trouvant rien de mieux, elle balbutia :

— « Ce soir... ? »

— « Impossible », trancha-t-il, tout net. Il reprit, adoucissant sa voix :

— « Impossible, ce soir, ma chérie... »

Il était pris soudain de pitié. Anne le sentit; et ce lui fut à la fois délicieux et pénible.

— « Sois raisonnable », dit-il. (Elle l'entendit soupirer.) « D'abord, aujourd'hui, je ne suis pas libre... Et, même si je l'étais, sortir le soir, en ce moment... »

— « Quel moment ? »

— « Enfin, Anne, vous lisez bien les journaux ? Vous n'ignorez pas ce qui se passe ? »

Elle eut un haut-le-corps. Les journaux ? La politique ? C'était pour ces histoires-là qu'il l'écartait de sa vie ? « Il doit mentir », se dit-elle.

— « Et... cette nuit... chez nous ? Non ? »

— « Non... Je rentrerai sans doute tard, fatigué... Je t'assure, ma chérie... N'insiste pas... » Mollement, il ajouta : « Demain, peut-être... Je te téléphonerai demain, si je peux... Au revoir, chérie ! »

Et, sans attendre, il raccrocha.

XLII

Jacques n'avait pas attendu le retour de son frère pour s'en aller. Et il regretta même de s'être attardé chez Antoine, quand la concierge de l'avenue de l'Observatoire lui annonça que Mlle Jenny était rentrée depuis plus d'une heure.

Il monta les étages à grandes enjambées, et sonna. Le cœur battant, il guettait le pas de Jenny derrière la porte; mais ce fut sa voix qu'il entendit :

— « Qui est là ? »

— « Jacques ! »

Il entendit un bruit de loquets et de chaînes; le battant s'ouvrit enfin.

— « Maman est partie », dit-elle, pour expliquer ce verrouillage. « Je viens de la conduire au train. »

Elle restait dans l'encadrement de la porte, comme si, au moment de le laisser entrer, elle éprouvait quelque gêne. Mais il la regardait au visage avec une expression loyale et gaie qui dissipa instantanément son trouble. Il était là ! Le rêve d'hier continuait !...

Il lui tendit les deux mains à la fois, avec une tendre brusquerie. Du même geste décidé et franc, elle lui abandonna les siennes, et, reculant de deux pas, sans retirer ses mains, elle lui fit franchir le seuil.

« Où vais-je le recevoir ? » s'était-elle demandé, en l'attendant. Le salon était enseveli sous des housses. Sa chambre ? C'était son refuge, un lieu bien à elle, où elle éprouvait quelque pudeur à introduire qui que ce fût; Daniel même n'y pénétrait que rarement. Restaient la chambre de Daniel, et celle de Mme de Fontanin, où les deux femmes se tenaient d'ordinaire. Finalement, Jenny avait opté pour la chambre de son frère.

— « Venez chez Daniel », dit-elle. « C'est la seule pièce fraîche de l'appartement. »

Comme elle ne possédait pas encore de robe noire légère, elle portait, dans la maison, une ancienne robe d'été, à col ouvert, en toile blanche, qui lui donnait un aspect printanier et sportif. Bien qu'elle eût les hanches étroites, les jambes longues, on ne pouvait dire qu'elle fût très souple, car elle surveillait d'instinct ses gestes et raidissait volontairement sa démarche; mais, en dépit de sa retenue, ses membres élancés trahissaient l'élasticité de la jeunesse.

Jacques la suivit, l'attention distraite : il ne pouvait s'empêcher de regarder avec émotion autour de lui. Il reconnaissait tout : le vestibule, et son armoire hollandaise, et ses plats de Delft au-dessus des portes; le mur gris du couloir, sur lequel Mᵐᵉ de Fontanin exposait jadis les premiers fusains de son fils; le renfoncement, vitré de verre rouge, dont les enfants avaient fait un laboratoire photographique; et la chambre de Daniel, son panneau de livres, sa vieille pendule d'albâtre, et les deux petits fauteuils de velours grenat, où, tant de fois, assis en face de son ami...

— « Maman est en voyage », expliqua Jenny, en relevant le store, afin de dissimuler sa timidité. « Elle est partie pour Vienne. »

— « Pour où ? »

— « Pour Vienne, en Autriche... Asseyez-vous », dit-elle en se retournant, sans remarquer la stupeur de Jacques.

(La veille au soir, contrairement à son attente, elle n'avait eu à subir aucune question sur son retard. Mᵐᵉ de Fontanin, tout occupée par les préparatifs de son voyage du lendemain — préparatifs qu'elle n'avait pu commencer devant Daniel — n'avait même pas consulté la pendule pendant l'absence de sa fille. Ce ne fut donc pas Jenny qui eut à s'expliquer; ce fut sa mère qui se hâta de déclarer, non sans quelque confusion pour sa cachotterie, qu'elle s'absentait une dizaine de jours : le temps d'aller sur place « arranger les affaires ».)

— « Pour Vienne ? » répéta Jacques, sans s'asseoir. « Et vous l'avez laissée partir ? »

Jenny lui raconta brièvement comment les choses s'étaient passées; et que, aux premières objections soulevées par elle, sa mère avait coupé court, affirmant que seule sa présence à Vienne pouvait mettre un terme à leurs difficultés.

Jacques la dévisageait tendrement, tandis qu'elle parlait. Elle était assise devant le bureau de Daniel, sur une chaise, le buste droit, le visage sérieux, sans abandon. Le pli de la bouche, les lèvres un peu serrées — « trop accoutumées au silence », songea-t-il — marquaient la réflexion, l'énergie. La pose était un peu contractée; le regard examinait, sans se livrer. Défiance ? Orgueil ? Timidité ? Non : Jacques la connaissait assez pour savoir que cette raideur était naturelle, et n'exprimait rien d'autre qu'une certaine nuance de caractère, une certaine réserve voulue, une attitude morale.

Il hésitait à dire tout ce qu'il pensait sur l'inopportunité, en ce moment, d'un séjour en Autriche. Prudemment, il demanda :

— « Votre frère était au courant de ce voyage ? »

— « Non. »

— « Ah », dit-il, se décidant soudain, « Daniel s'y serait formellement opposé, j'en suis sûr. Mme de Fontanin ne sait donc pas que l'Autriche mobilise ? que les frontières sont gardées militairement ? que Vienne peut, demain, être en état de siège ? »

Ce fut au tour de Jenny d'être stupéfaite. Depuis huit jours, elle n'avait pas eu l'occasion de lire un journal. En quelques mots, Jacques la mit au fait des principaux événements.

Il parlait avec circonspection, s'efforçant d'être véridique sans trop l'inquiéter. Les questions qu'elle lui posa, et où perçait un fond d'incrédulité, laissaient voir que les soucis politiques tenaient peu de place dans la vie de Jenny. L'éventualité d'une guerre, d'une de ces guerres comme en enseignent les manuels d'histoire, ne parvenait guère à l'effrayer. L'idée que, en cas d'un conflit, Daniel se trouverait aussitôt fort exposé, ne lui

vint même pas à l'esprit. Elle ne songeait qu'aux complications matérielles qui pouvaient en résulter pour sa mère.

— « Il est bien probable », se hâta de dire Jacques,
« que Mme de Fontanin renoncera en cours de route à
son projet. Attendez-vous à la voir revenir. »

— « Vous croyez? » fit-elle vivement. Et elle rougit.
Elle lui confessa qu'elle avait été, malgré tout, assez
heureuse de ce départ, qui retardait l'heure des explications. Non pas, s'empressa-t-elle d'ajouter, qu'elle
craignît de se heurter à une désapprobation. Mais elle
redoutait plus que tout d'avoir à parler d'elle, d'avoir
à mettre à nu ses sentiments.

— « Il faudra vous en souvenir, Jacques », ajouta-
t-elle en le regardant avec sérieux. « J'ai besoin d'être
devinée... »

— « Moi aussi », fit-il en riant.
La conversation prenait un tour plus intime. Il l'interrogea sur elle, la forçant à des précisions, l'aidant à
s'analyser. Elle y consentait sans trop d'effort. Elle ne
se cabrait pas devant ses questions; peu à peu, elle lui
savait même un certain gré de les avoir posées; et elle
s'étonnait, la première, d'éprouver une sorte de plaisir
à se départir, pour lui, de son habituelle réserve. C'est
que personne, jamais, ne s'était penché vers elle avec
ce regard chaud et prenant; personne ne lui avait jamais
parlé avec un tel souci de ne pas la froisser, un si manifeste désir de la comprendre. Une tiédeur inconnue
l'enveloppait; il lui semblait qu'elle avait jusqu'alors
vécu cloîtrée, et que les limites de sa clôture, reculant
soudain, lui découvraient un horizon insoupçonné.

Jacques souriait, à tout instant, sans motif. Plus encore
qu'à Jenny, c'était à son propre bonheur qu'il souriait.
Il en demeurait tout étourdi. Il avait oublié l'Europe :
rien n'existait plus, qu'elle et lui. Tout ce qu'elle disait,
même d'insignifiant, lui apparaissait riche de confidence,
d'intimité, soulevait en lui des élans de gratitude éper-
due. Une conviction nouvelle s'implantait dans son
esprit, et le gonflait de fierté : que leur amour n'était
pas seulement quelque chose de rare et de précieux,
mais constituait une aventure absolument exception-

nelle, sans précédent. Le mot « âme » revenait à tout
moment sur leurs lèvres; et, chaque fois, ce terme
vague, mystérieux, retentissait en eux avec une vibration particulière, comme un mot magique, chargé de
secrets qui n'étaient connus que d'eux seuls.

— « Savez-vous ce qui m'étonne? » s'écria-t-il, tout à
coup. « C'est d'être si peu étonné! Je sens que, au fond
de moi, je n'ai jamais douté de ce qui nous attendait! »

— « Moi non plus! »

C'était aussi faux pour elle que pour lui. Mais, plus
ils y songeaient, et plus il leur paraissait, à tous deux,
qu'ils n'avaient pas un seul jour cessé d'espérer.

— « Et je trouve tout naturel d'être ici... » reprit-il.
« J'éprouve, près de vous, la sensation d'être enfin dans
mon vrai climat! »

— « Moi aussi! »

(Pour l'un et pour l'autre, c'était une tentation volup-
tueuse, à laquelle ils cédaient à tout instant, de se sentir à l'unisson, de se proclamer identiques en tout.)

Elle avait changé de siège, et elle était venue s'asseoir,
en face de lui, dans une pose presque nonchalante.
Déjà son amour semblait la transformer physiquement :
se révéler dans ses attitudes, lui donner comme une
grâce, une souplesse, inaccoutumées. Jacques épiait avec
ravissement cette métamorphose. Il caressait du regard
le jeu des ombres sur le buste mobile, l'ondulation des
muscles sous l'étoffe, le rythme de la respiration. Il ne
se rassasiait pas du spectacle de ces deux mains agiles,
qui se cherchaient, se frôlaient et se séparaient, et se
rejoignaient de nouveau, comme des colombes amoureuses. Elle avait de très petits ongles, ronds, bombés,
et blancs, — « pareils à des moitiés de noisettes », songea-t-il.

Un moment, il se pencha :

— « Je découvre, figurez-vous, un tas de choses merveilleuses... »

— « Quoi donc? »

Pour écouter, elle avait posé le coude sur le bras du
fauteuil, et appuyait le menton sur sa paume; les doigts
épousaient la courbe de la joue; l'index, libre, jouait

mollement avec les lèvres, ou bien s'allongeait un instant jusqu'à la tempe.

Il dit, en la regardant de tout près :

— « Dans le plein jour, vos prunelles ont vraiment
l'éclat de deux petites pierres bleues, deux saphirs
clairs... »

Elle sourit, gênée, et baissa la tête. Puis elle se redressa, et, comme par jeu, pour lui rendre la pareille,
elle l'examina à son tour avec attention :

— « Et moi je trouve que vous avez changé, Jacques,
depuis hier. »

— « Changé ? »

— « Oui, beaucoup. »

Elle avait pris un air énigmatique. Il la pressa de
questions. Enfin, à travers bien des hésitations, des à-
peu-près, des retouches, il finit par comprendre ce
qu'elle n'osait pas dire : depuis l'arrivée de Jacques,
elle avait l'intuition qu'il était dominé par une préoccupation secrète, étrangère à leur amour.

D'un coup de main, il rebroussa la mèche qui lui
barrait le front :

— « Tenez », dit-il, sans préambule, « voilà quelle a
été ma vie depuis hier. »

Il lui conta tout au long sa nuit dans les jardins des
Tuileries, sa matinée à l'*Humanité*, sa visite à Antoine.
Il multipliait les détails, décrivant, avec une complaisance de romancier, les lieux, les êtres, rapportant les
propos de Stephany, de Gallot, de Philip, de Rumelles,
précisant ses propres réactions, confessant ses inquiétudes, ses espoirs, s'appliquant à lui donner une idée
de la lutte qu'il menait contre la menace de guerre.

Elle écoutait, sans perdre un mot, haletante, désorien-
tée. Brutalement, elle se trouvait jetée, non seulement
au centre de l'existence de Jacques, mais en pleine crise
européenne, face à face avec des problèmes effrayants
et qui lui étaient inconnus. L'édifice social chancelait
soudain. Elle éprouvait la panique de ceux qui voient,
dans un tremblement de terre, crouler autour d'eux les
murs, les toits, tout ce qui assurait protection, sécurité,
et qui semblait indestructible.

Quant à l'activité personnelle de Jacques dans cet univers qu'hier encore elle ignorait, elle n'en saisissait qu'imparfaitement la portée; mais elle avait besoin, pour justifier pleinement son amour, de placer Jacques très haut; elle ne doutait pas que ses buts fussent nobles; que les hommes dont il citait les noms — ce Meynestrel, ce Stefany, ce Jaurès — fussent dignes d'une estime exceptionnelle. Leurs espoirs devaient être légitimes, puisque Jacques les partageait.

Jacques était lancé. L'attention de Jenny le soutenait, le grisait.

— « ...nous autres, révolutionnaires... » dit-il.

Elle leva les yeux, et il y lut de la surprise.

C'était la première fois qu'elle entendait une voix sympathique prononcer avec ce religieux respect le mot de « révolutionnaire », qui éveillait, dans son esprit, l'image d'individus à mine louche, capables d'incendier et de piller les quartiers riches pour assouvir de bas appétits : des hommes sans aveu, qui cachent des bombes sous leur veste, et contre lesquels la société n'a d'autre recours que la déportation.

Alors, il se mit à parler du socialisme, de son adhésion à l'Internationale.

— « Ne croyez pas que c'est un élan naïf de générosité qui m'a jeté dans le parti de la révolution. J'y suis arrivé après de longs doutes, et dans une grande détresse, dans une grande solitude morale. Quand vous m'avez connu, je voulais croire à la fraternité humaine, au triomphe de la vérité, de la justice; mais j'imaginais ce triomphe facile, tout proche. J'ai vite découvert mon illusion, et tout s'est obscurci en moi. J'ai traversé, à cette époque-là, les pires moments de ma vie. Je me suis laissé sombrer... J'ai touché le fond, le bas-fond... Eh bien, c'est l'idéal révolutionnaire qui m'a sauvé », continua-t-il, songeant avec une gratitude émue à Meynestrel. « C'est l'idéal révolutionnaire qui a soudain élargi, illuminé mon horizon, donné une raison de vivre à cet être réfractaire et inutile que j'étais, depuis mon enfance... J'ai compris qu'il était absurde de croire que le triomphe de la justice était facile et proche, mais qu'il était plus absurde encore, et criminel de désespérer! J'ai compris surtout qu'il y avait une façon active de croire à ce triomphe! Et que ma révolte instinctive pouvait devenir efficace, si elle se donnait pour tâche de travailler, avec d'autres révoltés comme moi, à l'évolution sociale! »

Elle écoutait, sans interrompre. Son atavisme protestant la prédisposait assez bien, d'ailleurs, à cette idée que la société ne doit pas être soumise à un rigoureux conformisme; et aussi qu'un être a pour devoir d'exalter sa personnalité, et de pousser jusqu'aux dernières conséquences une action qui lui est dictée par sa conscience. Jacques se sentait compris. Dans le silence de Jenny, il percevait le frémissement d'une intelligence aux aguets, équilibrée et saine, mal entraînée sans doute aux débats spéculatifs, mais apte à s'élever librement au-dessus des préjugés; et, derrière cette réserve dont elle ne se départait pas, il sentait palpiter une sensibilité sous pression, prête à épouser, et à servir, toute grande cause qui fût vraiment digne d'un sacrifice total.

Cependant, elle ne put retenir une moue incrédule, et presque désapprobatrice, en entendant Jacques affirmer que cette société capitaliste où elle vivait sans penser à mal, était la consécration d'une inacceptable injustice. Sans y avoir beaucoup réfléchi, elle acceptait l'inégalité des conditions comme une conséquence inévitable de l'inégalité des natures.

— « Ah! » s'écria-t-il, « ce monde des déshérités, Jenny! Je suis sûr que vous ne vous le représentez pas tel qu'il est! Sans quoi vous ne secoueriez pas ainsi la tête... Vous ignorez qu'il y a, tout près de vous, une multitude de malheureux pour lesquels vivre n'est rien d'autre que de peiner jour après jour, l'échine courbée sous le travail, sans salaire convenable, sans sécurité d'avenir, sans possibilité d'espérance! Vous savez bien qu'on extrait du charbon, qu'on construit des manufactures; mais pensez-vous quelquefois à ces millions d'hommes qui, leur vie durant, étouffent dans les ténèbres des mines? à ces millions d'autres qui s'usent les nerfs dans le vacarme mécanique des usines? ou même à ces demi-privilégiés des campagnes, dont la

tâche quotidienne est de gratter le sol, dix, douze,
quatorze heures par jour, selon les saisons, pour vendre,
à des intermédiaires qui les grugent, le produit de toute
cette sueur? C'est ça, la peine des hommes! J'exagère?
Nullement! Je parle de ce que j'ai vu... Pour ne pas
crever de faim, à Hambourg, j'ai dû faire le manœuvre,
avec cent autres pauvres diables poussés par la même
nécessité que moi : se procurer du pain. Pendant trois
semaines, j'ai obéi, du matin au soir, à des chefs d'équipes,
pareils à des gardes-chiourme, qui criaient : " Soule-
vez ces poutres! Portez ces sacs! Traînez ces brouettes
de sable! " A la nuit, nous quittions le port, avec notre
maigre paie, pour nous jeter sur la nourriture, sur l'al-
cool, fourbus, englués de crasse, le corps vide, le cerveau vide, assommés de fatigue au point d'être sans
révolte! Car c'est peut-être ça, le plus affreux : pour la
plupart, ces malheureux n'ont même pas le soupçon de
l'injustice sociale dont ils sont les victimes! On se demande vraiment où ils puisent la force de subir, comme
une chose naturelle, leur effroyable vie de bagnards!
J'ai pu m'évader de cet enfer, moi, parce que j'avais
la chance de connaître plusieurs langues, parce que
j'étais capable de bâcler un article de journal... Mais
les autres? Ils continuent là-bas leur besogne de for-
çats! Ces choses-là, Jenny, avons-nous le droit d'accepter qu'elles existent, qu'elles puissent durer, qu'elles
soient la condition normale des hommes sur la terre?

« Tenez, les usines! J'ai travaillé, un moment, à
Fiume, comme manutentionnaire, dans une fabrique
de boutons. J'étais l'esclave d'une machine qu'il fallait
alimenter, sans interruption, de dix secondes en dix
secondes! Impossible de distraire une minute sa pensée ou sa main... Un geste, toujours le même, qu'il
fallait répéter pendant des heures. Sans vraie fatigue,
je veux bien. Mais, je vous jure, je sortais de là plus
abruti par l'imbécillité de ce travail, que je ne l'étais à
Hambourg, après avoir coltiné deux heures de suite
des sacs de ciment, dont la poussière me rongeait les
yeux et me desséchait le gosier!... J'ai vu, dans une
savonnerie italienne, des femmes dont la tâche consis-

tait à soulever et à transporter, toutes les dix minutes, des caisses de savon en poudre qui pesaient quarante kilos; et, pendant le reste du temps, elles restaient debout à tourner une manivelle : une manivelle si dure que, pour la mettre en mouvement, elles devaient s'arc-bouter du pied contre le mur. Et elles fournissaient huit heures par jour de ce travail... Je n'invente rien! J'ai vu, dans une pelleterie de Prusse, des filles de dix-sept ans qu'on employait à brosser des peaux, du matin au soir; et ces petites avalaient tant de poils qu'il leur fallait, pour continuer leur besogne, aller, plusieurs fois par jour, vomir dehors... Et pour quel pauvre salaire! Car il est admis partout que la femme soit, à fatigue égale, moins payée que l'homme... »

— « Pourquoi? » demanda-t-elle.

— « Parce qu'on suppose qu'elle a un père, ou un mari, pour l'aider à vivre... »

— « C'est souvent vrai », dit-elle.

— « Hé non! Si ces malheureuses sont obligées de travailler, n'est-ce pas justement parce que, dans notre société, l'homme ne gagne pas assez pour entretenir convenablement ceux dont il a la charge?

« Je vous cite des cas de travailleurs étrangers. Mais vous n'avez qu'à aller un de ces matins à Ivry, à Puteaux, à Billancourt... Vous verrez, avant sept heures, le défilé des femmes qui viennent déposer leurs enfants à la crèche, pour être libres d'aller trimer aux ateliers. Les patrons qui ont organisé ces crèches (aux frais de l'usine) se persuadent, et de bonne foi peut-être, qu'ils sont les bienfaiteurs de leurs ouvriers... Vous imaginez ce qu'est l'existence d'une mère de famille qui, avant de fournir ses huit heures de travail manuel, s'est levée à cinq heures du matin pour faire le café, laver et habiller ses petits, ranger un peu la chambre, et arriver à sept heures à son travail? Est-ce que ça n'est pas monstrueux? Et pourtant, ça existe! Et c'est au prix de ces vies sacri-fiées que prospère la société capitaliste!... Vraiment, Jenny, est-ce que nous pouvons tolérer ça? Est-ce que nous pouvons supporter plus longtemps que la société capitaliste prospère aux dépens de ces millions de vies sacrifiées? Non!... Mais, pour que tout ça, et le reste, puisse être modifié, il faut que l'autorité change de mains : il faut que le pouvoir politique soit conquis par le prolétariat. Comprenez-vous, maintenant? Voilà le sens de ce mot qui semble tant vous effrayer : *Révolution*... Il faut qu'une organisation nouvelle et toute différente de la société permette à l'homme, non plus seulement de subsister, mais de vivre! Il faut rendre à l'individu, non seulement sa part matérielle des bénéfices du travail, mais cette part de liberté, de loisir, de bien-être, sans laquelle il ne peut pas se développer dans sa dignité d'homme... »

— « Sa dignité d'homme... », répéta-t-elle, pensive.

Elle avait soudain conscience — et elle en était confuse — d'avoir atteint sa vingtième année sans rien savoir du labeur et de la misère du monde. Entre la masse des travailleurs et elle, jeune bourgeoise de 1914, les cloisons de classes étaient aussi étanches que celles qui séparaient les castes de la civilisation antique... « Tous les riches que je connais ne sont pourtant pas des monstres », se dit-elle, naïvement. Elle pensait à ces œuvres protestantes auxquelles participait sa mère, et qui « faisaient la charité » à des familles nécessiteuses... Elle se sentit rougir de confusion. La charité! Elle comprenait maintenant que ces miséreux, qui sollicitaient une aumône, n'avaient rien de commun avec les travailleurs exploités, qui revendiquaient le droit de vivre, et leur indépendance, et leur « dignité ». Ces miséreux-là n'étaient pas le peuple, comme elle l'avait cru sottement : ils n'étaient que les parasites du monde bourgeois; presque aussi étrangers du monde ouvrier évoqué par Jacques, que ces dames patronnesses qui les visitaient! Jacques venait de lui révéler le *prolétariat*.

— « La dignité de l'homme », répéta-t-elle, une seconde fois; et son accent témoignait qu'elle donnait à ces mots tout leur sens.

— « Oh! » fit-il, « les premiers résultats seront fatalement dérisoires... Le travailleur, que la révolution aura affranchi, se ruera d'abord vers les satisfactions les plus égoïstes; disons même : les plus basses... Il faut en prendre son parti : ces appétits inférieurs doivent d'abord être assouvis, pour que soit possible le progrès véritable... intérieur... » Il hésita, avant d'ajouter : « ...la culture spirituelle... »

Son timbre s'était voilé. Une angoisse, qu'il connaissait bien, lui étreignait la gorge. Il poursuivit cependant :

— « Nous devons consentir, hélas, à cette nécessité : que la révolution des institutions précède de loin celle des mœurs. Mais il ne faut pas... non... nous n'avons pas le droit de douter de l'homme... Ses tares, je les vois bien! Mais je crois, je *veux* croire, qu'elles sont, en grande partie, la conséquence de la société actuelle... Il faut lutter contre les tentations du pessimisme, il faut arriver à croire en l'homme!... Il y a, il doit y avoir, en l'homme, une secrète, une indestructible aspiration vers la grandeur... Et il faut souffler patiemment sur cette petite braise enfouie dans les cendres, pour qu'elle s'attise... pour qu'elle flambe, peut-être, un jour! »

Elle approuva, d'une brusque inclinaison de tête. Son visage était plus que jamais énergique; son regard, plein de gravité.

Il sourit de plaisir :

— « Mais les transformations sociales, c'est pour plus tard... Au plus urgent, d'abord : aujourd'hui, il s'agit d'empêcher la guerre! »

Il songea tout à coup au rendez-vous de Stefany, et jeta un coup d'œil vers la pendule d'albâtre. Elle était arrêtée. Il consulta sa montre, et se dressa d'un bond :

— « Déjà huit heures? » fit-il, comme s'il sortait d'un rêve. « Et je dois être dans un quart d'heure à la Bourse! »

Il eut soudain conscience du tour inattendu et sévère qu'avait pris leur entretien. Il craignit d'avoir déçu Jenny, et voulut s'excuser.

— « Non, non », interrompit-elle aussitôt. « Je veux savoir ce que vous pensez sur tout... Je veux connaître votre vie... Comprendre... » Et son accent passionné semblait dire : « En vous confiant ainsi, en vous montrant à moi tel que vous êtes, vous me donnez la meilleure preuve de votre tendresse, celle à laquelle j'attache le plus de prix! »

— « Demain », reprit-il, en gagnant la porte, « je viendrai de meilleure heure, voulez-vous? Aussitôt après le déjeuner. »

Elle eut un sourire qui l'illumina jusqu'au fond des prunelles. Elle aurait voulu répondre : « Oui, venez, soyez là, le plus possible... C'est seulement quand vous êtes là que je me sens vivre! »

Mais elle rougit, se tut et le suivit à travers l'appartement.

Devant la porte du salon, qui était entrebâillée, il s'arrêta :

— « Vous permettez? Ça me rappelle tant de souvenirs... »

Les volets étaient clos. Elle entra avant lui et ouvrit la fenêtre. Elle avait une façon à elle de marcher, de traverser une pièce, d'aller droit vers la chose qu'elle voulait faire, sans brusquerie, avec une fermeté douce et inflexible.

Une odeur d'étoffe et d'encaustique s'élevait des rideaux en pile, des tapis roulés, du parquet. Jacques regardait tout, en souriant. Il se souvenait de sa première visite avec Antoine... Jenny, boudeuse, était allée s'accouder au balcon; et lui, il était resté là, dans cet angle, sottement planté devant cette vitrine. Il n'avait pas besoin de soulever la toile qui la couvrait aujourd'hui pour revoir les bonbonnières, les éventails, les miniatures, tous ces bibelots qu'il avait contemplés, ce jour-là, par contenance, et qu'il avait retrouvés fidèlement à la même place, des années de suite... Les différentes images de Jenny au cours de ces années-là se superposaient devant ses yeux comme des calques sur un dessin original. Il se rappelait ses attitudes de fillette, de jeune fille, ses sautes d'humeur, ses élans avortés, ses brusques rougeurs, ses demi-confidences...

Il se retourna vers elle, et sourit. Devinait-elle ce qu'il pensait? Peut-être. Elle ne disait rien. Il la contempla quelques secondes, en silence. Il la retrouvait là, aujourd'hui, dans ce même salon, maîtresse d'elle-même, comme jadis, sans timidité, mais sans abandon, avec ce regard franc, un peu dur, ce visage lisse et mystérieux...

— « Jenny, montrez-moi aussi la chambre de votre mère, voulez-vous ? »

— « Venez », dit-elle, sans marquer de surprise.

Il la connaissait aussi, dans ses moindres détails, cette chambre aux murs couverts de portraits, de photographies, avec son grand lit de damas vert voilé de guipure ! Daniel l'y faisait entrer, après avoir frappé à la porte. Le plus souvent, Mme de Fontanin, sous la lumière rose de l'abat-jour, dans l'une des deux bergères qui encadraient la cheminée, lisait, au coin du feu, quelque ouvrage de morale, quelque roman anglais. Elle posait alors son livre ouvert sur ses genoux, et accueillait les deux jeunes gens avec un sourire rayonnant, comme si rien ne pouvait lui causer plus de joie que cette visite. Elle faisait asseoir Jacques en face d'elle, l'interrogeait sur sa vie, ses études, avec un regard encourageant. Et, si Daniel s'avisait de vouloir relever les bûches croulantes, sa mère, avec un geste joueur, lui enlevait prestement les pincettes des mains : « Non, non », disait-elle en riant, « laisse, tu ne connais pas les *mœurs du feu !* »

Il dut faire un effort pour s'arracher à tous ces souvenirs.

— « Allons », dit-il, en gagnant la porte.

Elle le reconduisit dans l'antichambre.

Il la considéra soudain avec une telle gravité qu'une peur irraisonnée s'empara d'elle, lui fit baisser le front.

— « Avez-vous jamais été heureuse, ici ? vraiment heureuse ? »

Consciencieusement, avant de répondre, elle fouilla le passé, revécut, en quelques secondes, les années écoulées, son enfance inquiète et scrupuleuse, son enfance avertie, concentrée, muette. Il y avait bien quelques lueurs dans cette grisaille : la tendresse de sa mère, l'affection de Daniel... Pourtant, non... Heureuse, *vraiment* heureuse ? Non, jamais.

Elle releva les yeux, et secoua négativement la tête.

Elle le vit respirer profondément, relever sa mèche d'un geste résolu, et brusquement sourire. Il ne dit rien ; il n'osait pas lui promettre le bonheur ; mais, sans cesser de sourire et de la regarder jusqu'au fond des prunelles, il prit ses deux mains, comme il avait fait en arrivant, et y posa ses lèvres. Elle ne détachait pas les yeux de lui. Elle sentait son cœur battre, battre...

Elle ne sut que beaucoup plus tard avec quelle précision l'image de Jacques — tel qu'il était là, debout, incliné vers elle — s'inscrivait, à cet instant précis, dans sa mémoire; avec quelle hallucinante acuité, elle devait revoir, toute sa vie, ce front, cette mèche sombre, ce regard pénétrant, indocile et hardi, ce sourire confiant qui resplendissait de promesses...

XLIII

Le vacarme provincial des cloches de Saint-Eustache, qui s'engouffrait dans la cour de l'immeuble, éveilla Jacques de bonne heure. Sa première pensée fut pour Jenny. Vingt fois déjà, la veille, au cours de la soirée et jusqu'au moment où il s'était endormi, il s'était remémoré sa visite avenue de l'Observatoire; il trouvait toujours de nouveaux détails à tirer de son souvenir. Il demeura quelques minutes, allongé sur son lit, promenant un regard indifférent sur le décor de son nouveau logis. Les murs étaient salpêtrés, le plafond s'écaillait; des hardes inconnues pendaient aux patères; des paquets de brochures, de tracts, s'empilaient sur l'armoire; au-dessus de la cuvette de zinc, luisait un miroir de bazar, taché d'éclaboussures. Quelle avait pu être la vie du camarade qui habitait là?

La fenêtre était restée toute la nuit ouverte; mais, malgré l'heure matinale, l'air qui montait de la cour était fétide, étouffant.

« Lundi 27 », se dit-il, en consultant son carnet de poche, déposé sur la table de nuit. « Ce matin, dix heures, les types de la C. G. T... Ensuite, il faudra m'occuper de cet argent, voir le notaire, l'agent de change... Mais, à une heure, je serai chez elle, avec elle!... Après, à quatre heures et demie, j'ai cette réunion qu'on a organisée à Vaugirard, pour Knipperdinck... À six heures, je passerai au *Libertaire*... Et, ce soir, la manifestation... Il y avait de la bagarre dans l'air, cette nuit. Aujourd'hui, il pourrait bien se passer des choses... Les boulevards ne seront pas toujours aux jeunes patriotes! La manifestation de ce soir s'annonce bien. Des affiches partout...

La Fédération du Bâtiment a fait appel aux syndicats...
Important, ça, que le mouvement syndicaliste soit bien
en liaison avec celui du Parti... »

Il courut emplir son broc au robinet du couloir, et le
torse nu, s'aspergea d'eau fraîche.

Brusquement lui revint le souvenir de Manuel Roy,
et il se mit à invectiver le jeune médecin : « Au fond,
ceux que vous accusez d'antipatriotisme, ce sont ceux
qui s'insurgent contre votre capitalisme! Il suffit qu'on
s'attaque à votre régime, pour être de mauvais Français!
Vous dites : " Patrie " », grogna-t-il, la tête sous l'eau;
« mais vous pensez : " Société! " " Classe! " Votre
défense de la patrie n'est pas autre chose qu'une défense
déguisée de votre système social! » Il empoigna de
chaque main une extrémité de la serviette, et se frotta
vigoureusement le dos, rêvant d'un monde à venir, où
les diverses patries subsisteraient comme autant de groupements régionaux, autonomes, mais rassemblés sous
une même organisation prolétarienne.

Puis sa pensée revint au syndicalisme :

« C'est à l'intérieur des syndicats qu'il faudrait être,
pour faire de la bonne besogne... » Son front s'assombrit. Pourquoi était-il en France? Mission d'information,
oui; et il s'en acquittait de son mieux : la veille encore,
il avait expédié à Genève quelques brefs « rapports »
dont, sans doute, Meynestrel pourrait se servir; mais il
ne s'illusionnait pas sur l'importance de ce rôle d'en-
quêteur. « Etre utile, vraiment utile... Agir... » il était
venu à Paris avec cet espoir; et il enrageait de n'être
qu'un spectateur, un enregistreur de propos, de nouvelles; de ne rien faire, en somme — de ne rien pouvoir
faire! Pas d'action possible sur ce plan international
auquel il se trouvait, par force, limité. Pas d'action réelle
pour ceux qui ne font pas partie des équipes, pour ceux
qui ne sont pas incorporés, et depuis longtemps, aux
organisations constituées. « C'est tout le problème de
l'individu devant la révolution », se dit-il avec un brusque
découragement. « Je me suis évadé de la bourgeoisie,
par instinct de fuite... Avec une révolte d'individu, non
de classe... J'ai passé mon temps à m'occuper de moi, à

me chercher... *Tu ne seras jamais un vrai révolutionnaire, mon Camm'rad...* » Les reproches de Mithœrg lui revinrent à l'esprit. Et, songeant à l'Autrichien, à Meynestrel, à tous ceux dont le réalisme délibéré avait, une fois pour toutes, accepté la nécessité révolutionnaire du sang, il se sentit repris à la gorge par l'angoissante question de la violence... « Ah! Pouvoir se délivrer, un jour... Se donner... Se délivrer par le don total... »

Il acheva sa toilette dans un de ces états de trouble, d'abattement, qu'il ne connaissait que trop; mais qui, par bonheur, ne duraient pas, cédaient vite au dynamisme de la vie extérieure.

« Allons aux nouvelles », se dit-il, en se secouant.

Cette pensée suffit à lui rendre courage. Il donna un tour de clef à sa chambre, et descendit rapidement dans la rue.

Les journaux ne lui apprirent pas grand-chose. Les feuilles de droite menaient tapage autour des manifestations faites par la Ligue des Patriotes devant la statue de Strasbourg. Dans la plupart des feuilles d'information, les dépêches officielles étaient enrobées de commentaires verbeux et contradictoires. Le mot d'ordre semblait être de faire alterner prudemment les éléments d'inquiétude et les raisons d'espoir. Les organes de gauche convoquaient tous les pacifistes à venir manifester, dans la soirée, place de la République. *La Bataille syndicaliste* affichait, en première page : *Tous, ce soir, sur les boulevards!*

Avant de gagner la rue de Bondy, où il n'avait rendez-vous qu'à dix heures, Jacques s'arrêta à *l'Humanité*.

A la porte du bureau de Gallot, il fut accosté par une vieille militante, qu'il connaissait pour l'avoir souvent rencontrée aux réunions du *Progrès*. Elle était affiliée au Parti depuis quinze ans, et rédactrice à *la Femme libre*. On l'appelait la mère Ury. Elle jouissait de l'affection générale, bien qu'on prît grand soin de la fuir pour échapper à son insistante loquacité. Serviable à l'excès, dévouée à toutes les causes généreuses, payant d'ailleurs de sa personne, elle avait la rage de recommander les

gens les uns aux autres, et se montrait infatigable, malgré
son âge et ses varices, dès qu'il s'agissait de trouver de
l'ouvrage pour un chômeur, ou de tirer d'embarras
quelque camarade. Elle avait courageusement hébergé
Périnet chez elle, lors de ses démêlés avec la police.
C'était une étrange créature. Ses mèches grises, écheve-
lées, lui donnaient dans les meetings une allure de pétro-
leuse. La tête était restée belle. « Elle a encore de la
façade », disait Périnet, avec son accent faubourien, « mais
il a plu sur l'étalage... » Végétarienne convaincue, elle
venait de mettre sur pied une coopérative, dont le but
était de doter chaque quartier de Paris d'un restaurant
socialiste végétarien. En dépit des événements, elle ne
perdait aucune occasion de recruter des adeptes, et,
cramponnée au bras de Jacques, elle entreprit de le
catéchiser :

— « Renseigne-toi, mon petit! Consulte des hygié-
nistes... Ton organisme ne peut pas réaliser son harmonie fonctionnelle, ton cerveau ne peut pas atteindre son
rendement maximum, si tu t'obstines à donner à ton
corps une alimentation putréfiée, un régime de charo-
gnard... »

Jacques eut grand-peine à s'en débarrasser, et à pénétrer sans elle dans le bureau de Gallot.

Celui-ci n'était pas seul. Son secrétaire, Pagès, lui
présentait une liste de noms, qu'il examinait et pointait
au crayon rouge. Il leva le museau par-dessus les dos-
siers qui s'empilaient sur sa table, et fit signe à Jacques
de s'asseoir, tandis qu'il poursuivait son pointage.

Jacques le voyait de profil; et ce profil de rongeur
était à peine un profil humain : la ligne oblique et fuyante
du front et du nez constituait, à peu de chose près, tout
le visage; cette ligne se perdait, en haut, dans la brosse
hirsute des cheveux poivre et sel, en bas, dans la barbe,
plantée comme un essuie-plume, où se dissimulait une
bouche en retrait et un menton avorté. Jacques regardait
toujours Gallot avec surprise et curiosité, comme on
examine un hérisson quand on a la chance exceptionnelle
de le surprendre avant qu'il se mette en boule.

La porte s'ouvrit en coup de vent, et Stefany parut,

sans veston, les manches de chemises roulées jusqu'au coude sur ses bras noueux, les lunettes solidement campées sur son nez d'oiseau. Il apportait l'ordre du jour voté, la veille, à Bruxelles, par le Congrès syndical.

Gallot se leva, non sans avoir pris la liste de Pagès, et l'avoir soigneusement glissée dans un classeur. Les trois hommes discutèrent un instant le texte belge, sans s'occuper de Jacques. Puis ils échangèrent leurs impressions sur les nouvelles du jour.

Indiscutablement, l'atmosphère, ce matin, était moins tendue. Les nouvelles d'Europe centrale autorisaient quelques espérances. Les troupes autrichiennes n'avaient toujours pas franchi le Danube. Ce temps d'arrêt, après la précipitation des agissements de l'Autriche pour rompre avec la Serbie, était, selon Jaurès, significatif. Devant la bonne volonté manifeste de la réponse serbe et l'indignation générale des puissances, Vienne, évidemment, hésitait encore à commencer les hostilités. D'autre part, la menace de mobilisation faite, la veille, par l'Allemagne à la Russie, et qui avait si fort inquiété les chancelleries, semblait, tout compte fait, devoir être interprétée moins défavorablement : d'après certains, c'était un acte volontairement énergique, inspiré par un sincère désir de sauvegarder la paix. Et, en effet, le résultat immédiat s'annonçait assez bon : la Russie avait obtenu des Serbes l'engagement de reculer sans combattre, en cas d'avance autrichienne : ce qui allait permettre de gagner du temps, et de trouver sans doute des formules de conciliation.

Jaurès avait reçu divers renseignements assez encourageants sur la résistance internationale. En Italie, les députés socialistes devaient se réunir, à Milan, pour examiner la situation et préciser l'attitude pacifiste du Parti italien. En Allemagne, les mesures énergiques du gouvernement ne parvenaient pas à museler les forces d'opposition : une grande manifestation contre la guerre se préparait, pour le lendemain, à Berlin. Dans toute la France, les sections socialistes et syndicalistes, alertées, étudiaient des plans régionaux de grève.

On vint prévenir Stefany que Jules Guesde l'attendait.

Jacques, pressé par son rendez-vous, sortit de la pièce avec lui, et l'accompagna jusqu'à son bureau.

— « Plans régionaux? » demanda-t-il. « Pour pouvoir, en cas de guerre, participer à une grève *générale?* »

— « Générale, évidemment », répondit Stefany.

Mais, au gré de Jacques, le ton manquait un peu de confiance.

Le *Café du Rialto* était situé rue de Bondy. Le voisinage de la Confédération générale du Travail avait fait de cet établissement le siège d'un groupe de syndiqués, particulièrement actif. Jacques devait y rencontrer deux militants de la C. G. T., avec lesquels Richardley l'avait prié de se mettre en contact. L'un avait été instituteur; l'autre était un ancien contremaître métallurgiste.

L'entretien durait déjà depuis près d'une heure ; Jacques, — très intéressé par les renseignements qu'il recueillait sur les méthodes actuellement à l'étude pour obtenir une collaboration plus étroite entre l'activité des C. G. T. et celle des partis socialistes, dans leur commune opposition contre la guerre, — ne songeait pas à y mettre fin, — lorsque la patronne du café parut à la porte de l'arrière-salle réservée aux réunions, et cria, à la cantonade :

— « On demande Thibault au téléphone. »

Jacques hésitait à se lever. Nul ne pouvait avoir l'idée de le relancer ici. Sans doute y avait-il quelque autre Thibault dans la salle?... Comme personne ne se dérangeait, il se décida à aller voir.

C'était Pagès. Jacques se souvint, en effet, que, en quittant le bureau de Gallot, il avait fait allusion à son rendez-vous rue de Bondy.

— « Une chance que je te joigne! » dit Pagès. « Je viens de recevoir un Suisse, qui veut te parler... qui te cherche, partout, depuis hier. »

— « Quel Suisse? »

— « Un drôle de petit homme, un nain à cheveux blancs, un albinos. »

— « Ah! je sais... Ce n'est pas un Suisse, c'est un Belge. Il est donc à Paris?... »

— « Je n'ai pas voulu lui dire où tu étais. Je lui ai conseillé, à tout hasard, de se trouver au *Croissant*, à une heure. »

« Et ma visite à Jenny! » se dit Jacques.

— « Non », fit-il aussitôt. « J'ai un rendez-vous à une heure, que je ne peux absolument pas... »

— « Comme tu voudras », trancha Pagès. « Mais ça paraît urgent. Il a une communication à te faire, de la part de Meynestrel... Enfin, moi, je t'ai prévenu. Au revoir. »

— « Merci. »

Meynestrel? Une communication urgente?

Jacques quitta le *Rialto*, perplexe. Il ne pouvait se résoudre à remettre sa visite avenue de l'Observatoire. Pourtant, la raison l'emporta. Et, avant d'aller chez son notaire, il entra, rageur, dans un bureau de poste et griffonna un pneumatique à l'adresse de Jenny, pour la prévenir qu'il ne pourrait être chez elle avant trois heures.

L'étude Beynaud occupait le premier étage d'un bel immeuble de la rue Tronchet.

En toute autre circonstance, la gravité compacte de maître Beynaud, l'aspect du lieu, du mobilier, des clercs, l'atmosphère morne et poussiéreuse de cette nécropole de paperasses, lui eussent paru comiques. On le reçut avec certains égards. Il était le fils, l'héritier, du regretté M. Thibault; sans doute aussi, un futur client. Du saute-ruisseau au patron, régnait un respect dévotieux pour la fortune acquise. On lui fit signer des papiers. Et, comme il semblait impatient d'avoir la disposition de ce gros capital, on chercha discrètement à savoir ce qu'il en comptait faire.

— « Evidemment », proféra maître Beynaud, les mains agrippées aux têtes de lions qui terminaient les bras de son fauteuil, « la Bourse, en ces temps de crise, offre des occasions imprévues... pour qui connaît bien les marchés... Mais, d'autre part, les risques... »

Jacques coupa court et prit congé.

A la charge de l'agent de change, une fièvre insolite agitait les employés derrière les grilles de leur ménagerie.

Les téléphones tintaient. On criait des ordres. L'heure de l'ouverture de la Bourse était proche, et la gravité de la situation générale faisait craindre une séance mouvementée. On souleva des difficultés, lorsque Jacques demanda à être reçu par M. Jonquoy lui-même. Il dut se contenter d'un fondé de pouvoir. Et, dès qu'il eut émis la prétention de faire vendre immédiatement la totalité de ses titres, on lui représenta que le moment était mal choisi, et qu'il aurait à subir, sur l'ensemble des opérations, une perte fort appréciable.

— « Peu importe », dit-il.

Il avait l'air si résolu qu'il en imposa à l'homme de Bourse. Pour commettre une pareille folie et rester aussi calme, il fallait certainement que cet étrange client eût des tuyaux secrets, et combinât un coup de maître. Néanmoins, il fallait compter environ deux jours pour réaliser tous ces ordres de vente. Jacques se leva, en annonçant qu'il reviendrait mercredi, et qu'il désirait, ce jour-là, trouver toute sa fortune, en espèces, à la caisse de la charge.

Le fondé de pouvoir le raccompagna jusque sur le palier.

Vanheede était seul, juché sur la banquette, près de la porte; les coudes sur la table, le menton dans les paumes, il clignait des yeux pour surveiller ceux qui entraient. Il était vêtu d'un étrange complet colonial en toile kaki, aussi décoloré que ses cheveux; et, bien qu'on eût l'habitude, au *Croissant*, des tenues hétéroclites, il ne passait pas inaperçu.

A la vue de Jacques, il se dressa, et son visage pâle se colora brusquement. Il fut un instant avant de pouvoir articuler un mot.

— « Enfin! » soupira-t-il.

— « Tu es donc à Paris, toi aussi, mon petit Vanheede?»

— « Enfin! » répéta l'albinos. Sa voix chevrotait. « Je commençais à avoir terriblement peur, Baulthy, savez-vous! »

— « Pourquoi? Qu'est-ce qui se passe? »

La main en visière pour protéger ses prunelles, Vanheede regarda prudemment vers les tables voisines.

Jacques, intrigué, s'assit à son côté, et pencha l'oreille.

— « On a besoin de vous », souffla l'albinos.

L'image de Jenny passa devant les yeux de Jacques. Il releva nerveusement sa mèche, et demanda, d'une voix mal assurée :

— « A Genève? »

Vanheede secoua négativement sa tête ébouriffée. Il fouillait dans sa poche. Il sortit de son portefeuille une lettre cachetée, sans suscription. Tandis que Jacques l'ouvrait fébrilement, Vanheede lui chuchota :

— « J'ai encore autre chose pour vous. Des papiers d'identité, au nom de Eberlé. »

L'enveloppe contenait une feuille double : sur le recto de la première page étaient tracées quelques lignes, de l'écriture de Richardley. L'autre page semblait blanche.

Jacques lut :

« Le Pilote compte sur toi. Lettre suit. Nous nous retrouverons tous, mercredi, à Bruxelles.

　　　　« Amitiés,

　　　　　　　　　　« R. »

« Lettre suit »... Jacques connaissait la formule. La page blanche contenait des instructions à l'encre sympathique.

— « Il faut que je rentre chez moi pour déchiffrer ça... » Il tournait impatiemment la lettre entre ses doigts. « Et si tu ne m'avais pas trouvé? » demanda-t-il.

Vanheede eut un sourire angélique :

— « Mithœrg est avec moi. Ça est lui, qui, dans ce cas-là, devait ouvrir l'enveloppe, et exécuter tout à votre place... Nous devons retrouver les autres, mercredi, à Bruxelles... Vous n'habitez donc plus chez Liébært, rue des Bernardins? »

— « Où est-il, Mithœrg? »

— « Il vous cherche, de son côté. Je dois le retrouver à trois heures, boulevard Barbès, chez Œrding, un compatriote à lui, qui nous loge. »

— « Ecoute », dit Jacques, en glissant la lettre dans sa poche, « je préfère ne pas t'emmener dans ma chambre : inutile d'attirer l'attention de ma concierge... Mais trouve-toi, avec Mithœrg, à quatre heures et quart, devant le kiosque des tramways de la gare Montparnasse, tu sais ? Je vous emmènerai à une réunion intéressante, rue des Volontaires... Et, ce soir, après le dîner, nous irons ensemble place de la République, pour manifester. »

Une demi-heure plus tard, enfermé dans sa chambre, Jacques déchiffrait le texte du message :

« Sois à Berlin le mardi 28.

« Entre, à dix-huit heures, au restaurant Aschinger de la Potsdamer Platz. Tu y trouveras Tr. qui te donnera indications précises.

« Aussitôt en possession de la chose, file par premier train sur Bruxelles.

« Prends maximum de précautions. Aucun autre papier sur toi que ceux qui te seront remis par V.

« Si, par malchance, étais pris et accusé d'espionnage, choisis pour avocat Max Kerfen, de Berlin.

« Affaire préparée par Tr. et ses amis. Tr. a particulièrement insisté pour travailler avec toi. »

— « Eh bien, voilà », fit Jacques, à mi-voix. Et immédiatement, il pensa : « Etre utile... Agir ! »

De la cuvette s'exhalait l'odeur alcaline du révélateur. Il s'essuya les doigts, et vint s'asseoir sur son lit.

« Voyons », se dit-il, s'efforçant de rester calme. « Berlin... Demain soir... Le train du matin ne me mettrait pas là-bas assez tôt pour que je sois à six heures au rendez-vous : il faut que je parte aujourd'hui, au train de vingt heures... De toutes façons, j'ai le temps de revoir Jenny... Bon... Mais je rate la manifestation... »

Il réfléchissait, le souffle un peu court. Dans la valise, ouverte à même le parquet, il y avait un indicateur. Il

le prit et s'approcha de la croisée. La chaleur lui semblait suffocante.

« A la rigueur, pourquoi pas le semi-omnibus de
minuit quinze?... Le voyage sera plus long, mais ça me
permettra d'être ce soir sur les boulevards... »

D'un logement voisin, montait une voix de femme,
aigrelette et vibrante; elle devait repasser, car le claquement des fers sur le réchaud interrompait par moments sa romance.

« Tr., c'est Trauttenbach... sans aucun doute... Qu'est-
ce qu'il a manigancé? Et pourquoi a-t-il voulu que ce
soit moi? »

Il épongea son visage en sueur. Il était à la fois exalté
par la perspective d'agir, par le caractère mystérieux
de cette mission, par les dangers qu'il pouvait courir;
et désespéré d'avoir à quitter Jenny.

« Puisqu'ils me donnent rendez-vous mercredi à
Bruxelles », songea-t-il, « rien ne m'empêchera — si tout
se passe bien — d'être revenu jeudi à Paris... »

Cette pensée l'apaisa. Ce n'était, somme toute, qu'une
absence de trois jours.

« Il faut tout de suite prévenir Jenny... J'ai juste le
temps, si je veux être à quatre heures et quart devant
la gare Montparnasse... »

Comme il n'était pas certain de pouvoir revenir chez
lui avant son départ, il vida son portefeuille, fit de ses
documents personnels un paquet sur lequel, à tout hasard,
il inscrivit l'adresse de Meynestrel; il ne garda sur lui
que les papiers d'Eberlé apportés par Vanheede.

Puis il partit pour l'avenue de l'Observatoire.

XLIV

Jenny ouvrit si vite à son coup de sonnette, qu'elle paraissait être restée, depuis la veille, au guet, à la place où il l'avait quittée.

— « Mauvaise nouvelle », murmura-t-il, sans lui dire bonjour. « Je dois partir, ce soir, pour l'étranger. »

Elle balbutia :

— « Partir ? »

Elle était devenue toute blanche, et le regardait fixement. Il paraissait si malheureux d'avoir à lui causer cette peine qu'elle eût voulu lui cacher son désespoir. Mais, perdre Jacques de nouveau, était une épreuve au-dessus de ses forces...

— « Je serai revenu jeudi, vendredi au plus tard », se hâta-t-il d'ajouter.

Elle tenait la tête baissée. Elle respira profondément. Une légère roseur reparut sur ses joues.

— « Trois jours ! » reprit-il, en se forçant à sourire. « Ce n'est pas long, trois jours... — quand on a toute la vie pour être heureux ! »

Elle leva sur lui un regard craintif, interrogateur.

— « Ne me demandez rien », dit-il. « J'ai été désigné pour une mission. Je dois partir. »

Au mot « mission », le visage de Jenny s'était empreint d'une telle angoisse, que Jacques, bien qu'il ne sût pas lui-même ce qu'il allait faire en Allemagne, crut devoir la rassurer :

— « Il s'agit seulement de prendre contact avec certains hommes politiques étrangers... Et, comme je parle couramment leur langue... »

Elle l'observait avec attention. Il coupa court, et dési-

gnant plusieurs journaux dépliés sur la table du vestibule :

— « Vous avez vu ce qui se passe? »

— « Oui », fit-elle laconiquement, d'un ton qui marquait assez qu'elle avait maintenant autant que lui
conscience de la gravité des événements.

Il s'approcha d'elle, saisit ses deux mains, les joignit,
et les baisa.

— « Allons *chez nous* », proposa-t-il en indiquant du
doigt la direction de la chambre de Daniel. « Je n'ai
que quelques minutes. Ne les gâtons pas! »

Elle sourit enfin, et s'engagea devant lui dans le couloir.

— « Pas de nouvelles de votre mère? »

— « Non », fit-elle, sans se retourner. « Maman devait arriver à Vienne au début de cet après-midi. Je
ne pense pas avoir de télégramme avant demain. »

Dans la chambre, tout était préparé pour le recevoir.
Le store baissé rendait la lumière accueillante; le ménage avait été fait; des rideaux de vitrage, frais repas-
sés, pendaient à la fenêtre; la pendule avait été remise
en marche; au coin du bureau, était posé un bouquet
de pois de senteur.

Jenny s'était arrêtée au milieu de la pièce, et elle
considérait le jeune homme avec un regard appliqué,
un peu anxieux. Il sourit, sans réussir à la faire sourire.

— « Alors », articula-t-elle d'une voix mal assurée,
« c'est vrai? Quelques minutes seulement? »

Il posait sur elle un regard tendre, souriant, un peu
fixe : un regard qui n'était pas absent; qui, même, était
précis, attentif; mais qui causait à Jenny un léger sentiment de malaise. Elle avait l'impression que, depuis
l'arrivée de Jacques, pas une fois ce regard absorbé
n'avait véritablement pénétré le sien.

Il vit les lèvres de Jenny trembler. Il prit ses mains,
et murmura :

— « Ne m'enlevez pas mon courage... »

Elle se redressa, et lui sourit.

— « A la bonne heure », fit-il, en la faisant asseoir.

Puis, sans expliquer l'enchaînement de ses pensées, il dit, à mi-voix :

— « Il faut croire en soi. Il faut même ne croire à rien d'autre qu'en soi... Il n'y a de vie intérieure solide que pour ceux qui ont nettement pris conscience de leur destin, et lui sacrifient tout. »

— « Oui », balbutia-t-elle.

— « Prendre conscience de ses forces! » reprit-il, comme s'il se parlait à lui-même. « Et s'y soumettre. Et tant pis, si ces forces sont jugées mauvaises par les autres... »

— « Oui », répéta-t-elle, en penchant de nouveau le front.

Bien des fois déjà, ces derniers jours, elle avait pensé, comme en ce moment : « Voilà une chose qu'il dit, et dont il faut que je me souvienne... pour y réfléchir... pour mieux comprendre... » Elle demeura une minute absolument immobile, les cils baissés; et il y avait tant de méditation sur ce visage incliné, que Jacques, troublé, se tut un instant.

Puis, sur un ton frémissant, contenu, il ajouta :

— « Un des jours décisifs de ma vie a été celui où j'ai compris que ce qui, en moi, était jugé par les autres répréhensible, dangereux, c'était au contraire le meilleur, le plus authentique de moi-même! »

Elle écoutait, elle comprenait, mais elle était prise de vertige. Depuis deux jours, les assises de son monde intérieur fléchissaient une à une : autour d'elle se creusait un vide, que ne parvenaient pas encore à combler ces valeurs nouvelles sur lesquelles tous les jugements de Jacques semblaient reposer.

Brusquement, elle vit le visage de Jacques s'éclairer. Il souriait de nouveau, mais tout différemment. Il venait d'avoir une idée; et déjà il interrogeait la jeune fille des yeux.

— « Ecoutez, Jenny... Puisque vous êtes seule, ce soir... Pourquoi ne viendriez-vous pas... dîner, n'importe où, avec moi? »

Elle le considérait, sans répondre, déconcertée par cette offre si simple, — pour elle, si insolite.

— « Je ne suis pas libre avant sept heures et demie »,
expliqua-t-il. « Et je dois être à neuf heures place de la
République. Mais, voulez-vous que nous passions cette
grande heure ensemble ? »

— « Oui. »

« Comme elle a une façon à elle », songea Jacques,
« une façon inflexible et douce à la fois, de dire : " oui ",
ou de dire : " non "... »

— « Merci ! » s'écria-t-il, tout joyeux. « Je n'aurai pas
le temps de revenir vous prendre. Mais, si vous pouviez
vous trouver à sept heures et demie, devant la Bourse...? »

Elle acquiesça d'un signe de tête.

Il se leva.

— « Et maintenant, je me sauve. A tout à l'heure... »

Elle n'essaya pas de le retenir, et l'accompagna en
silence jusqu'à l'escalier.

Comme il commençait déjà à descendre et se retour-
nait dans un dernier et tendre sourire d'adieu, elle se
pencha sur la rampe, et, enhardie soudain, elle murmura :

— « J'aime vous imaginer parmi vos camarades... A
Genève, par exemple... C'est là que vous devez être
tout à fait vous-même... »

— « Pourquoi dites-vous ça ? »

— « Parce que », fit-elle, en cherchant ses mots, « partout où jusqu'ici, moi, je vous ai vu, vous paraissez
toujours — comment dire ? — un peu... dépaysé... »

Il s'était arrêté sur les marches, et, la tête levée, il
la contemplait, sérieusement.

— « Détrompez-vous », dit-il avec vivacité, « là-bas
aussi, je suis... dépaysé ! Je suis dépaysé partout. J'ai
toujours été dépaysé. Je suis né dépaysé !... » Il sourit,
et ajouta : « C'est seulement auprès de vous, Jenny, que
cette impression de dépaysement me quitte... un peu... »

Son sourire s'effaça. Il semblait hésiter à dire autre
chose. Il fit de la main un geste énigmatique, et s'éloigna.

« Elle est parfaite », songeait-il. « Parfaite, mais indéchiffrable ! » Ce n'était pas un reproche : l'attraction que
Jenny avait, de tout temps, exercée sur lui, n'était-elle
pas faite, en partie, de ce mystère ?

Rentrée chez elle, Jenny était demeurée quelques minutes debout contre la porte close, écoutant les pas qui s'éloignaient. « Ah, qu'il est compliqué !... » se dit-elle soudain. Ce n'était pas un regret : elle l'aimait assez totalement pour chérir jusqu'à cette impression de vague effroi qu'il laissait derrière lui, comme un sillage, comme une empreinte.

XLV

La réunion de Vaugirard avait lieu dans la salle privée du *Café Garibaldi*, rue des Volontaires.

Présentés par Jacques, Vanheede et Mithœrg furent accueillis comme des délégués du Parti suisse, et installés dans les premiers rangs.

Giboin, qui présidait, donna la parole à Knipperdinck. L'œuvre du vieux théoricien était écrite en suédois, mais son influence avait depuis longtemps franchi les frontières des pays nordiques; ses livres les plus marquants étaient traduits, et beaucoup d'assistants les avaient lus. Il parlait un français correct. Sa haute stature, couronnée de cheveux très blancs, la luminosité de son regard d'apôtre, ajoutaient au prestige de ses idées. Il appartenait à un pays pacifique et essentiellement neutre, où le nationalisme exacerbé des principales puissances continentales soulevait, de longue date, l'inquiétude et la désapprobation. Il jugeait, avec une sévère lucidité, la situation européenne. Son discours, documenté et chaleureux, était sans cesse coupé par les ovations.

Jacques, distrait, écoutait mal. Il pensait à Jenny. Il pensait à Berlin. Dès que Knipperdinck eut terminé par un pathétique appel à la résistance, il se leva, sans attendre la discussion générale; et, renonçant à emmener Vanheede et Mithœrg au *Libertaire*, il leur donna rendez-vous pour la manifestation du soir.

Place du Théâtre-Français, voyant l'heure, il modifia ses projets. Montmartre était loin. Mieux valait renoncer à sa visite au *Libertaire* et retourner à *l'Humanité* pour prendre la température de l'après-midi.

Sur le trottoir, en arrivant rue du Croissant, il aperçut le vieux Mourlan, dans sa blouse de typo, qui sortait du journal, avec Milanof. Il fit quelques pas avec eux.

Jacques savait que Milanof entretenait des rapports avec les milieux anarchistes; il lui demanda s'il comptait assister au congrès de Londres, à la fin de la semaine.

— « Rien d'utile ne peut venir de là », répondit laconiquement le Russe.

— « D'ailleurs », remarqua Mourlan, « le Congrès s'annonce mal. Personne ne se soucie de se faire repérer, en ce moment. On se terre... A la Préfecture, à l'Intérieur, ils tendent déjà leurs filets : ils se dépêchent, paraît-il de mettre à jour le *Carnet B!* »

— « Le Carnet quoi? » fit Milanof.

— « La liste de tous les suspects. Pour peu que ça se gâte, il faut que leur souricière soit prête... »

— « Et là-haut, que dit-on ce soir? » demanda Jacques, en désignant les fenêtres de *l'Humanité.*

Mourlan secoua les épaules. Les dernières dépêches étaient décourageantes.

De Pétersbourg, par l'indiscrétion d'un envoyé spécial du *Times,* toujours bien renseigné, on avait appris que le Tsar avait autorisé la mobilisation des quatorze corps d'armées situés à la frontière autrichienne : réponse à l'avertissement de l'Allemagne. Non seulement la Russie ne s'était pas laissé intimider, comme on en avait eu un instant l'espoir, mais elle devenait ouvertement agressive : le gouvernement russe menaçait de décréter immédiatement sa mobilisation *générale,* pour peu que l'Allemagne se permît une mobilisation même partielle. Or, par des dépêches de Berlin, on savait que le gouvernement du Kaiser, renonçant à toute précaution, travaillait activement à la mobilisation. Le chef d'Etat-Major de Moltke avait été rappelé d'urgence. Le public allemand était avisé, par la presse officielle, de l'imminence de la guerre. Le *Berliner Lokalanzeiger* publiait un long plaidoyer en faveur de l'ultimatum autrichien, et préconisait l'anéantissement de la Serbie. A Berlin, dès le début de la matinée, les guichets des banques avaient, paraît-il, essuyé l'assaut des rentiers pris de panique.

En France, les maisons de crédit étaient également assiégées. A Lyon, à Bordeaux, à Lille, les retraits de fonds créaient aux banques une situation difficile. A la Bourse de Paris, cet après-midi, il s'était produit une véritable émeute : un coulissier autrichien, accusé d'avoir provoqué une baisse sur la rente, avait été pris à partie aux cris de : « A mort les espions! » La police n'avait eu que le temps d'intervenir. Le préfet avait fait évacuer le péristyle, et les agents avaient eu grand-peine à empêcher une foule délirante d'écharper l'Autrichien. L'incident était ridicule, mais prouvait l'effervescence belliqueuse des esprits.

— « Et dans les Balkans? » questionna Jacques. « Les troupes autrichiennes n'ont tout de même pas franchi la frontière serbe? »

— « Pas encore », dit-on.

Mais, selon les derniers télégrammes, l'offensive, retardée jusqu'à ce jour, devait être déclenchée dans la nuit. Gallot précisait même, d'après une source sûre, que la mobilisation générale autrichienne était décidée en fait, qu'elle serait décrétée le lendemain, et s'exécuterait en trois jours.

— « Chez nous », dit Mourlan, « les officiers en congé, les soldats permissionnaires, les cheminots ou les postiers en vacances, viennent d'être rappelés télégraphiquement... Et Poincaré donne l'exemple : il rapplique, sans escale; il sera mercredi à Dunkerque. »

— « A propos de votre Poincaré... » dit Milanof. Et il se fit l'écho d'une anecdote significative, qui circulait à Vienne : Le 21 juillet, à la réception du corps diplomatique au Palais d'Hiver, le président de la République aurait, de sa voix coupante, lancé à l'ambassadeur d'Autriche cette phrase qui avait fait sensation : « La Serbie a des amis très chauds dans le peuple russe, Monsieur l'ambassadeur. Et la Russie a une alliée, la France! »

— « Toujours la politique d'intimidation! » murmura Jacques, songeant à Studler.

Milanof proposa d'aller au *Progrès*, en attendant l'heure de la manifestation. Mais Mourlan refusa :

— « Assez de bavardages pour ce soir », fit-il, d'un ton rogue.

— « J'ai un service à vous demander », lui dit Jacques, quand Milanof les eut quittés. « J'ai laissé dans ma chambre, rue du Jour, un paquet ficelé, qui contient des papiers personnels. S'il m'arrivait du vilain, ces jours-ci, voulez-vous le faire parvenir à Genève, à Meynestrel? »

Il sourit, sans s'expliquer davantage. Mourlan le dévisagea quelques secondes. Mais il ne posa aucune question et il acquiesça, d'un signe de tête. Lorsqu'ils se séparèrent, il garda un instant la main de Jacques dans la sienne.

— « Bonne chance... », dit-il. (Et, pour une fois, il se retint de l'appeler « gamin ».)

Jacques revint au journal. Il ne lui restait qu'une demi-heure avant le rendez-vous de Jenny.

Un groupe de socialistes, parmi lesquels il reconnut Cadieux, Compère-Morel, Vaillant, Sembat, sortaient du bureau de Jaurès; il les vit entrer chez Gallot. Il fit demi-tour, et s'en alla frapper à la porte de Stefany, qu'il trouva seul, debout, penché sur une table encombrée de journaux étrangers.

Stefany était grand et maigre; la poitrine creuse, les épaules pointues. Sa face longue, encadrée de cheveux très noirs, était ravagée de tics qui lui donnaient parfois l'air d'un dément. C'était un homme d'une activité dévorante, méridionale. (Il était d'Avignon.) Agrégé d'histoire, il avait enseigné quelques années en province avant de se consacrer à la lutte sociale; ceux qui l'avaient eu pour professeur ne l'avaient pas oublié. Jules Guesde l'avait fait entrer à *l'Humanité*. Jaurès, qu'une santé robuste éloignait des natures maladives, l'estimait sans l'aimer; cependant, il lui avait laissé prendre au journal une place de premier rang, et lui confiait les tâches difficiles.

Il l'avait tout spécialement chargé, cet après-midi, de se tenir en rapport avec le groupe socialiste du Parlement, et la Commission administrative du Parti. Jaurès cherchait à provoquer une protestation officielle des par-

lementaires socialistes contre toute intervention armée
de la Russie; il multipliait ses démarches au Quai d'Orsay,
pour obtenir que Paris ne fît pas cause commune avec
Pétersbourg, et gardât toute sa liberté d'action, afin de
pouvoir exercer en Europe un rôle d'arbitre pacificateur.

Stefany venait d'avoir un long entretien avec le Patron.
Il ne cacha pas à Jacques qu'il l'avait trouvé exceptionnellement nerveux. Jaurès avait décidé que *l'Humanité*
du lendemain porterait cette manchette menaçante : *La
guerre commencera ce matin.*

Il avait rédigé avec Stefany le projet d'un manifeste
où le Parti socialiste affirmait, devant l'étranger, au nom
de tous les travailleurs français, sa volonté pacifiste.
Stefany en avait retenu des phrases entières, qu'il citait,
de sa voix chantante, en arpentant l'étroite pièce. Ses
petits yeux, au regard d'oiseau, allaient et venaient, derrière ses lunettes; son nez, osseux et busqué, saillait
comme un bec :

— « *Contre la politique de violence, les socialistes font
appel au pays tout entier...* » déclamait-il, en levant le
bras. Le besoin qu'il éprouvait, ce soir, de retremper sa
confiance en répétant, comme une litanie, ces déclara-
tions réconfortantes, était visible et émouvant.

On avait reçu, dans la journée, un texte analogue, qui
émanait des socialistes allemands. Jaurès, aidé de Stefany, l'avait traduit lui-même : *La guerre est sur nous!
Nous ne voulons pas de guerre! Vive la réconciliation internationale! Le prolétariat conscient de l'Allemagne, au nom
de l'humanité et de la civilisation, élève une protestation
enflammée!... Il somme impérieusement le gouvernement
allemand d'user de son influence sur l'Autriche pour le
maintien de la paix. Et si l'horrible guerre ne pouvait pas
être empêchée, il exige que l'Allemagne reste entièrement
en dehors du conflit!*

Jaurès désirait que les deux manifestes fussent affi-
chés, ensemble, en deux placards jumeaux, à des milliers
d'exemplaires, dans tout Paris, dans toutes les grandes
villes, le plus tôt possible; les imprimeries socialistes,
dès cette nuit, étaient réquisitionnées pour ce travail.

— « En Italie aussi, ils font de la bonne besogne », dit

Stefany. « Le groupe des députés socialistes réuni à Milan, a voté un ordre du jour, réclamant une convocation extraordinaire et immédiate de la Chambre italienne, pour obliger le gouvernement à déclarer publiquement que l'Italie ne suivrait pas ses alliés de la Triplice. »

D'un geste prompt, il cueillit un papier sur la table.

— « Et voilà la traduction d'un manifeste socialiste, qui vient d'être publié dans l'*Avanti* de Mussolini : *L'Italie n'a qu'une seule attitude à prendre : la neutralité! Le prolétariat italien souffrira-t-il qu'on le conduise de nouveau à l'abattoir? Un cri unanime doit s'élever : A bas la guerre! Pas un homme! Pas un centime!*

Cette traduction devait paraître, le lendemain, en première page, dans l'*Humanité*.

— « Mercredi », reprit-il, « à Bruxelles, il n'y aura pas seulement réunion du Bureau socialiste international, mais aussi, le soir, un grand meeting de protestation, présidé par Jaurès, par Vandervelde pour la Belgique, par Haase et Molkenbuhr pour l'Allemagne, par Keir-Hardie pour l'Angleterre, par Roubanovitch pour la Russie... Ce sera grandiose... Dans tous les pays, les militants disponibles sont appelés à faire le voyage, pour que ce meeting devienne une formidable manifestation européenne. Il faut montrer que le prolétariat du monde entier se dresse en travers de la politique des Etats! »

Il allait et venait, fronçant le nez, crispant les lèvres, dévoré d'impuissance, mais tenant bon et refusant de désespérer.

La porte s'ouvrit pour livrer passage à Marc Levoir. Il était rouge et agité. A peine entré, il se laissa tomber sur une chaise :

— « C'est à se demander s'ils ne la veulent pas, tous! »

— « La guerre? »

Il revenait du Quai d'Orsay, et il en rapportait une étrange nouvelle : M. de Schœn, disait-on, serait venu annoncer que l'Allemagne, afin d'offrir à la Russie un prétexte honorable de renoncer à son intransigeance, promettait d'obtenir de l'Autriche l'engagement formel que l'intégrité territoriale de la Serbie serait respectée. Et l'ambassadeur aurait ensuite proposé au gouvernement français de faire, dans la presse, une déclaration officielle, pour spécifier que la France et l'Allemagne « *complètement solidaires* dans l'ardent désir de ne pas rompre la paix », agissaient de concert, et multipliaient à Pétersbourg leurs conseils de modération. Or, le gouvernement français, sous l'influence de Berthelot, aurait repoussé cette proposition et refusé tout net d'afficher la moindre *solidarité* avec l'Allemagne, par crainte d'éveiller les susceptibilités de l'alliée russe.

— « Dès que l'Allemagne propose quoi que ce soit », conclut Levoir, « le Quai d'Orsay déclare : " C'est un piège! " Et voilà quarante ans que ça dure! »

Les petits yeux de Stefany se fixaient sur Levoir avec une expression d'angoisse. Son visage jaune semblait s'être encore allongé, comme si la chair gélatineuse des joues cédait au poids de la mâchoire.

— « Ce qui est consternant », murmura-t-il, « c'est de penser qu'ils sont ainsi sept ou huit, en Europe, — dix, peut-être, — à faire l'Histoire, entre eux... Je pense au *Roi Lear* : « *Maudite soit l'époque où le troupeau des aveugles est sous la conduite d'une poignée de fous!..* » « Viens », fit-il brusquement, en posant la main sur l'épaule de Levoir. « Il faut prévenir le Patron. »

Jacques, resté seul, se leva. Il était temps d'aller retrouver Jenny. « Et, demain soir, je serai à Berlin... » Il ne pensait à sa mission que par intermittences; mais, chaque fois, c'était avec un frémissement de plaisir, où se mêlait un peu d'angoisse : la crainte de ne pas accomplir au mieux ce qu'on attendait de lui.

XLVI

Bien que l'horloge de la Bourse marquât à peine la demie, Jenny était là. Jacques la vit de loin et s'arrêta. La fine silhouette se détachait, immobile, devant les grilles fermées, dans le va-et-vient des marchands de journaux et des employés d'autobus. Une longue minute, il demeura au bord du trottoir, à la contempler. Il retrouvait une émotion très ancienne, à la surprendre ainsi dans sa solitude. Autrefois, à Maisons-Laffitte, pour l'entrevoir un instant, il venait souvent rôder autour du jardin des Fontanin. Il se souvenait d'une fin d'après-midi où il l'avait vue, en robe blanche, sortir de l'ombre des sapins et traverser une traînée de soleil qui eut juste le temps de la nimber de lumière, comme une apparition...

Ce soir, elle n'avait pas son voile de deuil. Elle portait un costume noir, qui la faisait plus mince encore. Dans sa manière de s'habiller, comme dans toute sa conduite, elle ne cédait jamais au désir de plaire. Elle ne cherchait d'approbation qu'en elle-même (trop fière pour se soucier du jugement d'autrui, et, d'ailleurs, trop modeste pour penser que les autres pussent se donner la peine de porter un jugement sur elle). Elle aimait les vêtements de coupe sobre, strictement pratiques. Elégante, pourtant : mais d'une élégance un peu sèche et sévère, faite surtout de simplicité, de naturelle distinction.

Lorsqu'il s'approcha d'elle, elle tressaillit et s'avança vers lui en souriant. Car elle souriait, maintenant, sans trop d'effort : ou, plus exactement, un frémissement indécis faisait palpiter le coin des lèvres, tandis qu'au fond de ses yeux clairs s'avivait une petite lueur, que

Jacques savait saisir au passage, — ce qui, chaque fois, lui gonflait le cœur de joie.

Il l'aborda par une taquinerie :

— « Quand vous souriez, vous avez toujours un peu l'air de faire l'aumône. »

— « Vraiment? »

Elle ne put se défendre de se sentir légèrement blessée dans son orgueil. Aussitôt, elle se dit qu'il avait raison; et elle fut sur le point de surenchérir : « C'est vrai que j'ai des traits figés, revêches... » Mais elle répugnait toujours à parler d'elle.

— « Tout va de plus en plus mal », soupira-t-il, brusquement. « Chaque gouvernement s'entête et menace... C'est à qui se montrera le plus intransigeant... »

Dès l'arrivée de Jacques, elle avait remarqué son visage fatigué, soucieux. Elle l'interrogea du regard, pour qu'il précisât les nouvelles. Mais il secoua obstinément la tête :

— « Non, non... Ne parlons de rien... A quoi bon? Assez... Aidez-moi, au contraire, à tout oublier, pendant cette heure d'entracte... Je vous propose de dîner dans le quartier, pour ne pas perdre de temps... Je n'ai pas déjeuné, j'ai une faim terrible... Venez », fit-il, en l'entraînant.

Elle le suivit. « Si maman, si Daniel, nous voyaient », songea-t-elle. Cette fugue à deux donnait subitement à leur intimité, que tous ignoraient encore, une sorte de consécration matérielle, qui la troublait comme une enfant en faute.

— « Pourquoi pas là? » dit-il, en lui désignant, au coin de deux rues, un restaurant de piètre apparence, dont la façade, largement ouverte sur le trottoir, laissait voir quelques tables à nappes blanches. « Nous y serions tranquilles, vous ne croyez pas? »

Ils traversèrent la chaussée et franchirent ensemble le seuil de la petite salle, qui était fraîche et complètement déserte. Au fond, par la porte vitrée de la cuisine, on apercevait, de dos, deux femmes attablées sous une suspension allumée. Aucune d'elles ne se retourna.

Jacques avait, d'un geste las, jeté son chapeau sur la

banquette, et s'était avancé vers le fond, pour attirer
l'attention des tenancières. Il patienta une minute debout,
immobile, Jenny leva les yeux sur lui; et, soudain, ce
masque vieilli, aux reliefs bizarrement déformés par la
lumière de la cuisine, lui parut être celui d'un inconnu.
Elle eut l'impression d'un cauchemar, l'effroi de la fillette
attirée dans un lieu sinistre par un voleur d'enfants... Ce
vertige ne dura qu'une seconde; déjà Jacques revenait
vers elle, et le déplacement des ombres lui rendait son
vrai visage.

— « Installez-vous », dit-il, en lui facilitant l'accès de
la banquette. « Non, asseyez-vous là, vous n'aurez pas le
jour dans l'œil. »

C'était pour elle une sensation toute neuve de se sentir
veillée par cette virile sollicitude, et elle s'y abandonnait
avec délice.

Dans la cuisine, la plus jeune des femmes, une grosse
fille veule, en corsage rose, les cheveux plantés bas sur
un front de génisse, s'était levée enfin et venait à eux,
avec l'air hargneux d'une bête qu'on dérange à l'heure de
sa pâtée.

— « Pouvons-nous dîner, Mademoiselle? » demanda
Jacques, sur un ton enjoué.

La fille le toisa :

— « Ça dépend. »

Les yeux de Jacques allaient et venaient, gaiement, de
la serveuse à Jenny :

— « Vous avez bien des œufs? Oui? Un peu de viande
froide, peut-être? »

La fille tira un papier de son poitrail :

— « Voilà ce qu'il y a », dit-elle, avec un air de dire :
« A prendre ou à laisser. »

La bonne humeur de Jacques paraissait inaltérable.

— « Parfait! » déclara-t-il, après avoir lu le menu à
haute voix, et consulté Jenny du regard.

La serveuse tourna les talons, sans un mot.

— « Charmante nature », murmura Jacques. Et il
s'assit, en riant, vis-à-vis de Jenny.

Il se releva aussitôt pour l'aider à retirer sa jaquette.

« Si j'enlevais aussi mon chapeau? » songea-t-elle.

« Non, je vais être toute décoiffée... » Elle eut instantanément honte de cette pensée coquette : elle retira son
chapeau d'un geste volontaire, et se défendit même de
passer la main sur ses cheveux.

La fille au visage grognon reparut, avec une soupière
fumante.

— « Bravo, Mademoiselle! » s'écria Jacques, en lui
prenant la louche des mains. « Vous ne nous aviez pas
annoncé de potage... Il embaume! » Et, se tournant vers
Jenny : « Je vous sers? »

Sa gaieté sonnait un peu faux. Ce premier repas tête à
tête l'intimidait presque autant que la jeune fille. Et il
ne parvenait pas à se délivrer des préoccupations de la
journée.

Une glace verdâtre, placée derrière Jenny, doublait
chacun de ses mouvements et permettait à Jacques
d'apercevoir, au-delà du buste vivant qu'il avait devant
lui, l'image gracieuse des épaules et de la nuque.

Elle se sentit examinée et dit soudain :

— « Jacques... Je me demande... si vous me connaissez bien. C'est effrayant... Est-ce que vous ne vous
faites pas... beaucoup d'illusions sur moi? »

Elle souriait pour dissimuler l'anxiété réelle qui s'emparait d'elle, dès qu'elle se demandait : « Parviendrai-je
jamais à être telle qu'il me souhaite? Ne suis-je pas
condamnée à le décevoir? »

Il sourit à son tour :

— « Et si je vous demandais, moi aussi : " Me connaissez-vous bien? " qu'est-ce que vous répondriez? »

Elle hésita une seconde :

— « Je crois que je répondrais : " non ". »

— « Mais vous penseriez, en même temps : " Ça n'a
guère d'importance. " Et vous auriez raison », reprit-il,
souriant toujours.

Elle en convint, d'une inclinaison de tête. « Oui »,
songeait-elle, « ça n'a pas d'importance... Ça viendra tout
seul... C'est une idée comme en ont les parents, que j'ai
eue là! »

— « Il faut avoir confiance en nous », prononça-t-il
avec force.

Elle ne répondit pas. Il l'observait, avec un soupçon d'inquiétude. Mais, l'expression de bonheur qui, en ce moment, la transfigurait, était la plus rassurante des réponses.

Un parfum de beurre chaud se répandit dans la salle.

— « Voilà le porc-épic », souffla Jacques.

La serveuse au corsage rose apportait une omelette.

— « Au lard? » s'écria Jacques. « Admirable!... C'est vous qui faites la cuisine, Mademoiselle? »

— « Dame! »

— « Mes compliments! »

La fille daigna sourire. Elle prit un air modeste.

— « Oh, vous savez, ici, les dîners sont simples... C'est le matin qu'il faut venir. A midi, jamais une table libre... Mais, le soir, c'est calme... A part les amoureux... »

Jacques échangea avec Jenny un regard amusé. Il semblait vraiment soulagé d'avoir déridé cette face ingrate.

— « Ça », fit-il, avec un claquement de langue approprié, « c'est une omelette! »

Flattée, la fille, cette fois, se mit à rire :

— « Moi », murmura-t-elle, en se penchant comme pour une confidence, « je fais mon travail sans rien demander à personne. Je m'en rapporte aux connaisseurs. »

Elle enfonça les poings dans les poches de son tablier, et s'éloigna, en roulant les hanches.

— « Faut-il prendre ça pour un compliment discret? » demanda Jacques en riant.

Jenny, distraite, réfléchissait. Ce n'était rien, cette petite scène, et pourtant elle y découvrait des choses surprenantes. Jacques avait évidemment le don d'émettre une sorte de chaleur; de créer, par un mot, un sourire, par l'intérêt qu'il témoignait aux êtres, une température favorable à l'éclosion de la confiance, de la sympathie. Jenny le savait mieux que personne : auprès de lui, les natures les plus rétives, les plus fermées, finissaient par échapper à leur sortilège, par se déplier, par s'épanouir. Mais rien ne l'étonnait plus qu'un tel don! Contrairement à Jacques, contrairement à Daniel, elle n'avait presque aucune curiosité pour autrui. Elle vivait enclose dans son univers. Attentive, avant tout, à préserver la pureté de son atmosphère, elle s'appliquait même à maintenir une distance entre elle et son prochain, à n'offrir aux contacts du monde qu'une surface lisse où rien ne pût mordre. « Mais », se dit-elle, pensant à son frère, « est-ce que cette curiosité qui pousse Jacques vers n'importe quel être vivant, n'a pas, pour contrepartie, une certaine impossibilité à fixer son choix ? »

— « Etes-vous capable de préférer ? » demanda-t-elle à l'improviste. « Etes-vous capable de vous attacher à un être plus qu'à tous les autres ? et pour toujours ? »

Elle s'aperçut immédiatement combien sa phrase était obscure, maladroite. Elle rougit.

Il la regardait, interloqué, cherchant à deviner l'association de ses idées; et il se répétait la question, désireux, avant tout, d'y répondre loyalement. Car tous deux sentaient, et d'une façon quasi superstitieuse, que c'eût été commettre un sacrilège envers leur amour, que de se tromper l'un l'autre, si peu que ce fût.

« Capable de m'attacher à un être ? » faillit-il dire. « Et mon amitié pour Daniel ? » Mais l'exemple était fallacieux, puisque cet attachement n'avait pas échappé à l'action du temps.

— « Jusqu'à présent, peut-être que non », confessa-t-il, avec un peu de sécheresse. Et, plus âprement, il ajouta : « Mais quoi ? Est-ce une raison pour douter ? »

— « Je ne doute pas », balbutia-t-elle, précipitamment.

Il fut frappé par son air de détresse. Il s'avisa, trop tard, des précautions qu'exigeait cette extrême sensibilité. Il voulut ajouter quelque chose, hésita, et, comme la serveuse apportait la suite, il se contenta d'adresser à Jenny un sourire caressant, qui, visiblement, lui demandait pardon de sa rudesse.

Elle l'observait. Cette rapidité avec laquelle Jacques passait d'un extrême à l'autre, l'effrayait comme un danger, mais la ravissait aussi, sans qu'elle sût bien pourquoi; peut-être y trouvait-elle l'indice d'une supériorité, d'une force ? « Mon Barbare... », songea-t-elle, avec une

fierté attendrie. L'ombre qui avait obscurci son visage
s'effaça; et, de nouveau, elle se sentit pénétrée par cette
intime certitude de bonheur qui, depuis deux jours,
bouleversait et renouvelait tout son être.

Lorsque la fille eut quitté la salle, Jacques constata :

— « Comme votre confiance est encore fragile... »

Dans son accent, pas le moindre reproche : rien d'autre
que du regret; et aussi du remords, car il n'oubliait pas
que son attitude passée légitimait, de la part de Jenny,
toutes les défiances.

Elle devina aussitôt son scrupule, et, cherchant à
écarter tout souvenir amer, elle dit précipitamment :

— « C'est que, voyez-vous, je suis mal préparée à la
confiance... Je ne me rappelle pas avoir jamais connu... »
(Elle cherchait le terme. Ce fut un mot de Jacques qui lui
vint aux lèvres :) « la quiétude. Même enfant... Je suis
ainsi faite... » Elle sourit : « Ou, du moins, je l'étais... »
Puis, à mi-voix, elle ajouta, en baissant les yeux : « Je
n'ai jamais avoué ça à personne. » Et, spontanément,
après un bref coup d'œil vers la porte de service, elle
tendit, par-dessus la table, ses deux mains vers Jacques;
deux mains fines, tièdes et nues, qui tremblaient. Elle se
sentait totalement sienne; elle ne désirait que s'abandonner davantage encore, s'anéantir, se confondre en
lui.

Il murmura :

— « J'étais comme vous... seul, toujours seul! Et toujours inquiet! »

— « Je connais ça », dit-elle, en retirant ses mains
avec douceur.

— « Tantôt je me croyais supérieur aux autres, et je
me grisais d'orgueil. Tantôt je me trouvais stupide,
ignorant, laid, et je me dévorais d'humiliation... »

— « Exactement comme moi. »

— « ...toujours étranger... »

— « Comme moi. »

— « ...muré dans mes particularités... »

— « Moi aussi. Sans espoir d'en sortir, ni de devenir semblable aux autres... »

— « Et si, à certaines époques, je n'ai pas complète-

ment désespéré de moi », reprit-il, avec un brusque
élan de gratitude, « savez-vous à qui je le dois? »

Une seconde, elle espéra follement qu'il allait dire :
« A vous. » Mais il dit :

— « A Daniel!... Notre amitié était, avant tout, un
échange de confiance. C'est l'affection, la confiance de
Daniel qui m'ont sauvé. »

— « Comme moi », murmura-t-elle, « exactement
comme moi! Je n'ai jamais eu d'autre ami que Daniel. »

Ils ne se lassaient pas de s'expliquer l'un à l'autre,
l'un par l'autre, et se regardaient jusqu'au fond des
yeux, d'un regard gourmand et ravi. Chacun d'eux attendait, comme un aveu, comme un témoignage décisif de
leur entente, que le sourire de l'autre répondît au sien.
Surprenant, délicieux prodige, de se sentir si aisément
pénétré par l'intuition de l'autre, et de se découvrir si
pareils! Il leur semblait que cet échange de confidences
était inépuisable, et que rien au monde, pour l'instant,
n'était plus important que cette double investigation.

— « Oui, c'est bien à Daniel que je dois de n'avoir
pas sombré... Et aussi à Antoine », ajouta-t-il, après
réflexion.

Une involontaire froideur, qu'il discerna aussitôt, se
marqua sur le visage de la jeune fille. Décontenancé, il
la questionnait du regard.

— « Le connaissez-vous bien, mon frère? » demanda-
t-il enfin, tout prêt à se lancer, avec conviction, dans
un panégyrique d'Antoine.

Elle faillit avouer : « Je le déteste. » Elle dit seulement :

— « Je n'aime pas ses yeux. »

— « Ses yeux? »

Comment formuler sa pensée, sans blesser Jacques?
Pourtant, elle ne voulait rien lui cacher; même ce qui
pouvait lui être pénible.

Il insista, intrigué :

— « Qu'est-ce que vous reprochez à ses yeux? »

Elle réfléchit un peu :

— « On dirait... qu'ils ne savent pas, qu'ils ne savent
plus, voir ce qui est bien et ce qui ne l'est pas... »

Jugement étrange, qui laissa Jacques perplexe. Il se
souvint alors d'un mot sur Antoine que lui avait dit
Daniel : « Sais-tu ce qui m'attache à ton frère? C'est
sa liberté de jugement. » Daniel admirait chez Antoine
cette faculté de pouvoir tout naturellement envisager
n'importe quel problème en soi, comme il examinait
une pièce anatomique, hors de toute préoccupation
morale. C'était une attitude d'esprit qui avait beaucoup
d'attrait pour un descendant de huguenots.

Le regard de Jacques semblait réclamer des précisions. Mais elle opposait à ce regard un masque si
calme, si clos, qu'il n'osa pas l'interroger davantage.

« Indéchiffrable », songea-t-il.

La fille au corsage rose était venue desservir. Elle
proposa :

— « Du fromage? Des fruits? Deux bons moka-
filtres? »

— « Pour moi, plus rien », dit Jenny.

— « Alors, un filtre, un seul. »

Ils attendirent que le café fût servi, pour reprendre
librement leur conversation. Jacques regardait Jenny,
à la dérobée, et il remarqua une fois de plus combien
l'expression des yeux contrastait avec celle du visage,
combien cette expression était plus « âgée » que celle
des traits, restés si jeunes, et comme inachevés.

Il se pencha délibérément :

— « Laissez-moi regarder vos yeux », dit-il, souriant
pour excuser cet examen. « Je voudrais les *apprendre*...
Ils sont d'une eau si pure... d'un bleu franc, d'un bleu
froid... Et la pupille! Elle change sans cesse de forme...
Ne bougez pas, c'est passionnant. »

Elle aussi le contemplait, mais sans sourire, un peu
lasse.

— « Tenez », reprit-il, « quand vous faites un effort
d'attention, l'iris bleu se contracte... Et la pupille se
rétrécit, se rétrécit... jusqu'à devenir un tout petit point,
rond et net comme un trou de poinçon... Quelle volonté
il y a, dans vos yeux! »

L'idée lui vint alors que Jenny pourrait devenir une
admirable compagne de lutte. Et, d'un coup, toutes

ses préoccupations l'envahirent de nouveau. Il tourna machinalement la tête pour vérifier l'heure au cartel pendu au mur.

Elle murmura, craintive soudain devant ce front assombri :

— « A quoi pensez-vous, Jacques? »

Il releva sa mèche, d'un geste brutal :

— « Ah! » fit-il, serrant malgré lui les poings, « je pense qu'il y a, en ce moment, en Europe, quelques centaines d'hommes qui voient clair, et qui se démènent pour le salut de tous les autres, sans parvenir à se faire entendre de ceux qu'ils veulent sauver! C'est d'un pathétique absurde! Parviendrons-nous à secouer l'inertie des masses? Sauront-elles, à temps... »

Il continuait à parler, et Jenny avait l'air d'écouter; mais elle n'entendait plus ses paroles. Depuis qu'elle avait surpris le coup d'œil de Jacques vers le cadran, son attention était à la dérive, et elle ne maîtrisait plus les battements de son cœur. Trois jours sans lui!... Elle luttait contre une angoisse qu'elle ne voulait à aucun prix lui laisser voir; et elle éprouvait une joie si douloureuse à l'avoir là, pour quelques minutes encore, vivant et proche, qu'elle suivait tous les jeux de sa physionomie, chaque contraction des maxillaires, chaque froncement des sourcils, chaque éclair de ses yeux mobiles, — sans chercher à comprendre ce qu'il disait, perdue dans le crépitement confus des mots et des pensées, comme parmi des gerbes d'étincelles.

Il se tut brusquement :

— « Vous ne m'écoutez pas!... »

Elle battit des cils, et rougit :

— « Non... »

Puis, gentiment, pour se faire pardonner, elle lui tend la main. Il la prit, la retourna, et appuya ses lèvres dans la paume. Il sentit aussitôt tous les muscles du bras frémir, et il s'aperçut, avec un trouble subtil, — un trouble tout nouveau, — que la petite main, au lieu de s'abandonner, passive, s'écrasait passionnément contre sa bouche.

Mais le temps pressait, et il avait encore une confidence à faire :

— « Jenny, il y a une chose que je veux absolument vous avoir dite, dès ce soir... L'an dernier, à la mort de mon père, j'avais refusé d'entendre parler... de comptes... Je ne voulais pas toucher un sou de cet argent... Hier, j'ai changé d'avis... »

Il fit une pause. Elle s'était redressée, interdite, et elle évitait son regard, bouleversée malgré elle par les idées confuses et contradictoires qui lui traversaient l'esprit.

— « J'ai l'intention de prendre tout cet argent et de le verser aux caisses de l'Internationale, pour qu'il soit immédiatement employé à la lutte contre la guerre. »

Elle respira profondément. Le sang lui revint aux joues. « Pourquoi me parle-t-il de cela? », se demandait-elle.

— « Vous m'approuvez, n'est-ce pas? »

Jenny baissa instinctivement le front. Quelle arrière-pensée avait-il, en insistant ainsi sur le mot « approuver »? Il semblait avoir voulu lui conférer un droit de contrôle sur ses actes... Elle esquissa un vague signe de tête, et releva timidement les yeux. Son expression demeurait volontairement interrogative.

— « Jusqu'ici », continua-t-il, « grâce à mes articles, j'ai toujours gagné ma vie... Le strict nécessaire... Peu importe : je vis au milieu de gens sans ressources, je suis comme eux, et c'est très bien. »

Il fit une longue aspiration, et reprit, très vite, sur un ton qu'un peu de gêne rendit presque bourru :

— « Si cette existence... médiocre... ne vous fait pas peur, Jenny... moi, je ne crains rien pour nous. »

C'était la première allusion à leur avenir, à une existence commune.

Elle pencha de nouveau le front. L'émotion, l'espérance, lui coupaient le souffle.

Il attendit qu'elle se redressât, et, dès qu'il aperçut ce visage éperdu de bonheur, il dit simplement :

— « Merci. »

La serveuse apportait l'addition. Il paya, et releva les yeux sur la pendule.

— « Bientôt moins vingt. Je n'ai même pas le temps de vous ramener chez vous. »

Jenny, sans attendre qu'il lui fît signe, s'était levée.
« Il va partir », se disait-elle, oppressée. « Où sera-t-il
demain?... Trois jours... Trois mortels jours. »

Comme il l'aidait à mettre sa jaquette, elle se retourna
brusquement, et, de tout près, le dévisagea :

— « Jacques... Ce n'est pas dangereux, au moins? »
Sa voix tremblait.

— « Quoi donc? » demanda-t-il pour gagner du temps.
Les termes du message de Richardley lui revinrent
à l'esprit. Il ne voulait ni lui mentir, ni l'inquiéter. Il
fit un effort, et sourit.

— « Dangereux?... Je ne pense pas. »
Une lueur d'effroi pointa dans les prunelles de la jeune
fille. Mais elle abaissa vivement les paupières, et, presque
aussitôt, elle sourit à son tour, bravement.

« Elle est parfaite », se dit-il.
Sans parler, l'un contre l'autre, ils gagnèrent le métro
du Sentier.

Au bord de l'escalier, Jacques s'arrêta. Jenny, qui
avait déjà descendu la première marche, se retourna
vers lui. L'heure était venue... Il posa ses deux mains
sur les épaules de la jeune fille :

— « Jeudi... Vendredi, au plus tard... »
Il la regardait bizarrement. Il fut sur le point de lui
dire : « Tu es mienne... Ne nous quittons pas encore,
viens avec moi! » Songeant à la foule, aux bagarres possibles, il dit vite et très bas :

— « Allez-vous-en... Adieu... »
Ses lèvres ébauchèrent un mouvement qui n'était pas
vraiment un sourire, ni tout à fait un baiser. Puis il
retira brusquement ses mains, lui jeta un long regard
et s'enfuit.

XLVII

Il faisait presque jour encore; l'air était chaud, saturé
de fluide orageux.

Les boulevards offraient un aspect inaccoutumé : tous
les boutiquiers avaient baissé leurs rideaux de fer; la
plupart des cafés étaient fermés; sur l'ordre de la police,
ceux qui restaient ouverts avaient dégarni leurs ter-
rasses, pour éviter que les chaises et les tables pussent
servir à improviser des barricades, et pour laisser le
champ libre aux charges des gardes municipaux. Les
curieux affluaient. Les autos commençaient à être rares;
quelques autobus continuaient à circuler, en cornant.

Boulevard Saint-Martin, boulevard Magenta, et aux
abords de la C. G. T., l'agglomération était particulièrement dense. Un peuple d'hommes et de femmes descendait des hauteurs de Belleville. Des ouvriers de tous
âges, en tenue de travail, jaillis de tous les coins de
Paris et de la banlieue, se rassemblaient en groupes de
plus en plus compacts. Dans les renfoncements, dans
les chantiers en construction, aux coins des rues, des
pelotons d'agents formaient de noirs essaims autour des
autobus de la Préfecture, prêts à les transporter ici ou
là, au premier appel.

Vanheede et Mithœrg attendaient Jacques dans un
débit du faubourg du Temple.

Sur la place de la République, où la circulation des
voitures était interrompue, une multitude affairée était
bloquée sur place. Jacques et ses amis, jouant des coudes,
essayèrent de se frayer un chemin à travers cette marée
humaine, pour rejoindre les rédacteurs de l'*Humanité*,
que Jacques savait rassemblés au pied du monument

central. Mais il était déjà impossible d'atteindre le terre-plein, où s'organisait la tête du cortège.

Soudain, un frémissement semblable au murmure du vent fit onduler les têtes, et une cinquantaine de dra-peaux, jusque-là invisibles, se dressèrent par-dessus la houle. Sans cris, sans chants, lourd et collé au sol comme une bête rampante qui déplie ses anneaux, le cortège s'ébranla dans la direction de la porte Saint-Martin. En quelques minutes, pareil à un fleuve de laves qui a trouvé sa pente, la foule emplit la large tranchée des boulevards, et, grossie sans cesse par les affluents des voies latérales, se mit lentement à couler vers l'Ouest.

Pris dans la masse, suffoquant de chaleur, Jacques, Vanheede et Mithœrg avançaient, coude à coude, pour ne pas se perdre. Le flot les portait, les noyait dans sa sourde rumeur, les immobilisait un instant pour les soulever de nouveau, les jeter à droite ou à gauche, contre les façades sombres dont les fenêtres étaient garnies de curieux. La nuit était venue; les globes élec-triques répandaient sur ce chaos mouvant une lumière insuffisante, tragique.

« Ah! » se dit Jacques, grisé de joie et de fierté, « quel avertissement! Un peuple entier, dressé contre la guerre! Les masses ont compris... Les masses ont répondu à l'appel!... Si Rumelles pouvait voir ça!... »

Un arrêt plus long que les autres les tenait cloués contre le péristyle du Gymnase. Des cris éclatèrent à l'avant. Il semblait que, là-bas, vers l'entrée du boulevard Poissonnière, la colonne se fût heurtée la tête à un obstacle.

Cinq, dix minutes passèrent. Jacques s'impatientait :

— « Venez », dit-il, en prenant le petit Vanheede par la main.

Suivis de Mithœrg qui ronchonnait, ils se faufilèrent, fendant des groupes, contournant les noyaux trop résis-tants, faisant des zigzags, avançant quand même.

— « Une contre-manifestation! » dit quelqu'un. « La Ligue des Patriotes occupe le carrefour, et barre la route! »

Jacques, lâchant l'albinos, parvint à se hisser sur l'en-tablement d'une boutique, pour voir.

C'était au coin du faubourg Poissonnière, au pied de
l'immeuble rouge du *Matin*, que les drapeaux étaient
arrêtés. Les premiers rangs des deux groupes s'entrecho-
quaient, avec des invectives, des cris. La bagarre était
localisée, mais violente : les visages se menaçaient, les
poings étaient tendus. La police, en petits pelotons noirs
encastrés dans la foule, se démenait sur place, mais
semblait laisser faire. Un drapeau blanc s'agita, comme
un signal : les patriotes entonnèrent *la Marseillaise;* alors,
d'une seule voix qui s'amplifia et couvrit bientôt tous
les bruits de son rythme puissant, les socialistes répon-
dirent par *l'Internationale.* Brusquement, une lame de
fond souleva, secoua la fourmilière. Jaillies de droite et
de gauche par les rues voisines, des sections de sergents
de ville, commandées par des officiers de paix, avaient
violemment pénétré dans le flot, pour dégager le carrefour. Aussitôt, la bagarre s'accentua. Les chants s'arrê-
tèrent, reprirent, coupés de vociférations : « A Berlin! »;
« Vive la France! »; « A bas la guerre! » La police, fon-
çant au cœur du désordre, s'attaquait aux pacifistes qui
ripostaient. Des sifflets crépitèrent. Des bras, des cannes,
se dressaient : « Vaches!... Fumiers! » Jacques vit deux
agents se jeter sur un manifestant, qui se débattait et
que les agents finirent par jeter, à demi assommé, dans
une des voitures de police postées aux coins des rues.

Il enrageait d'être si loin. Peut-être, en longeant les
maisons, aurait-il pu arriver jusqu'au carrefour? Il se
rappela à temps sa mission, son train... Aujourd'hui, il
ne s'appartenait pas : il n'avait pas le droit de céder à
ses impulsions!

Un bruit sourd se fit entendre, à l'avant, sur les boulevards. Au loin, des casques brillèrent. C'était un peloton
de gardes municipaux qui s'avançaient, au trot, à la rencontre des manifestants.

— « Ils vont charger! »

— « Sauve qui peut! »

Autour de Jacques, la foule, effrayée, essayait de
rebrousser chemin. Mais elle était coincée entre les cava-
liers qui approchaient et l'immense queue du cortège,
qui poussait à contresens, et empêchait tout recul. Juché

sur son entablement comme sur un rocher battu par la tempête, Jacques se cramponnait au volet de fer pour ne pas être jeté bas par les tourbillons du flot humain qui bouillonnait à ses pieds. Il chercha des yeux ses compagnons, et ne les aperçut plus. « Ils savent où je suis », se dit-il, « s'ils le peuvent, ils vont me rejoindre... » Il songea avec effroi : « Heureusement que je n'ai pas amené Jenny... »

Sur le carrefour, les chevaux piaffaient. Des piétons étaient renversés. Des visages affolés, rageurs, des fronts égratignés, apparaissaient et disparaissaient, au gré des remous.

Que se passait-il ? Impossible de comprendre... Maintenant, le centre du carrefour était évacué. Les pacifistes avaient dû céder aux mouvements combinés des gardes à cheval et des sergents de ville. Au milieu de la chaussée jonchée de cannes, de chapeaux, de débris, se promenaient des officiers de paix, galonnés d'argent, et quelques civils, qui devaient être des autorités policières. Autour d'eux, le cordon des agents progressait, élargissant le cercle ; et, bientôt, toute la largeur du boulevard fut barrée par la police.

Alors, comme un troupeau mordu aux jarrets par les chiens, et qui, après quelques minutes de piétinement désordonné, opère une conversion sur place, les manifestants firent demi-tour, et se précipitèrent en trombe vers les boulevards de Strasbourg et de Sébastopol :

— « Rassemblement au carrefour Drouot ! »

« Pas prudent de s'éterniser là », se dit Jacques. (Il venait de se rappeler que, en cas d'arrestation, il n'avait sur lui qu'une carte d'identité au nom de Jean-Sébastien Eberlé, étudiant genevois.)

Il put s'échapper par la rue d'Hauteville. Il hésitait. Qu'étaient devenus Vanheede et Mithœrg ? Que faire ? Courir rue Drouot ? Rentrer dans la bagarre ? Et s'il était arrêté ? ou seulement pris dans un remous, retenu entre deux barrages, contraint de manquer son train ?... Quelle heure ? Onze heures moins cinq... La sagesse, quoi qu'il lui en coûtât, c'était de tourner le dos à la manifestation, et de se rapprocher de la gare du Nord.

Il se trouva bientôt place La Fayette, devant l'église Saint-Vincent-de-Paul. Le petit square! Jenny... Il eut envie de monter, en pèlerinage, jusqu'à leur banc... Mais une section de gardiens de la paix, en attente, occupait les escaliers.

Il mourait de soif. Il se souvint alors qu'il connaissait, tout près de là, rue du Faubourg-Saint-Denis, un bar où se réunissaient les socialistes de la section Dunkerque. Il avait le temps d'y passer une demi-heure, avant d'aller prendre son train.

L'arrière-salle, où se rencontraient d'ordinaire les militants, était vide. Mais, près du comptoir, autour du cafetier, — un vieux du Parti, — une demi-douzaine de consommateurs commentaient les nouvelles du quartier, qui avait été le théâtre de plusieurs échauffourées sérieuses. Autour de la gare de l'Est, une manifestation contre la guerre avait été rudement dispersée. Elle s'était reformée devant la C. G. T.; là, un véritable commencement d'émeute avait nécessité une charge de police; les blessés, disait-on, étaient nombreux. Les commissariats de l'arrondissement étaient pleins de manifestants arrêtés. Le bruit courait que le directeur de la police municipale, qui dirigeait le service d'ordre sur les boulevards, avait reçu un coup de couteau. Un consommateur, qui venait de Passy, racontait avoir vu, place de la Concorde, la statue de Strasbourg drapée de voiles tricolores, et gardée par un groupe de jeunes patriotes qui allumaient des feux de bengale, sous la protection des gardiens de la paix. Un autre, un vieil ouvrier à moustaches grises, qui faisait recoudre par la patronne sa veste endommagée au cours de la bataille, prétendait que plusieurs tronçons de la manifestation des boulevards s'étaient regroupés à la Bourse, et, drapeau rouge déployé, marchaient sur le Palais-Bourbon, au cri de : « A bas la guerre! »

— « A bas la guerre!... » grommela le cafetier. Il avait vu 70; il avait fait la Commune. Il secouait rageusement la tête : « Il est bien temps, de crier : " A bas la guerre!... " C'est comme si tu criais : " A bas la pluie! " quand l'orage est là... »

Le vieux, qui fumait, les yeux plissés, se fâcha :

— « N'est jamais trop tard, Charles! Si tu avais vu ça, entre huit et neuf, sur la place de la République... Serrés! — t'aurais dit un banc d'anchois! »

— « J'y étais », dit Jacques, en se rapprochant.

— « Eh bien, si tu y étais, petit, tu peux le dire comme moi : on n'a encore rien vu de pareil. Et pourtant, les manifestations, j'en ai vu quelques-unes! J'étais là quand on a gueulé contre l'exécution de Ferrer : on était cent mille.... J'étais là quand on a gueulé contre les bagnes militaires, pour la libération de Rousset : là aussi, on était bien cent mille... Et plus de cent mille, pour sûr, au Pré Saint-Gervais, contre leur loi de trois ans... Mais ce soir! Etait-on trois cent mille? Cinq cent mille! Un million? Personne peut savoir. De Belleville, à la Madeleine, ça n'était qu'un flot, ça n'était qu'un cri : " Vive la paix! " »... Non, les gars : une manifestation pareille, j'avais pas encore vu ça, moi, et je m'y connais! Heureusement que les agents étaient sans armes, sans quoi, de la façon qu'on s'y est pris, y aurait du sang dans les ruisseaux!... Ce soir, je vous le dis : si on avait eu du cran, le régime, il était par terre! On a raté la belle *occase*... Place de la République, quand on s'est mis en branle, avec les drapeaux, eh bien, bon sang, Charles, si, à ce moment-là, on avait eu un type à la hauteur, sais-tu où il nous emmenait tous, comme un seul homme? A l'Elysée, pour faire la Révolution! »

Jacques riait de plaisir :

— « Partie remise! Ce sera pour demain, grand-père! »

Il regagna la gare, tout joyeux. On lui délivra, sans difficulté, une troisième pour Berlin.

Sur le quai, une surprise l'attendait : Vanheede et Mithœrg étaient là. Sachant l'heure de son départ, ils avaient voulu lui serrer la main. Vanheede avait perdu son chapeau; son visage était pâle et comme fripé de tristesse. Mithœrg, au contraire, rouge et rageur, enfonçait les poings dans ses poches. Il avait été arrêté, bourré de coups, conduit vers les voitures de police, et n'avait pu s'enfuir qu'au dernier moment, à la faveur d'une bousculade. Il racontait son aventure, moitié en français, moitié en allemand, avec une grande abondance de salive, en roulant de gros yeux indignés derrière ses lunettes.

— « Ne restez pas là », leur dit Jacques. « Inutile d'attirer l'attention, à trois. »

Vanheede avait saisi la main de Jacques entre les
siennes. Dans sa face d'aveugle, ses longs cils incolores
clignaient nerveusement. Il murmura, sur un ton de
caresse et de prière :

— « Soyez prudent, Baulthy... »

Jacques rit, pour cacher son trouble :

— « Mercredi, à Bruxelles ! »

A cette heure-là, dans son petit salon du premier étage,
rue Spontini, Anne, tout habillée, prête à sortir, se tenait
debout, l'œil fixe, le récepteur près du visage.

Antoine avait déjà éteint, et s'apprêtait à dormir, après
avoir lu tous les journaux. Le timbre mat du téléphone
que Léon installait, le soir, sur la table de nuit, le dressa
sur son séant.

— « C'est toi, Tony ? » murmura la voix tendre et lointaine.

— « Hein ? Qu'est-ce qu'il y a ? »

— « Rien... »

— « Mais si ! Parle ! » fit-il, inquiet.

— « Rien, je t'assure... Rien du tout... Pour entendre
ta voix... Tu es déjà couché ? »

— « Oui. »

— « Tu dormais, chéri ? »

— « Oui... Non, pas encore... Presque... Alors, c'est
vrai, rien de grave ? »

Elle rit :

— « Mais non, Tony... Tu es gentil de t'inquiéter
comme ça... Entendre ta voix, je te dis... Tu ne comprends
donc pas ça, toi, qu'on ait subitement envie, envie, d'entendre une voix ?... »

Appuyé sur un coude, les prunelles blessées par la
lumière, il patientait, ébouriffé, l'air maussade.

— « Tony... »

— « Quoi ? »

— « Rien, rien... Je t'aime, mon Tony... Je te voudrais tant près de moi, ce soir, en ce moment... »

Il y eut quelques secondes d'un interminable silence.

— « Voyons, Anne, je t'ai expliqué pourtant... »

Elle l'interrompit, d'une haleine :

— « Mais oui, je sais, ne fais pas attention... Bonsoir, mon amour ! »

— « Bonsoir. »

Ce fut lui qui raccrocha. Elle perçut le déclic jusque dans sa chair. Elle ferma les yeux, et garda une longue minute l'oreille collée à l'appareil, attendant un miracle.

— « Je suis idiote », articula-t-elle, enfin, à voix presque haute.

Contre tout bon sens, elle avait espéré — elle avait même eu la certitude — qu'il lui dirait : « Viens vite chez nous... Je te rejoins. »

« Idiote !... Idiote !... Idiote !... » répétait-elle, en jetant sur le guéridon son sac, son chapeau, ses gants. Et, tout à coup, la simple, et secrète, et atroce vérité lui apparut : elle avait un besoin lancinant de lui ; de lui, qui n'avait aucun besoin d'elle !

XLVIII

En gare de Hamm, vers huit heures du matin, Jacques, qui n'avait guère dormi, descendit acheter quelques journaux allemands.

La presse, à l'unanimité, blâmait l'Autriche de s'être officiellement déclarée « en état de guerre » avec la Serbie. Même les feuilles de droite, la pangermaniste *Post*, ou la *Gazette du Rhin*, organe de Krupp, « regrettaient » la brusquerie agressive de la politique autrichienne. Le rapide retour du Kaiser, et celui du Kronprinz, étaient annoncés en manchettes voyantes. Assez paradoxalement, la plupart des journaux, — après avoir noté que l'Empereur, à peine arrivé à Potsdam, avait eu avec le chancelier et les chefs d'état-major de terre et de mer une longue et importante conférence, — fondaient sur l'influence du Kaiser de grands espoirs pour le maintien de la paix.

Lorsque Jacques rejoignit son compartiment, ses compagnons de nuit, munis comme lui des feuilles du jour, discutaient les nouvelles. Ils étaient trois : un jeune pasteur, dont le regard pensif se tournait plus souvent vers la fenêtre ouverte que vers le journal posé sur ses genoux; un vieillard à barbe blanche, qui devait être israélite; et un homme d'une cinquantaine d'années, replet, jovial, la figure et la tête complètement rasées. Il sourit à Jacques, et soulevant le *Berliner* déplié qu'il tenait à la main, il demanda, en allemand :

— « Vous aussi, vous vous intéressez à la politique? Etranger, sans doute? »

— « Suisse. »

— « Suisse française? »

— « Genève. »

— « Vous y voyez les Français de plus près que nous. Chacun d'eux est charmant, n'est-ce pas? Pourquoi réunis en peuple, sont-ils tellement insupportables? »

Jacques sourit évasivement.

L'Allemand, loquace, accrocha le regard du pasteur, puis celui de l'Israélite, et poursuivit :

— « Moi, j'ai bien souvent voyagé en France, pour mon commerce. J'y ai beaucoup d'amis. J'ai longtemps cru que le pacifisme de l'Allemagne triompherait des résistances françaises, et que nous finirions par nous entendre. Mais, rien à faire avec ces cerveaux brûlés : au fond, ils ne pensent qu'à leur revanche. Et c'est toute l'explication de leur politique actuelle. »

— « Si l'Allemagne est tellement attachée à la paix » hasarda Jacques, « pourquoi ne le prouve-t-elle pas davantage, aujourd'hui, en exerçant une action franchement pacificatrice sur son alliée autrichienne? »

— « C'est ce qu'elle fait, certainement... Lisez les journaux... Mais, si la France, de son côté, ne souhaitait pas la guerre, est-ce qu'elle appuierait, en ce moment, la politique russe? Les discours de Poincaré, à Pétersbourg, sont instructifs. C'est la France qui tient entre ses mains la paix et la guerre. Il suffirait que, demain, la Russie cesse de compter sur l'armée française, pour qu'elle se trouve réduite à négocier pacifiquement; et, du même coup, tout danger de guerre serait écarté! »

Le pasteur approuva. Le vieillard aussi; il avait été, plusieurs années, professeur de droit à Strasbourg, et il détestait les Alsaciens.

Jacques, d'un geste aimable, déclina l'offre d'un cigare, et, renonçant par prudence à toute discussion, parut se plonger dans la lecture de ses journaux.

Le professeur prit la parole. Il avait une vue superficielle et partiale de la politique bismarckienne après 70; il ignorait, ou feignait d'ignorer, le désir qu'avait le vieux chancelier d'abattre définitivement la France par une nouvelle défaite militaire; et il semblait ne vouloir se souvenir que des gestes faits par l'Empire pour se rapprocher de la République. Dirigée par lui, la conver-

sation se poursuivit sur le terrain historique. Ils étaient
tous trois d'accord. Ils exprimaient, d'ailleurs, des idées
qui étaient celles de la grande majorité des Allemands.

Pour eux, de toute évidence, l'Allemagne n'avait pas
cessé, jusqu'à ces dernières années, de faire à la nation
française de généreuses avances. Bismarck lui-même
avait donné des gages de son esprit de conciliation, en
autorisant, non sans imprudence, ce rapide relèvement
des vaincus, qu'il aurait si bien pu empêcher : il lui
aurait suffi de contrecarrer la folie de conquêtes colo-
niales, qui s'était emparée des Français au lendemain de
leur défaite. La Triplice? Elle ne menaçait personne.
Elle était, à l'origine, non pas une alliance militaire, mais
un pacte de solidarité conservatrice, conclu par trois
souverains pareillement inquiets de l'effervescence révolutionnaire qui couvait en Europe. Entre 1894 et 1909,
quinze ans de suite, et même après l'alliance franco-
russe, l'Allemagne avait cherché la collaboration de la
France pour régler les problèmes politiques, spécialement les questions africaines. En 1904, en 1905, le gouvernement de Guillaume II avait multiplié, de bonne
foi, des offres d'entente, précises. Toujours, la France
avait refusé la main que le Kaiser lui tendait! Elle n'avait
répondu aux propositions les plus engageantes que par
des refus méfiants, vexatoires, ou par des menaces! Si le
caractère de la Triplice s'était modifié, la faute en était
donc imputable à la France, qui, par son incompréhensible alliance militaire avec le tsarisme, et par les agissements de ses ministres, notamment de Delcassé, avait
clairement laissé voir que sa politique extérieure restait
dirigée contre l'Allemagne; que son but était l'encerclement des puissances germaniques. Il avait bien fallu
que la Triplice devînt une arme défensive pour lutter
contre les progrès de la Triple Entente, — qui s'affichait,
aux yeux du monde, comme une conspiration de conquérants. De conquérants! Le mot n'était pas trop fort, et
trouvait sa justification dans les faits : grâce à la Triple
Entente, la France avait pu s'emparer de l'immense
territoire marocain; grâce à la Triple Entente, la Russie
avait pu organiser la Ligue balkanique, qui devait lui

permettre un jour de s'avancer sans risques jusqu'à Constantinople; grâce à la Triple Entente, l'Angleterre avait pu rendre inexpugnable sa toute-puissance sur les mers du globe! A cette politique d'impérialisme effronté, le seul obstacle était le bloc germanique. Pour que l'hégémonie de la Triple Entente fût assurée, il lui restait encore à désagréger ce bloc. Une occasion venait de s'offrir. La France et la Russie s'en étaient aussitôt saisies : mettant à profit l'agitation des Balkans et le geste imprudent de Vienne, elles cherchaient maintenant à faire désapprouver l'Autriche par l'Allemagne, dans l'espoir de brouiller Berlin avec son unique alliée, et de faire aboutir ainsi leurs dix années d'efforts pour isoler l'Allemagne au centre d'une Europe hostile.

C'était du moins l'avis du pasteur et du professeur israélite. Le gros Allemand, lui, pensait que le but de la Triple Entente était plus agressif encore : Pétersbourg voulait abattre l'Allemagne, Pétersbourg voulait la guerre.

— « Tout Allemand qui réfléchit », disait-il, « a bien été forcé de perdre peu à peu confiance en la paix. Nous avons vu la Russie multiplier ses voies stratégiques en Pologne, la France augmenter ses effectifs et ses armements, l'Angleterre préparer avec la Russie un accord naval. Quel sens donner à tous ces préparatifs, sinon que la Triple Entente désire assurer son pouvoir par une victoire militaire contre la Triplice?... Nous n'échapperons pas à leur guerre... Si ce n'est pas pour maintenant, ce sera pour 1916, 1917 au plus tard... » Il sourit : « Mais la Triple Entente se fait de graves illusions! L'armée allemande est prête!... On ne se frotte pas impunément à la force guerrière de l'Allemagne! »

Le vieux professeur souriait aussi. Le pasteur acquiesça d'un grave mouvement de tête. Sur ce dernier point, ils se trouvaient, tous trois, pleinement, fièrement, d'accord.

Jacques avait fait à Berlin de nombreux séjours.
« Je vais descendre à la station du Zoo », se dit-il. « C'est dans l'Ouest que je risque le moins de tomber sur d'anciennes relations. »

Il avait environ deux heures à passer avant le rendez-vous mystérieux de la Potsdamer Platz; et il avait décidé d'aller chercher refuge chez Karl Vonlauth, qui habitait justement dans la Uhlandstrasse. C'était un ami de Liebknecht, un camarade sûr, d'une discrétion éprouvée. Il était dentiste, et Jacques avait toutes les chances, à cette heure, de le trouver chez lui.

On le fit entrer dans un salon où deux personnes attendaient : une vieille dame, et un jeune étudiant. Lorsque Vonlauth entrouvrit la porte pour appeler sa cliente, il enveloppa Jacques d'un bref regard, et ne broncha pas.

Vingt minutes passèrent. Vonlauth reparut et emmena l'étudiant. Puis, aussitôt, il revint, seul :

— « Toi ? »

Bien qu'il fût jeune encore, une mèche presque blanche coupait ses cheveux châtains. La même fièvre brûlait toujours au fond de ses yeux bruns, pailletés d'or, et profondément encaissés.

— « Mission », murmura Jacques. « Je descends du train. J'avais une heure à attendre. Je ne dois voir personne. »

— « Je vais prévenir Martha », dit Vonlauth, sans s'étonner. « Viens. »

Il conduisit Jacques jusqu'à une chambre où, près de la fenêtre, une femme d'une trentaine d'années cousait à contre-jour. La pièce était fraîche. Il y avait deux lits jumeaux, une table chargée de livres, une corbeille à terre où dormait un couple de chats siamois. Jacques eut soudain la vision d'un intérieur semblable, recueilli et paisible, où lui-même et Jenny...

Sans hâte, Mme Vonlauth piqua son aiguille dans son ouvrage, et se leva. Une particulière impression d'énergie et de calme émanait de son visage plat, couronné de tresses blondes. Jacques l'avait souvent rencontrée dans les réunions socialistes de Berlin, où elle accompagnait toujours son mari.

— « Reste aussi longtemps qu'il te plaira », dit Vonlauth. « Je retourne à mon travail. »

— « Prendrez-vous une tasse de café ? » proposa la jeune femme.

Elle apporta un plateau qu'elle posa devant Jacques :
— « Servez-vous, sans façons... Vous venez de Ge-
nève? »
— « De Paris. »
— « Ah! » fit-elle, intéressée. « Liebknecht pense que
beaucoup de choses dépendent aujourd'hui de la France.
Il dit que vous avez une majorité prolétarienne nette-
ment hostile à la guerre, et que vous avez la chance
d'avoir actuellement un socialiste au Conseil des ministres. »
— « Viviani? Un *ancien* socialiste... »
— « Si la France voulait, quel grand exemple elle
pourrait donner à l'Europe! »
Jacques lui décrivit la manifestation des boulevards.
Il comprenait sans effort tout ce qu'elle lui disait, mais
il s'exprimait en allemand avec un peu de lenteur.
— « Chez nous aussi, hier, on s'est battu dans les
rues », dit-elle. « Une centaine de blessés, cinq ou six
cents arrestations. Et, ce soir, on recommence... On a
annoncé pour aujourd'hui plus de cinquante réunions
publiques contre la guerre... Dans tous les quartiers...
A neuf heures, grand rassemblement à la Brandenburger
Tor. »
— « En France », dit Jacques, « nous avons à lutter
contre l'incroyable apathie des classes moyennes... »
Vonlauth venait d'entrer. Il sourit :
— « En Allemagne aussi... Apathie partout... Crois-
tu que, malgré l'imminence du danger, personne encore
au Reichstag n'a exigé la réunion de la Commission des
Affaires étrangères?... Les nationalistes se sentent pro-
tégés par le gouvernement, et leur campagne de presse
est d'une violence inouïe! Ils réclament quotidiennement
l'état de siège à Berlin, l'arrestation de tous les chefs de
l'opposition, l'interdiction des meetings pacifistes!...
Peu importe! Ils ne seront pas les plus forts... Partout,
dans toutes les villes de l'Allemagne, le prolétariat s'agite,
proteste, menace... C'est magnifique... Nous revivons
les jours d'octobre 1912, quand, avec Ledebour et les
autres, nous soulevions les foules ouvrières au cri de
" Guerre à la guerre!... " A cette époque-là, le gouver-

nement a compris que toute conflagration des Etats
capitalistes généraliserait immédiatement un mouvement
révolutionnaire en Europe. Il a eu peur, il a mis un frein
à sa politique. Cette fois encore, nous réussirons! »
Jacques s'était levé. « Tu veux déjà partir? »

Jacques répondit par un signe de tête affirmatif, et
prit congé de la jeune femme.

— « Guerre à la guerre! » lui dit-elle, les yeux brillants.

— « Cette fois encore, nous sauverons la paix », déclara
Vonlauth, en accompagnant Jacques vers le vestibule.
« Mais, pour combien de temps? Je finis par penser, moi
aussi, qu'une guerre générale est inévitable, et que la
Révolution ne se fera pas sans que nous ayons eu à
passer par là... »

Jacques ne voulait pas quitter Vonlauth sans lui avoir
demandé son avis sur une des questions qui le préoccu-
paient le plus.

Il l'interrompit :

— « Que sait-on de précis, chez vous, sur l'entente
entre Vienne et Berlin? Quelle comédie ont-ils jouée à
l'Europe? Que s'est-il passé dans la coulisse? Selon toi,
y a-t-il eu, oui ou non, complicité? »

Vonlauth sourit malicieusement :

— « Français! »

— « Pourquoi, Français? »

— « Parce que tu dis : " Oui ou non "... " Ceci,
cela... " C'est votre manie, à vous autres, de tout vouloir réduire à des formules claires! Comme si une idée
claire était, *a priori*, une idée juste!... »

Jacques, interloqué, sourit à son tour. « Dans quelle
mesure cette critique est-elle fondée? » se demanda-t-il.
« Et dans quelle mesure s'applique-t-elle à moi? »

Vonlauth était redevenu sérieux :

— « Complicité? Ça dépend... Complicité ouverte,
cynique, ce n'est pas certain. Je dirais, moi : " Oui *et
non* "... Il y a eu, bien sûr, une part de feinte dans la
surprise que nos dirigeants ont affichée, le jour de l'ultimatum. Mais une part seulement. On dit que le chancelier autrichien a roulé le nôtre, comme il a roulé

toutes les chancelleries d'Europe, et que notre Bethmann-Hollweg a simplement agi avec une impardon-
nable légèreté. On dit que Berchtold n'avait soumis à
notre Wilhelmstrasse qu'un résumé anodin de l'ultimatum; et, pour obtenir que l'Allemagne appuie d'avance
auprès des chancelleries la politique autrichienne, il avait
promis que le texte serait modéré. Bethmann l'a cru.
L'Allemagne s'est engagée en toute confiance; en toute
imprudence... Quand Bethmann, et Jagow, et le Kaiser,
ont enfin connu la teneur exacte, on raconte, de bonne
source, qu'ils ont été atterrés. »

— « Quel jour l'ont-ils connue? »

— « Le 22 ou le 23. »

— « Tout est là! Si c'est le 22, comme on me l'a
affirmé à Paris, la Wilhelmstrasse avait encore le temps
d'agir sur Vienne avant la remise de l'ultimatum! Et
elle ne l'a pas fait! »

— « Non, vrai, Thibault », dit Vonlauth, « je crois que
Berlin a été pris de court. Même le 22 au soir, il était
trop tard; trop tard, pour obtenir de Vienne une modi-
fication du texte; trop tard, pour désavouer l'Autriche
devant les autres gouvernements. Alors, l'Allemagne,
compromise malgré elle, n'a plus eu qu'un moyen de
sauver la face : paraître intransigeante, pour effrayer
l'Europe, et gagner, par l'intimidation, cette hasardeuse
partie diplomatique où elle se trouvait, bon gré mal gré,
engagée... Voilà, du moins, ce qu'on dit... Et l'on prétend même, de très bonne source encore, que, jusqu'à
hier matin, le Kaiser s'imaginait avoir fait un coup
de maître : car il s'était cru assuré de la neutralité
russe. »

— « Ça, non! Berlin n'ignorait certainement rien des
desseins belliqueux de Pétersbourg! »

— « On affirme que c'est seulement depuis hier que
le gouvernement se voit fourvoyé dans cette dangereuse
impasse... Aussi », ajouta-t-il, avec un sourire juvénile,
« les manifestations de ce soir ont-elles une exceptionnelle importance : sur un gouvernement qui hésite,
l'avertissement populaire peut avoir une action décisive!... Tu viendras Unter den Linden? »

Jacques secoua négativement la tête, et quitta Vonlauth sans s'expliquer davantage.

« Manie française ? »..., songeait-il, en descendant l'escalier. « Idée claire, idée juste... Non, je ne crois pas que ce soit vrai, pour moi... Non... Pour moi, — claires ou confuses — les idées ne sont jamais, hélas, que paliers provisoires... Et c'est bien ma faiblesse... »

XLIX

A six heures précises, Jacques entrait à l'*Aschinger*
de la Potsdamer Platz, — un des principaux établissements de ce bouillon populaire, dont tous les quartiers
de Berlin possédaient des succursales.

Il aperçut Trauttenbach, seul, installé à une petite
table, devant une soupe aux légumes. L'Allemand paraissait plongé dans la lecture d'un journal, plié en
quatre, dressé contre la carafe; mais, de son œil clair,
il guettait la porte. Il ne marqua aucune surprise. Les
deux jeunes gens se serrèrent négligemment la main,
comme s'ils s'étaient quittés la veille. Puis Jacques s'assit et commanda une portion de soupe.

Trauttenbach était un Juif blond, presque roux, taillé
en athlète; ses cheveux frisottants, coupés court, déga-
geaient un front de jeune bélier; la peau était blanche,
tachée de son; les lèvres épaisses, ourlées, étaient à peine
plus colorées que le teint.

— « J'avais peur qu'on ne m'envoie quelqu'un d'autre »,
murmura-t-il, en allemand. « Je me méfie des Suisses
pour ce genre de travail... Tu arrives juste à temps.
Demain, ç'aurait été trop tard. » Il souriait avec une
nonchalance voulue, et jouait avec le moutardier, comme
s'il eût parlé de choses indifférentes. « C'est une opéra-
tion délicate, — du moins pour nous », ajouta-t-il énigmatiquement. « Toi, tu n'as rien à faire. »

— « Rien à faire? » Jacques se sentit frustré.

— « Rien d'autre que ce que je vais te dire. »

Du même ton assourdi, avec la même expression de
légèreté souriante, coupant ses paroles de petits rires
conventionnels, pour donner le change au cas où ils

eussent été observés, Trauttenbach expliqua succincte-
ment l'affaire.

Par vocation personnelle, il s'était spécialisé dans la
direction occulte d'une sorte de service révolutionnaire
et international d'espionnage. Or, quelques jours plus
tôt, il avait eu vent de l'arrivée à Berlin d'un officier
autrichien, le colonel Stolbach, qu'on supposait chargé
d'une mission secrète auprès du ministre de la Guerre;
et l'on avait toutes raisons de penser que cette visite,
en ce moment, avait pour but de préciser la coopération
des Etats-Majors d'Autriche et d'Allemagne. Trauttenbach avait formé le projet audacieux de subtiliser les
papiers du colonel; et, pour ce faire, il s'était assuré
l'aide experte de deux compères, — « deux types *du
métier* », dit-il, avec un sourire entendu, « et dont je
réponds comme de moi-même ». Ce dernier détail ne
surprit pas autrement Jacques. Il savait que Trauttenbach avait longtemps vécu dans la pègre berlinoise, et
qu'il avait conservé, dans ce milieu interlope, des relations dont il avait déjà tiré profit pour la cause.

Stolbach devait avoir, au début de la soirée, une dernière rencontre avec le ministre. A l'hôtel où il logeait,
il avait annoncé qu'il partirait cette nuit même pour
Vienne. Il n'y avait donc pas de temps à perdre : il
fallait faire main basse sur les papiers, entre le moment
où Stolbach quitterait le ministère et celui où il mon-
terait dans son train.

Naturellement, Jacques ne devait prendre aucune part
à ce cambriolage. (Et il dut s'avouer qu'il en était plutôt satisfait.) Son rôle se bornait à recevoir les documents,
à les faire sortir immédiatement d'Allemagne, et à les
remettre le plus tôt possible à Meynestrel, avec qui
Trauttenbach entretenait, depuis plusieurs années, des
relations particulières. Selon l'importance de ces papiers,
le Pilote les communiquerait, ou non, aux dirigeants de
l'Internationale, réunis le lendemain à Bruxelles. Jacques
devait donc avoir pris d'avance son billet pour la Belgique, et se trouver, ce soir, à partir de dix heures et
demie, en gare de la Friedrichstrasse, dans la salle d'attente des troisièmes, étendu sur la banquette, comme

s'il dormait profondément. Le paquet, enveloppé dans un journal, serait discrètement déposé contre sa tête, par un voyageur qui disparaîtrait aussitôt, sans lui avoir parlé. Ces dernières indications lui furent répétées deux fois.

— « Buvons encore un verre de bière », dit alors Trauttenbach, « et nous nous séparerons. »

Jacques avait écouté, en silence. Il éprouvait un vague malaise. Cet escamotage de papiers — si utile qu'il pût être — ne lui plaisait guère. En acceptant sa mission, ce n'était pas à ce genre d'entreprise qu'il pensait être mêlé. Son premier mouvement fut de se féliciter qu'on ne lui demandât qu'une collaboration insignifiante. Mais, en même temps, il se sentait déçu, et même un peu vexé, d'être réduit à ce rôle passif de recéleur, de commissionnaire...

Avant de quitter Trauttenbach, il lui posa la même question qu'à Vonlauth : y avait-il eu, selon lui, complicité entre le gouvernement autrichien et le gouvernement allemand?

— « Une entente entre Berchtold et Bethmann, je ne sais pas... Mais, ce qui est possible, c'est qu'il y ait eu connivence entre l'Etat-Major autrichien et le nôtre. Il se pourrait même que notre chancelier eût été joué, à la fois, par le ministre d'Autriche et par notre Etat-Major... »

— « Ah! » dit Jacques, « si l'on tenait la preuve que, depuis le début, le parti militaire allemand est de mèche avec l'Etat-Major autrichien!... Si l'on pouvait affirmer que c'est l'action sournoise de vos généraux, complices de ceux de Vienne, qui, depuis trois semaines, est responsable de la politique allemande, et qui pousse actuellement l'Allemagne à se dérober aux offres anglaises d'arbitrage!... » (Il avait inconsciemment besoin, pour légitimer à ses propres yeux sa participation au vol des papiers, de se bien persuader que ces documents pouvaient apporter à la cause une aide exceptionnellement efficace.)

— « Je crois, comme toi, que cela pourrait avoir d'incalculables conséquences... Le plus patriote de nos chefs socialistes n'hésiterait plus à se dresser contre le gouvernement. Et c'est pourquoi il est important de mettre le nez dans les paperasses du colonel!... Reste assis », ajouta Trauttenbach, en se levant. « Je pars le premier. Dix heures et demie, à la gare. Et, d'ici là, tiens-toi tranquille, évite les rassemblements. Il y a de la police dehors... »

La menace des manifestations prévues pour la soirée, n'avait pas empêché le ministre de la Guerre de poursuivre jusqu'au bout le long, dernier et décisif entretien qu'il avait voulu avoir avec l'émissaire officieux de l'État-Major autrichien, le colonel comte Stolbach von Blumenfeld.

L'audience se termina vers neuf heures et quart, dans une atmosphère particulièrement cordiale. Son Excellence eut même l'amabilité d'accompagner son visiteur jusque sur le palier du grand escalier d'honneur. Là, en présence des huissiers en faction et de l'officier d'ordonnance, le ministre tendit la main au colonel, qui s'inclina pour la serrer. Les deux hommes étaient en civil. Leurs visages étaient fatigués et graves. Ils échangèrent un regard plein de sous-entendus. Puis, le colonel, sa lourde serviette jaune sous le bras, et précédé par l'officier d'ordonnance, s'engagea sur les larges degrés recouverts de tapis rouge. Au bas des marches, il se retourna. Son Excellence avait poussé la bonne grâce jusqu'à le suivre des yeux, pour lui faire un dernier signe amical.

Dans la cour, une auto du ministère attendait. Tandis que Stolbach allumait un cigare, et s'installait au fond de la voiture, l'officier d'ordonnance, se penchant vers le chauffeur, lui indiqua l'itinéraire à suivre pour éviter les manifestations, et ramener sans incident le colonel à l'hôtel du Kurfürstendamm, où il était descendu.

La nuit était chaude. Il avait plu : mais cette brève et violente averse, loin de rafraîchir l'atmosphère, avait laissé dans les rues une buée d'étuve. En prévision des troubles, les lumières des magasins étaient éteintes; et, bien qu'il ne fût pas dix heures, Berlin offrait déjà cet aspect solennel et sombre qu'il ne prenait d'ordinaire qu'aux dernières heures de la nuit. Le regard du colonel errait distraitement sur les vastes perspectives de la capitale. Il songeait avec satisfaction aux résultats pratiques de son voyage et au rapport qu'il présenterait, le lendemain, à Vienne, au général von Hötzendorf. En s'asseyant, il avait machinalement posé sa serviette à côté de lui. Il s'en aperçut, et la reprit, pour la garder sur ses genoux. C'était une belle serviette neuve, en cuir fauve, avec un fermoir nickelé; un modèle courant, mais cossu, et tout à fait digne de franchir le seuil d'un cabinet ministériel; il l'avait achetée chez un maroquinier du Kurfürstendamm, pour les besoins de sa mission, en arrivant à Berlin.

Lorsque l'auto stoppa devant l'hôtel, le portier se précipita au-devant du colonel et le conduisit, avec des salutations, jusqu'à l'entrée du hall. Stolbach s'arrêta devant le bureau, pour donner l'ordre qu'on lui apportât un lunch léger et qu'on lui préparât sa note, car il désirait prendre le rapide de nuit. Puis, à pas rapides malgré sa corpulence, il gagna l'ascenseur et se fit monter au premier.

Dans l'immense couloir, éclairé et désert, un garçon de service était assis, sur une banquette, à la porte de l'office. Stolbach ne le connaissait pas; ce devait être un remplaçant du valet de l'étage. L'homme se leva aussitôt et, devançant le colonel, lui ouvrit la porte de son appartement; il tourna le commutateur et baissa le store de bois. La chambre était une pièce à deux fenêtres, haute de plafond, tapissée d'un papier noir à dessins d'or; elle communiquait avec un cabinet de toilette en céramique bleutée.

— « Monsieur le Colonel n'a besoin de rien? »

— « Non. Ma valise est faite. Je voudrais seulement prendre un bain. »

— « Monsieur le Colonel part ce soir? »

— « Oui. »

Le valet de chambre avait glissé un regard indifférent vers la serviette que le colonel, en entrant, avait posée près de la porte, sur une chaise. Puis, tandis que

Stolbach jetait son chapeau sur le lit et passait son mouchoir sur sa nuque glabre où perlait la sueur, le garçon entra dans le cabinet de toilette et fit couler l'eau. Lorsqu'il revint dans la chambre, l'envoyé extra-ordinaire du chef d'Etat-Major autrichien était en caleçon de soie mauve et en chaussettes. Le valet ramassa les souliers poussiéreux qui gisaient sur le tapis :

— « Je les rapporterai dans un instant », dit-il, en quittant la chambre.

La salle de bains et l'office n'étaient séparés que par une mince cloison. Le valet de chambre, l'oreille au mur, guettait les bruits, tout en promenant un chiffon de laine sur les chaussures. Il sourit en entendant le corps pesant du colonel plonger tumultueusement dans l'eau. Alors, il sortit de son placard une belle serviette neuve, en cuir fauve, à fermoir nickelé, bourrée de vieux papiers; il l'enveloppa dans un journal, la mit sous son bras, et, prenant les souliers à la main, vint frapper à la chambre.

— « Entrez! » cria Stolbach.

« Coup manqué », se dit aussitôt le domestique. En effet, le colonel avait laissé grande ouverte la porte de la salle de bains, et l'on apercevait, de la chambre, l'extrémité de la baignoire, d'où émergeait un crâne rose.

Sans insister, le garçon posa les souliers à terre et sortit avec son paquet.

Le colonel, enfoncé jusqu'au menton dans l'eau tiède, barbotait avec volupté, lorsque, tout à coup, la lumière s'éteignit. Chambre et cabinet de toilette se trouvèrent simultanément plongés dans les ténèbres. Stolbach patienta quelques minutes. Voyant qu'on tardait à rétablir le courant, il tâtonna le long du mur, trouva la sonnette et appuya rageusement sur le bouton.

La voix du valet s'éleva dans l'obscurité de la chambre :

— « Monsieur le Colonel a sonné? »

— « Qu'est-ce qui se passe? Panne d'électricité dans l'hôtel? »

— « Non. L'office est éclairé... C'est sans doute le plomb de la chambre qui a sauté. Je vais réparer... Affaire d'un instant. »

Une longue minute s'écoula.

— « Eh bien? »

— « Que Monsieur le Colonel m'excuse... Je cherche le coupe-circuit. Je croyais qu'il était là, près de la porte... »

Le colonel dressait la tête hors de l'eau, et écarquillait les yeux vers la chambre noire, où il entendait le domestique fureter.

— « Je ne trouve rien », reprit la voix. « Que Monsieur le Colonel m'excuse... Je vais regarder à l'extérieur. Le coupe-circuit est sans doute dans le couloir... »

Le garçon sortit prestement de la chambre, courut à son office, déposa la serviette du colonel en lieu sûr, et se hâta de rendre le courant.

Trois quarts d'heure plus tard, quand le colonel comte Stolbach de Blumenfeld se fut soigneusement épongé, parfumé, habillé, qu'il eut bu son thé, mangé son jambon et ses fruits, allumé un cigare, il consulta sa montre, et, bien qu'il fût en avance — il n'aimait pas avoir à se presser — il téléphona au bureau pour qu'on vînt chercher sa valise.

— « Non, ça, je m'en charge moi-même », dit-il au bagagiste qui s'emparait déjà de la serviette jaune, posée près de la porte sur la chaise.

Il la lui prit des mains, vérifia d'un coup d'œil si le fermoir était clos, la mit gravement sous son bras, et sortit de la chambre, après s'être assuré qu'il n'oubliait rien : il avait toujours eu beaucoup d'ordre.

Avant de quitter l'étage, il chercha le garçon pour lui donner un pourboire. Le couloir était désert. Il poussa la porte de l'office. La pièce était vide, l'homme introuvable.

— « Tant pis pour cet imbécile », grommela le colonel. Et il s'en fut prendre le rapide de Vienne.

Presque à la même heure, l'étudiant genevois Eberlé (Jean-Sébastien) montait, à la gare de la Friedrichstrasse, dans le train de Bruxelles. Il ne portait avec lui aucun bagage : rien qu'un paquet, qui ressemblait à un gros livre enveloppé. Trauttenbach avait pris le temps de faire sauter le fermoir, de ficeler les documents dans un journal, et de faire disparaître la belle serviette de cuir fauve, inutilement compromettante.

« Si j'étais pincé en territoire allemand avec ce dossier-là sous le bras... », se disait Jacques. Mais il trouvait si dérisoire que sa « mission » fût réduite à ce seul risque, qu'il s'en amusait plutôt et se refusait à en voir le danger. « Bien la peine d'avoir inquiété Jenny ! » songea-t-il, rageur.

En cours de route, pourtant, il alla ouvrir le paquet au lavabo, et répartit comme il put les papiers dans ses poches et ses doublures, afin d'éviter les questions des douaniers. Par surcroît de précaution, à l'une des dernières stations allemandes, il descendit acheter des cigares, pour avoir quelque chose à déclarer à la frontière.

Malgré tout, la visite de la douane lui fit passer quelques minutes désagréables. Et ce fut seulement lorsqu'il eut la certitude que le train roulait enfin sur des rails belges, qu'il s'aperçut qu'il était trempé de sueur. Il s'enfonça dans son coin, croisa les bras sur sa veste soigneusement boutonnée, et s'abandonna délicieusement au sommeil.

L

Du haut en bas de ses six étages, la Maison du Peuple de Bruxelles bourdonnait comme un nid de frelons. Depuis le matin, le Bureau socialiste international siégeait en séance exceptionnelle. Ce pressant effort pour faire échec à la politique impérialiste des gouvernements avait rassemblé dans la capitale belge, non seulement tous les chefs des partis socialistes européens, mais un grand nombre de militants, venus de partout, et résolus à donner au meeting de protestation qui devait avoir lieu ce mercredi soir, au Cirque, un retentissement international.

Grâce à l'argent que Meynestrel avait pu mettre à la disposition du groupe — (personne n'avait jamais su comment le Pilote et Richardley alimentaient les fonds secrets du *Local*) — une dizaine d'entre eux étaient venus à Bruxelles. Ils avaient élu pour siège de leurs rassemblements une brasserie de la rue des Halles, *la Taverne du Lion*, proche du boulevard Anspach.

C'est là que Jacques avait retrouvé ses amis, et qu'il avait confié à Meynestrel le paquet des documents Stolbach. (Le Pilote était aussitôt parti s'enfermer dans sa chambre d'hôtel, pour un premier examen du butin. Jacques devait l'y rejoindre un peu plus tard.)

L'apparition de Jacques avait été saluée par des exclamations joyeuses. Quilleuf, qui l'avait aperçu le premier, avait aussitôt donné de la voix :

— « Thibault! Quel bon revoir!... Comment va, hé? Chodement! »

Tous les habitués du *Local* étaient là : Meynestrel et

Alfreda, Richardley, Paterson, Mithœrg, Vanheede, Périnet, le droguiste Saffrio, et Sergueï Pavlovitch Zelawsky,
et le bedonnant petit père Boissonis, et Skada, le « médi-
tatif asiate »; même la jeune Emilie Cartier, toute rose
et blonde sous son voile d'infirmière que Quilleuf, depuis
le départ, voulait l'obliger à retirer « à cause de la cani-
cule ».

Jacques souriait à toutes ces mains tendues, heureux
— plus heureux même qu'il n'eût cru — de retrouver,
brusquement, dans cette brasserie belge l'atmosphère
chaleureuse des réunions genevoises.

— « Hé bé », dit Quilleuf, qui croyait que Jacques
arrivait de France, « ils te l'ont donc acquittée hier, ta
Mme Caillaux?... Qu'est-ce que tu bois? Toi aussi, de
leur bière? » (Lui, il méprisait cette « bibine des gen*sses*
du Nord », et restait fidèle à son vermouth sec.)

La gaieté bruyante de Quilleuf traduisait bien l'optimisme à peu près général qui régnait encore ces jours
derniers, à Genève : les discussions de la *Parlote*, où la
présence de Meynestrel, s'était faite plus rare, ne quittaient guère le plan de la mystique internationale; et les
diverses manifestations du pacifisme européen y étaient
enregistrées avec un enthousiasme que ne parvenaient
pas à ébranler les nouvelles les moins rassurantes. La
venue du groupe à Bruxelles, ses premiers contacts avec
les autres délégations européennes, la présence des chefs
officiels, cette coalition solennelle contre la guerre, c'était,
pour la plupart d'entre eux, autant de témoignages
d'une solidarité internationale agissante et assurée de la
victoire. Les dépêches du matin leur avaient bien annoncé
la déclaration de guerre de l'Autriche à la Serbie, et
même le bombardement de Belgrade, commencé depuis
la nuit dernière; mais ils s'étaient aisément laissé persuader, d'après les informations d'une note autrichienne,
que seule la citadelle avait essuyé quelques obus, et que
ce bombardement était sans importance réelle : une
manière d'avertissement, de démonstration symbolique,
plutôt que le prélude des hostilités.

Périnet fit asseoir Jacques auprès de lui. Il avait passé
la matinée au bar de l'*Atlantic*, siège de la délégation

française, et il en rapportait l'écho des dernières nouvelles de Paris. Il racontait que, la veille, le groupe socialiste de la Chambre, conduit par Jaurès et Jules Guesde, avait eu, au Quai d'Orsay, un long entretien avec le ministre intérimaire. A la suite de cette visite, les députés du Parti avaient rédigé une déclaration publique, dans laquelle ils proclamaient fermement que : *la France seule peut disposer de la France;* et que, en aucun cas, le pays ne pouvait *être jeté dans un formidable conflit, par l'interprétation plus ou moins arbitraire des traités secrets;* aussi exigeaient-ils, *dans le plus bref délai, une convocation de la Chambre, malgré les vacances du Parlement.* Le socialisme français se préparait donc à porter la lutte sur le terrain parlementaire. Périnet avait été favorablement impressionné par l'entrain, le calme, l'espoir inaltérable de la délégation. Jaurès, plus que tout autre, manifestait une confiance opiniâtre. On citait avec orgueil ses mots récents. On l'avait entendu dire à Vandervelde : « Vous verrez, ce sera comme pour Agadir. Il y aura des hauts et des bas, mais *les choses ne peuvent pas ne pas s'arranger.* » Et l'on racontait aussi, comme une preuve piquante de son optimisme, que le Patron, ayant une heure libre après son déjeuner, était tranquillement allé la passer devant les Van Eyck du musée.

— « Je l'ai vu », disait Périnet, « et je vous assure qu'il n'a pas l'aspect d'un homme découragé! Il a passé tout à côté de moi, avec sa lourde serviette qui lui remontait l'épaule, son canotier, sa jaquette noire... Il aura toujours l'air d'un professeur qui va faire sa classe... Il donnait le bras à un type que je ne connaissais pas. On m'a dit, après, que c'était Haase, l'Allemand... Et, vous allez voir... Juste au moment où ils longeaient ma table, voilà que l'Allemand s'est arrêté, et j'ai entendu qu'il disait, en français, avec un mauvais accent : " Le Kaiser ne veut pas la guerre. Il ne la veut pas. Il a trop peur des conséquences! " Alors, Jaurès a tourné la tête, et, l'œil vif, le sourire aux lèvres, il lui a répondu : " Eh bien, faites seulement que le Kaiser agisse avec énergie sur les Autrichiens. Nous, en France, *nous saurons bien forcer notre gouvernement à agir sur les Russes!* " Juste devant ma table... Je les ai entendus, tous les deux, comme vous m'entendez là. »

— « Agir sur les Russes... Il ne serait que temps! » murmura Richardley.

Jacques croisa son regard, et il eut le sentiment que Richardley — qui, en cela, reflétait sans doute l'état d'esprit de Meynestrel — était fort loin de partager l'optimisme général. Impression que Richardley confirma aussitôt, car, se penchant vers Jacques, il ajouta, d'un ton interrogatif, à voix basse :

— « C'est presque à se demander si la France, si ceux qui dirigent la France — en acceptant que la Russie mobilise, en acceptant que la Russie réponde à la provocation autrichienne par une autre provocation, et à l'ultimatum allemand par une fin de non-recevoir — n'ont pas déjà, implicitement, *accepté la guerre!* »

— « La mobilisation russe n'est que *partielle* », spécifia Jacques, sans grande conviction.

— « Mobilisation *partielle?* Quelle différence avec une mobilisation *générale*, provisoirement déguisée? »

La voix de Mithœrg, qui était assis sur la banquette du fond, près de Charchowsky et de Richardley, s'éleva, violente :

— « La Russie? Elle mobilise, soyez sûrs! La Russie, elle est dans les mains du *militarismus* tsariste! Tous les gouvernements de l'Europe, à ce jour, ils sont pareillement prisonniers des forces de réaction! prisonniers aussi d'un régime, d'un système, qui, par son être même, a besoin de guerres! Voilà, mon *Camm'rad!* La libération des Slaves? Prétexte! Le tsarisme, il n'a pas rien fait d'autre que l'opprimation des Slaves! En Pologne, il les a écrasés! En Bulgarie, il a fait semblant de les rendre libres, pour mieux les tenir dans l'opprimation! La vérité, c'est la vieille bataille, qui voudrait recommencer, entre le *Militarismus* russe et le *Militarismus* de l'Œster-reich! »

A la table voisine, Boissonis, Quilleuf, Paterson et Saffrio, ergotaient à perte de vue sur les desseins de plus en plus impénétrables du gouvernement de Berlin. Pourquoi le Kaiser, qui multipliait les protestations pacifiques, s'obstinait-il à refuser sa médiation, alors qu'un conseil un peu ferme eût suffi pour décider François-Joseph à se contenter d'un succès diplomatique d'ores et déjà éclatant? L'Allemagne n'avait aucun intérêt à ce que la Serbie fût envahie par les troupes autrichiennes. Pourquoi faire courir à l'Allemagne, à l'Europe, un pareil risque, si, comme l'affirmaient les social-démocrates, Berlin ne voulait pas la guerre?... Paterson fit remarquer que l'attitude de la Grande-Bretagne n'était, d'ailleurs, pas plus facile à déterminer.

— « Toute l'attention européenne va se tourner vers l'Angleterre », dit sentencieusement Boissonis. « Du fait de la déclaration de guerre autrichienne qui rompt la conversation bilatérale entre Vienne et Pétersbourg, les négociations ne peuvent plus se poursuivre que par l'entremise de Londres. Le rôle arbitral des Anglais prend donc un surcroît d'importance. »

Paterson, qui, dès son arrivée à Bruxelles, avait couru voir ses compatriotes socialistes, affirma que, dans la délégation anglaise, on s'inquiétait grandement d'un bruit qui circulait au Foreign Office : dans l'entourage de Grey, des personnalités influentes, effrayées à l'idée que les protestations de neutralité pouvaient indirectement favoriser les plans belliqueux des Empires centraux, poussaient, disait-on, le ministre à prendre enfin parti; ou, du moins, à avertir l'Allemagne que, si, dans l'éventualité d'un conflit *austro-russe*, la neutralité anglaise ne faisait pas question, il ne pouvait pas en être de même dans l'hypothèse d'une guerre *franco-alle-mande*. Les socialistes anglais, fidèles à la neutralité, craignaient que Grey ne cédât à cette pression; et d'autant plus que, aujourd'hui, une déclaration en ce sens n'eût pas rencontré dans l'opinion publique anglaise la même réprobation que la semaine précédente : en effet, la rigueur inouïe de l'ultimatum, et l'obstination de l'Autriche à attaquer la Serbie, avaient, outre-Manche, soulevé contre Vienne l'indignation générale.

Jacques, fatigué de son voyage, suivait tous ces débats d'une oreille un peu lasse. Le plaisir qu'il avait eu à retrouver ces visages amis se dissipait plus vite qu'il n'eût voulu.

Il se leva pour s'approcher de la table où le petit Vanheede, Zelawsky et Skada conversaient à mi-voix.

— « Aujourd'hui », murmurait l'albinos, de sa voix flûtée, « on vit côte à côte, chacun pour soi, sans charité... C'est cette chose-là qu'il faut changer, Serguéï... Dans le cœur des hommes, d'abord... La fraternité, ça est une chose qui ne se fait pas du dehors, avec des lois... » Il sourit, un instant, à des anges invisibles, et poursuivit : « Sans ça, réaliser un *système* socialiste, oui, tu peux. Mais réaliser *le socialisme*, ça, non : tu n'auras même pas commencé ! »

Il n'avait pas vu Jacques, venir près d'eux. Il l'aperçut soudain, rougit, et se tut.

Skada avait posé, contre sa chope de bière, quelques volumes débrochés. (Ses poches étaient toujours gonflées de périodiques, de livres.) Jacques, distraitement, regarda les titres : Epictète... *Œuvres* de Bakounine, tome IV... Elisée Reclus : *l'Anarchie et l'Eglise*...

Skada se pencha vers Zelawsky. Derrière les lentilles de ses lunettes, épaisses d'un demi-centimètre, ses yeux globuleux, démesurément grossis, saillaient comme des œufs pochés.

— « Moi, je n'ai aucune, aucune impaꜫience », expliquait-il suavement, en ratissant de ses ongles, avec une régularité de maniaque, ses cheveux crépus et ras. « Ʒe n'est pas pour moi que je veux la Révolution. Dans vingt, dans trente années, dans cinquante peut-être, *elle sera!* Je le sais! Et ꜫela, c'est tout ce que j'ai besoin, pour moi vivre, pour moi agir... »

Au fond, Richardley avait repris la parole. Jacques dressa l'oreille. A travers les affirmations prophétiques de Richardley, il cherchait la pensée du Pilote :

— « La guerre forcerait les Etats à résorber leur passif dans la dévaluation. Elle précipiterait leur banqueroute. Elle appauvrirait du même coup les petits épargnants. Elle provoquerait, très vite, la misère générale. Elle ameuterait contre le système capitaliste un tas de victimes nouvelles, qui viendraient à nous. Elle éliminerait au-to-ma-ti-que-ment... »

Mithœrg l'interrompit. Boissonis, Quilleuf, Périnet, tous se mirent à parler en même temps.

Jacques cessa d'écouter. « Est-ce moi qui ai changé? » se demanda-t-il. « Est-ce eux?... » Il analysait mal la cause de son malaise. « Cette menace de guerre a surpris notre groupe... l'a disloqué... Chacun a réagi, à sa façon, selon son tempérament... Un besoin d'action, oui : général, violent, mais qu'aucun de nous n'arrive à satisfaire... Notre groupe est resté isolé, excentrique, sans cadres, sans discipline... A qui la faute? A Meynestrel, peut-être... Meynestrel m'attend », se dit-il, en regardant l'heure.

Il s'approcha d'Alfreda, assise à côté de Paterson :

— « Quel tram puis-je prendre pour aller à ton hôtel? »

— « Viens », dit Paterson, en se levant. « Nous allons te conduire un peu, Freda et moi. »

Il avait justement rendez-vous avec un socialiste anglais, ami de Keir-Hardie. Il prit le bras de Jacques et, suivi d'Alfreda, l'entraîna hors de la *Taverne*. Il semblait fort excité. L'ami de Keir-Hardie, journaliste à Londres, lui avait parlé d'une enquête à faire en Irlande, pour un des journaux du Parti. Si l'affaire se décidait, Pat' s'embarquerait, le lendemain, dès l'aube, pour l'Angleterre. Cette perspective le bouleversait : depuis cinq ans qu'il était sur le continent, il n'avait jamais retraversé le *Channel!*

Le soleil tapait dru; le pavé était brûlant. Aucun souffle n'allégeait la torpeur qui pesait sur la ville. Sans veste, avec sa pipe, sa petite casquette, sa chemise ouverte sur son cou blanc, ses longues jambes dans un vieux pantalon de flanelle, Paterson avait plus que jamais l'allure d'un étudiant d'Oxford en voyage.

Alfreda marchait auprès d'eux. Sa robe de cotonnade bleue, délavée, avait pris le ton délicat des fleurs du lin. Avec sa frange noire, son petit nez froncé, ses grands yeux de poupée, son air sage, ses bras ballants, on l'eût prise pour une gamine. Elle écoutait, sans rien dire, selon son habitude. Cependant, avec un léger frémissement de la voix, elle demanda :

— « Si tu pars, quand reviendras-tu à Genève? »

Le visage de l'Anglais s'assombrit :

— « J'ignore. »

Elle parut hésiter, leva son regard sur lui, et, baissant aussitôt les paupières d'un mouvement rapide qui fit palpiter sur ses joues l'ombre des cils, elle murmura :

— « Reviendras-tu, Pat'? »

— « Oui », fit-il avec vivacité. Quittant le bras de Jacques, il s'approcha de la jeune femme, et lui posa familièrement sa grande main sur l'épaule : « Oui, chère... In-du-bi-ta-ble-ment! »

Ils firent un bout de chemin sans parler.

Paterson avait sorti sa pipe de sa bouche, et, tout en marchant, renversant un peu la tête, il examinait Jacques, fixement, comme on regarde un objet :

— « Je pense à ton portrait, Thibault... Deux séances encore... deux petites séances, et je l'aurais fini... Il y a un damné méchant sort sur cette toile, cher! »

Il éclata de son rire juvénile. Puis, comme ils traversaient un carrefour, il se tourna vers Jacques, et, gaminement, lui désigna une petite maison basse au coin d'une ruelle :

— « Regarde bien : voilà où habite le jeune William Stanley Paterson. Mon *bed-room* est grande. Si tu veux, cher, pour un paquet de tabac, je t'en offrirai la moitié. »

Jacques n'avait pas encore retenu de chambre. Il sourit :

— « J'accepte. »

— « C'est au premier, la fenêtre ouverte... Chambre 2. Tu te rappelleras? »

Alfreda, immobile, les yeux levés, regardait la fenêtre de Paterson.

— « Maintenant, il faut se quitter », dit l'Anglais à Jacques. « Tu vois la gare? La rue du Pilote est juste derrière. »

— « Tu me conduis? » demanda Jacques à la jeune femme, croyant qu'elle rentrait chez elle avec lui.

Elle tressaillit et le regarda. Ses pupilles étaient dilatées, comme emplies d'une hésitation pathétique.

Il y eut une seconde de silence.

— « Non. Maintenant, tu vas seul », fit nonchalam-
ment l'Anglais. « Adieu, cher. »

LI

Durant ces deux dernières semaines, Meynestrel avait répété « Guerre à la guerre! » avec autant de fougue que ses camarades du *Local*. Mais rien n'avait ébranlé sa conviction que toutes les actions entreprises contre la guerre par l'Internationale ne parviendraient pas à l'empêcher. « Il faut la guerre pour créer enfin une situation vraiment révolutionnaire », disait-il à Alfreda. « Personne, — bien entendu! — ne peut dire si la révolution sortira de cette situation-ci, ou d'une guerre suivante, ou d'une crise d'un autre ordre. Ça dépend d'un tas de choses... Ça dépend beaucoup du fait " premières victoires ". Qui l'emportera d'abord? Les Germaniques, ou les Franco-Russes? Imprévisible... Pour nous, la question n'est pas là. Pour nous, la tactique du moment, c'est d'agir *comme si* nous étions sûrs de pouvoir transformer bientôt leur guerre impérialiste en révolution prolétarienne... Aggraver, par tous les moyens, la situation prérévolutionnaire actuelle. C'est-à-dire : unifier les efforts de toutes les bonnes volontés pacifistes, d'où qu'elles viennent; et favoriser, par tous les moyens, l'agitation! Susciter le plus de troubles possible! Gêner, au maximum, les projets des gouvernements! » Il pensait à part lui : « A condition, toutefois, de ne pas dépasser le but; d'éviter toute manœuvre trop efficace, qui risquerait de retarder la guerre... »

A son arrivée à Bruxelles, il s'était logé, exprès, loin de la *Taverne*. Il habitait derrière la gare du Midi, dans une petite maison au fond d'une cour.

Après avoir passé deux heures seul, dans sa chambre, tête à tête avec les documents Stolbach, il ne doutait plus de la complicité des deux Etats-Majors germaniques : les preuves étaient là, irréfutables !... Le butin rapporté par Jacques se composait presque exclusivement des notes prises au jour le jour, par Stolbach, pendant les conversations que le colonel avait eues, à Berlin, avec les chefs de l'Etat-Major et le ministre de la Guerre; notes qui lui avaient sans doute servi à rédiger les messages qu'il envoyait à Vienne, après chaque entretien. Non seulement ces notes éclairaient d'une lumière crue l'état actuel des pourparlers entre les deux Etats-Majors, mais, par de nombreuses allusions au passé immédiat, elles précisaient l'historique des négociations entre Vienne et Berlin, au cours des semaines précédentes. L'intérêt de ces révélations rétrospectives était considérable : elles confirmaient pour Meynestrel les soupçons que le socialiste viennois Hosmer avait chargé Bœhm et Jacques de lui communiquer, à Genève, le 12 juillet; et elles lui permettaient de reconstituer toute la succession des faits.

Quelques jours à peine après l'attentat de Sarajevo, Berchtold et Hötzendorf avaient tout mis en œuvre pour décider leur vieil Empereur à profiter des circonstances, à mobiliser immédiatement, et à écraser la Serbie par les armes. Mais François-Joseph s'était montré rétif : il objectait qu'une action militaire autrichienne se heurterait au veto du Kaiser. (« Ah ! ah ! » s'était dit Meynestrel, « ce qui prouve, entre parenthèses, qu'il envisageait déjà très nettement le risque d'une intervention russe et le danger d'une guerre générale !... ») Pour vaincre la résistance de son souverain, Berchtold avait eu alors l'idée audacieuse de dépêcher aussitôt à Berlin son propre chef de cabinet, Alexandre Hoyos, avec mission d'obtenir le consentement de l'Allemagne. Comme on devait s'y attendre, Hoyos s'était d'abord heurté au refus du Kaiser et du Chancelier; lesquels, en effet, craignant les réactions de la Russie, ne se souciaient nullement de se laisser entraîner par l'Autriche dans une guerre européenne. C'est alors que le parti militaire prussien était entré en scène. Hoyos avait trouvé en lui un auxiliaire tout préparé et très puissant. L'Etat-Major allemand, depuis février 1913, n'ignorait rien du péril slave, ni des machi-

nations qui se tramaient, entre la Serbie et la Russie,
contre l'Autriche, — et, par conséquent, contre l'Allemagne. Il soupçonnait même Pétersbourg d'avoir pris,
avec la complicité de Belgrade, une part plus ou moins
indirecte au meurtre de Sarajevo. Mais les généraux
allemands professaient comme un axiome que la Russie
ne pouvait, en aucun cas, accepter l'éventualité d'une
guerre immédiate, et qu'elle ne se laisserait entraîner
dans aucune aventure avant au moins deux ans —
avant que ses armements fussent terminés. Poussés par
Hoyos, les chefs de l'armée allemande étaient donc par-
venus à convaincre Guillaume II et Bethmann que, en
l'état actuel de l'Europe, le risque de voir l'intransigeance
de la Russie déclencher un conflit général, était assez
faible; et que le prestige germanique avait là une occasion inespérée de s'affirmer avec éclat. Si bien que
Hoyos avait pu obtenir carte blanche pour l'Autriche, et
rapporter à Vienne la promesse que l'Allemagne sou-
tiendrait sans défaillance son alliée, dans toutes ses revendications. Ce qui expliquait enfin l'incompréhensible
politique autrichienne de ces dernières semaines. Et
ce qui prouvait, en outre, que, dès ce moment-là, le Kaiser et son entourage avaient plus ou moins vaguement
admis, sinon la probabilité, du moins la possibilité d'une
guerre générale.

« Heureusement que je suis seul à mettre le nez là-
dedans », se dit ausitôt Meynestrel. « Dire que j'ai failli
amener Jacques et Richardley pour m'aider! »

Il était debout, penché sur le lit où, faute de place, il
avait étalé les documents en petits paquets sommaire-
ment classés. Il prit les notes qu'il avait posées à sa
droite, et qui, toutes, se référaient plus ou moins au
passé, aux événements du début de juillet, — et il les
mit dans une enveloppe qu'il cacheta, après l'avoir chif-
frée : n° 1.

Puis il approcha une chaise, et s'assit.

« Revoyons un peu tout ça », se dit-il, en attirant
vers lui les notes qu'il avait empilées à sa gauche. « Tout
ça, c'est la mission de l'ami Stolbach... Ce paquet-ci,
plan de campagne autrichien : stratégie, détails tech-

niques. Pas du tout de mon ressort. A mettre sous
enveloppe n° 2... Bien... Ce qui m'intéresse, c'est le
reste... Les notes sont datées. Il est donc facile de reconstituer la suite des conversations... But de la mission? En gros : *activer la mobilisation allemande*... Voici
les premiers feuillets... Dès son arrivée à Berlin, rencontre avec de Moltke... Et cætera... Le colonel insiste
pour que l'Etat-Major allemand hâte ses préparatifs militaires... Mais on lui répond : " Impossible! le Chancelier s'y oppose, et il est soutenu par le Kaiser! " Tiens!
Pourquoi cette opposition de Bethmann!... Il déclare :
" Trop tôt! " Voyons un peu ses raisons... *Primo :*
raisons de politique intérieure : il fulmine contre les
manifestations populaires, les attaques du *Vorwärts*, et
cætera... Ah! ah! Il est très embêté, au fond, par la
résistance énergique de la social-démocratie!... *Secundo :*
raisons de politique extérieure; d'abord, assurer à l'Allemagne l'approbation des neutres, principalement des
Anglais... Ensuite, attendre que la menace russe s'ac-
centue; parce que, le jour où le gouvernement impérial
aura devant lui " une Russie manifestement agressive ",
il pourra convaincre à la fois les socialistes allemands
et l'Europe, que l'Allemagne se trouve " en cas de
légitime défense ", et qu'elle est entraînée malgré elle
à mobiliser " par prudence "... Bien entendu! Logique
parfaite!... Quelle va être la tactique de Stolbach et des
généraux allemands pour forcer la main au camarade
Bethmann?... Toutes ces notes-ci font très bien voir
comment est née leur combine... Il s'agit donc d'obliger, sans délai, la Russie à commettre envers l'Allemagne " un acte qui puisse être tenu pour *hostile*... "
" L'obliger, par exemple, à mobiliser ", suggère Stolbach, le 25 au soir. Vieille ficelle!... A quoi on lui répond : " En effet. Pour ça, un bon moyen, un seul,
et qui dépend de l'Autriche : *la mobilisation autrichienne*... " Ils ne sont pas si bêtes qu'on croit, ces généraux! Ils ont bien compris que, si François-Joseph décré-
tait la mobilisation de toute son armée — (ce qui, note
ici Stolbach, " ne serait plus seulement une menace
contre la petite Serbie, mais une menace formelle contre

la grande Russie ”) — le Tsar serait fatalement amené
à répondre par sa mobilisation *générale*. Et devant une
mobilisation *générale* russe, le Kaiser ne pourrait plus
refuser son décret de mobilisation. Et le Chancelier
n'aurait plus rien à dire : car, une mobilisation allemande, directement motivée par la menace précise d'une
invasion russe, pourrait être imposée à tout le monde;
à l'extérieur, comme à l'intérieur; à l'opinion européenne,
comme à l'opinion allemande, déjà fort montée contre
les Russes; et imposée aussi aux social-démocrates...
Et, ça, c'est très juste. Les Sudekum et consorts nous
rebattent assez les oreilles, à tous les congrès, avec leur
péril russe! Bebel lui-même! Dès 1900, il déclarait déjà
que devant une menace russe il prendrait son fusil!...
Les socialistes se trouveraient, cette fois, pris au mot.
Pris au piège!... A leur propre piège! Impossible pour
eux, — *social-démocratiquement* impossible! — de ne pas
collaborer avec leur gouvernement, quand celui-ci s'ap-
prête à défendre le prolétariat allemand contre l'impérialisme cosaque!... Bien joué! A bientôt donc la mobilisation générale autrichienne!... Et voilà pourquoi, dès
le surlendemain de son arrivée à Berlin, l'ami Stolbach
multiplie ses dépêches à Hötzendorff pour que l'Autriche
s'oriente carrément vers la mobilisation *générale*... Bravo!
Un machiavélique traquenard que les généraux de Berlin
tendent à la Russie, par l'entremise de l'Autriche! Et pendant ce temps-là, le Kaiser et son Chancelier fument
tranquillement leurs cigares, sans se douter du coup! »

D'un geste qui lui était habituel, Meynestrel pinça
son visage entre le pouce et l'index, à la hauteur des
tempes, et fit prestement glisser ses doigts le long des
joues, jusqu'à la pointe effilée de la barbe.

« Parfait, parfait... On y va tout droit! Et bon train! »

Il ramassa rapidement les notes éparses sur la couver-
ture, les enfouit dans une troisième enveloppe, et répéta,
à mi-voix :

— « Heureusement que je suis seul à avoir mis le
nez là-dedans! »

Il s'appuya au dossier de sa chaise, croisa les bras,
et demeura quelques minutes immobile.

Ces documents apportaient évidemment un « fait nouveau », d'une importance incalculable. Les social-démocrates allemands, à quelques exceptions près, ne soupçonnaient pas cette complicité entre Vienne et Berlin. Les plus acharnés détracteurs du régime impérial se refusaient à penser que celui-ci aurait la sottise de risquer la paix du monde et l'avenir de l'Empire, pour défendre le prestige de l'Autriche; et ils acceptaient donc les affirmations officielles : ils croyaient que la Wllhelmstrasse avait été « surprise » par l'ultimatum autrichien; qu'elle n'en avait connu d'avance ni la teneur exacte ni même le caractère agressif; et que l'Allemagne, de bonne foi, cherchait à s'entremettre entre l'Autriche et ses adversaires. Les plus avertis flairaient bien la possibilité d'une certaine entente entre les Etats-Majors de Vienne et de Berlin. (Haase, le délégué allemand à Bruxelles, que Meynestrel avait rencontré dans la matinée, lui avait raconté la démarche faite par lui, dimanche, auprès du gouvernement, pour rappeler solennellement, au nom du Parti, que l'alliance germano-autrichienne était strictement *défensive;* et il se montrait vaguement inquiet de cette réponse qu'on lui avait faite : « Mais *si* la Russie prenait l'initiative d'un *acte hostile* envers notre alliée? » Cependant, jusqu'ici, Haase lui-même était fort loin de supposer que la mobilisation générale autrichienne était destinée à jouer le rôle d'un hameçon bien amorcé, que le parti militaire allemand voulait jeter à la Russie!) Cette preuve irréfutable de la complicité, révélée par les notes de Stolbach, pouvait donc devenir, si elle tombait entre les mains des chefs social-démocrates, un engin terrible dans leur lutte contre la guerre. Ils tourneraient aussitôt contre leur gouvernement la violence des attaques qu'ils avaient jusqu'alors réservées au gouvernement de Vienne.

« Un engin d'une telle force explosive », se disait Meynestrel, « que, ma foi, si on l'utilisait bien, l'effet pourrait dépasser toutes prévisions... Oui : on peut tout supposer — même, à la rigueur, un avortement de la guerre!... »

Pendant quelques secondes, il s'imagina le Kaiser et

le Chancelier, menacés de voir cette preuve étalée au grand jour — ou pris à partie dans une virulente campagne de presse, qui risquait de retourner contre le gouvernement de l'Allemagne, non seulement le peuple allemand, mais l'opinion mondiale, — et placés devant ce dilemme : ou bien procéder à l'arrestation de tous les chefs socialistes, et déclarer ainsi ouvertement la guerre à tout le prolétariat allemand, à l'Internationale européenne (conjecture à peine concevable); ou bien capituler devant la menace des socialistes, et faire hâtivement machine en arrière, en refusant à l'Autriche le concours promis à Hoyos. Alors? Alors, privée de l'appui allemand, l'Autriche n'oserait sans doute plus persévérer dans ses projets belliqueux, et devrait se contenter d'un marchandage diplomatique... Tous les plans capitalistes de guerre pourraient donc se trouver renversés.

— « C'est à voir! » murmura-t-il.

Il se leva, fit quelques pas dans la chambre, but un verre d'eau, et revint se rasseoir devant les documents :

« Et maintenant, Pilote, pas d'erreur de tactique!... Deux solutions : faire éclater l'engin, ou bien le cacher, le garder pour plus tard... Première hypothèse : je remets ces paperasses aux mains d'un Liebknecht, par exemple; et le scandale éclate. Là, deux cas à considérer : le scandale n'empêche pas la guerre, ou bien il l'empêche. — Supposons qu'il ne l'empêche pas, ce qui est probable; quels avantages? Evidemment, le prolétariat partirait à la guerre avec la certitude d'avoir été trompé... Bonne propagande pour la guerre civile... Oui, mais le vent souffle en sens opposé : il y a déjà partout " mentalité de guerre ". C'est très frappant, ici, à Bruxelles... Savoir même, si, aujourd'hui, tous les chefs de la social-démo accepteraient de faire éclater l'engin? Pas sûr... Admettons cependant qu'ils publient les documents dans le *Vorwärts*. Le journal serait saisi; le gouvernement démentirait effrontément; et l'état d'esprit est déjà tel, en Allemagne, que ses démentis auraient sans doute plus de poids que nos accusations... Supposons, maintenant, contre toute vraisemblance, que Liebk-

necht, en jouant de l'indignation du peuple et de la réprobation universelle, fasse reculer le Kaiser, et parvienne
à empêcher la guerre. Evidemment, la force de l'Internationale et la conscience révolutionnaire des masses se
trouveraient accrues... Oui, mais... Mais, empêcher la
guerre? Notre meilleur atout!... »

Il resta quelques secondes, les traits figés, en arrêt
devant la gravité de la responsabilité à prendre.

— « Pas de ça! » fit-il à mi-voix. « Pas de ça!... N'y
aurait-il qu'une chance sur cent de pouvoir empêcher
la guerre, il ne faut pas la courir! »

Quelques secondes encore, il réfléchit intensément.

« Non, non... De quelque côté qu'on retourne le problème... Actuellement, la seule solution : subtiliser l'engin... »

Il se pencha, et, d'un geste décidé, tira une mallette
de sous le lit :

« Enfermer tout ça. N'en parler à personne... Attendre
l'heure! »

L'heure qu'il prévoyait, c'était celle où, fatalement, la
démoralisation commencerait à travailler les masses mo-
bilisées, et où, pour hâter cette démoralisation, pour
l'envenimer, il ne serait pas négligeable de pouvoir
frapper un grand coup, en divulguant cette preuve décisive de la machination des gouvernements.

Il eut un bref sourire, un sourire de possédé :

« A quoi tiennent les choses? La guerre, la révolution, dépendent peut-être, dans une certaine mesure,
des trois enveloppes que j'ai là! »

Il les avait prises dans sa main, et les soupesait machinalement.

Quelqu'un frappa à la porte.

— « C'est toi, Freda? »

— « Non. Thibault. »

— « Ah! »

Il rangea vivement les enveloppes dans la mallette,
et la ferma à clef avant d'aller ouvrir.

D'instinct, le premier mouvement de Jacques fut de
jeter, sur le désordre de la pièce, un coup d'œil cir-
culaire, à la recherche des papiers.

— « Freda n'est pas revenue avec toi ? » demanda Meynestrel, cédant à un mouvement de contrariété, presque d'angoisse, qu'il refoula aussitôt. « Je ne t'offre pas de t'asseoir », reprit-il plaisamment, désignant d'un geste le fouillis des vêtements féminins qui encombraient les deux chaises de la chambre. « D'ailleurs, j'allais sortir. Je voudrais voir un peu ce qu'*ils* font à la Maison du Peuple... »

— « Et... ces papiers ? » demanda Jacques.

Tout en parlant, le Pilote avait poussé la mallette sous le lit.

— « Je crois bien que Trauttenbach a complètement perdu sa peine », dit-il calmement. « Et toi aussi... »

— « Vrai ? »

Jacques était plus stupéfait encore que consterné. L'idée que ces papiers pussent être sans intérêt ne l'avait jamais effleuré. Il hésitait à questionner davantage. Il hasarda cependant :

— « Qu'est-ce que vous en avez fait ? »

Du pied, Meynestrel indiqua la mallette.

— « Je croyais que vous aviez l'intention de communiquer tout ça, ce soir, au Bureau... A Vandervelde, à Jaurès... ? »

Le Pilote sourit lentement : un sourire froid, des yeux plus que des lèvres; et, dans son visage au teint de mort, le sourire de ce regard était à la fois si lucide et si peu humain, que Jacques baissa les yeux.

— « A Jaurès ? A Vandervelde ? » fit Meynestrel, de sa voix de fausset. « Ils n'y trouveraient même pas de quoi faire un discours de plus ! » Devant l'attitude désappointée de Jacques, quittant le ton sarcastique, il ajouta : « J'éplucherai, bien entendu, toutes ces notes de plus près, à Genève. Mais, à première vue, non, rien : des détails stratégiques, des énumérations d'effectifs... Rien qui, pour l'instant, puisse servir. »

Il avait remis sa veste, et pris son chapeau :

— « Viens-tu avec moi ? Nous irons doucement, en causant... Quelle chaleur ! Bruxelles, en juillet, je m'en souviendrai !... Où peut être Alfreda ? Elle m'avait dit qu'elle viendrait me prendre... Passe, je te suis. »

Pendant tout le trajet, il interrogea Jacques sur son séjour à Paris, et ne souffla plus mot des documents.

Il traînait la patte, plus que de coutume. Il s'en excusa, avec brusquerie. Pendant l'été, surtout après une période de fatigue, les muscles de sa jambe le faisaient parfois souffrir comme au lendemain de son accident d'aviation.

— « Ça fait " invalide de guerre " », remarqua-t-il, avec un rire bref. « Ça sera très bien porté, dans quelque temps... »

Au seuil de la Maison du Peuple, comme Jacques allait s'éloigner, il lui toucha brusquement le bras :

— « Et toi? Qu'est-ce qu'il y a, mon petit? »

— « Ce qu'il y a? »

— « Je te trouve changé. Je ne sais comment dire... Très changé. »

Il le dévisageait, de son regard dur, noir, clairvoyant.

Le souvenir de Jenny flotta, quelques secondes, devant les yeux de Jacques. Il avait rougi. Il répugnait à mentir, autant qu'à s'expliquer. Il sourit mystérieusement, et détourna la tête.

— « A tout à l'heure », dit le Pilote, sans insister. « J'irai dîner avec Freda à la *Taverne*, avant le meeting. Nous te garderons une place près de nous. »

LII

Dès huit heures, non seulement les cinq mille places assises du Cirque Royal étaient toutes occupées, mais les travées étaient pleines de manifestants debout, et, dehors, dans les rues étroites qui enserraient le Cirque, était massée une foule grouillante, que des militants enthousiastes évaluaient déjà à cinq ou six mille personnes.

Jacques et ses amis eurent grand-peine à se frayer un passage, et à pénétrer dans la salle.

Les « officiels », retenus à la Maison du Peuple, où continuait à siéger le Bureau international, n'étaient pas arrivés. Le bruit courait que la séance était mouvementée, qu'elle se prolongerait sans doute assez tard. Keir-Hardie et Vaillant s'acharnaient à obtenir de tous les délégués présents l'adhésion au principe de la grève générale préventive, et l'engagement formel, au nom de leurs partis, de travailler activement, dans leurs pays respectifs, à la préparation de cette grève, pour que l'Internationale pût, en cas de guerre, faire obstacle aux projets belliqueux des gouvernements. Jaurès avait soutenu avec énergie cette proposition, et la discussion se poursuivait, âprement, depuis le matin. Deux thèses s'affrontaient, toujours les mêmes. Les uns admettaient bien le principe de la grève dans le cas d'une guerre offensive; mais, dans le cas d'une guerre défensive, — un pays paralysé par la grève, étant voué fatalement à l'invasion de l'agresseur, — ils soutenaient qu'un peuple attaqué a le droit, et le devoir, de se défendre par les armes. La plupart des Allemands, beaucoup de Belges, de Français, pensaient ainsi, et se bornaient à chercher une définition claire,

incontestable, de l'Etat agresseur. Les autres, s'appuyant
sur l'histoire, et tirant un argument persuasif des échos
tendancieux parus ces jours derniers dans la presse française, allemande ou russe, dénonçaient le mythe des
guerres de légitime défense : « Un gouvernement », di-
saient-ils, « résolu à entraîner son peuple dans la guerre,
trouve toujours un subterfuge pour être attaqué, ou pour
le paraître; si l'on veut déjouer cette manœuvre, il est
donc indispensable que le principe de la grève préventive soit proclamé à l'avance, de façon que la réponse à
toute menace de guerre soit automatique; il est indispensable que ce principe soit admis, dès maintenant, à l'unanimité et sans échappatoire possible, par les chefs socialistes de tous les pays, afin que cette résistance collective,
— la seule efficace, la résistance par la cessation générale
du travail, — puisse être, à l'heure du péril, déclenchée
partout à la fois, et *simultanément*. » On ignorait encore
les résultats de ce débat, où se décidait peut-être le sort
prochain de l'Europe.

Jacques sentit que quelqu'un lui poussait le coude.
C'était Saffrio, qui l'avait aperçu et s'était glissé jusqu'à
lui.

— « Je voulais te parler de la bellissime lettre que
Palazzolo a reçue de Mussolini », dit-il en tirant plusieurs
feuillets pliés, qu'il gardait précieusement entre sa chemise et sa poitrine. « J'ai recopié le meilleur... Et Richardley l'a traduit en bon style, pour *le Fanal*. Tu vas
voir... »

Le brouhaha était si intense que Jacques dut approcher son oreille tout près des lèvres de Saffrio.

— « Ecoute... D'abord ça : " Par la guerre, la bourgeoisie met le prolétariat en face de ce choix tragique :
ou bien se rebeller; ou bien prendre part à la boucherie.
La rébellion, elle est vite noyée dans le sang; et la boucherie, elle se protège derrière de grands mots, comme le
Devoir, la Patrie... " Tu écoutes?... Benito écrit encore :
" La guerre entre nations est la plus sanguinaire forme
de la collaboration de classes. La bourgeoisie est contente
quand elle peut écraser le prolétariat sur l'autel de la
Patrie !... " Et aussi : " L'Internationale, c'est l'aboutis-

sement inévitable des événements futurs... " Oui », fit-il
d'une voix vibrante. « Il dit bien ! *L'internazionale*, c'est
le but ! Et tu vois : *l'Internazionale*, elle est déjà assez
forte pour sauver les peuples ! Tu vois, ce soir, ici !
L'union des prolétariats, c'est la paix du monde ! »

Il se redressa. Ses yeux brillaient. Il continuait à parler ; mais le vacarme grandissant empêchait Jacques de
comprendre ses paroles.

Car la foule, tassée dans cette atmosphère étouffante,
commençait à s'impatienter. Pour l'occuper, les militants
belges eurent l'idée d'entonner leur chant : *Prolétaires*,
unissez-vous, que bientôt tout le monde reprit à l'unisson.
D'abord hésitante, chaque voix, prenant appui sur sa
voisine, s'affermit ; et pas seulement chaque voix : chaque
cœur. Ce chant créait un lien, devenait un symbole sonore,
concret, de solidarité.

Lorsque les délégués, tant attendus, apparurent enfin,
au fond du Cirque, la salle entière se leva, et une clameur
retentit ; une clameur joyeuse, familière, confiante. Et,
spontanément, sans qu'aucun mot d'ordre eût été donné,
l'Internationale, jaillie de toutes les poitrines, couvrit le
tumulte des ovations. Puis, sur un signe de Vandervelde,
qui présidait, les chants se turent, comme à regret. Et,
tandis que s'établissait peu à peu le silence, toutes les
têtes demeurèrent tournées vers cette phalange de chefs.
Les diverses feuilles du Parti avaient popularisé leurs
silhouettes. On se les montrait du doigt. On se chucho-
tait leurs noms. Pas un pays ne manquait à l'appel. En
cette heure angoissante de la vie continentale, tout l'Europe ouvrière était là, représentée sur cette petite estrade,
où se concentraient dix milliers de regards chargés de
la même opiniâtre et solennelle espérance.

Cette confiance collective, contagieuse, redoubla
lorsqu'on apprit, de la bouche de Vandervelde, que, sur
la proposition du parti allemand, le Bureau venait de
décider la réunion, à Paris, et dès le 9 août, du fameux
Congrès socialiste international, préalablement convoqué
à Vienne pour le 23. Au nom du Parti français, Jaurès
et Guesde avaient accepté la responsabilité de l'organisation ; et, faisant appel au zèle de tous, projetaient de

donner à cette manifestation, dont le titre serait : « la Guerre et le prolétariat », un retentissement exceptionnel.

— « *Au moment où deux grands peuples peuvent être lancés l'un contre l'autre* », s'écria Vandervelde, « *ce n'est pas un spectacle banal que de voir les représentants des syndicats et des groupements ouvriers d'un de ces pays, qui les a élus par plus de quatre millions de voix, se rendre sur le territoire de la nation dite ennemie, pour fraterniser, et pour proclamer leur volonté de maintenir la paix entre les peuples!* »

Haase, député socialiste du Reichstag, se leva au milieu des applaudissements. Son courageux discours ne laissa pas subsister la moindre équivoque sur la sincérité de la collaboration des social-démocrates :

— « *L'ultimatum autrichien a été une véritable provocation... L'Autriche a voulu la guerre... Elle semble compter sur l'appui de l'Allemagne... Mais le socialisme allemand n'entend pas que le prolétariat puisse être engagé par des traités secrets... Le prolétariat allemand déclare que l'Allemagne ne doit pas intervenir*, MÊME *si la Russie entrait dans le conflit!* »

Des acclamations interrompaient chacune de ses phrases. La netteté de cette proclamation était un soulagement pour tous.

— « *Que nos adversaires prennent garde!* » s'écria-t-il, en terminant. « *Il se peut que les peuples, fatigués par tant de misère et d'oppression, s'éveillent enfin et s'unissent pour fonder la société socialiste!* »

L'Italien Morgari, l'Anglais Keir-Hardie, le Russe Roubanovitch, prirent successivement la parole. L'Europe prolétarienne n'avait qu'une voix pour flétrir l'impérialisme dangereux de ses gouvernements et réclamer les concessions nécessaires au maintien de la paix.

Quand Jaurès, à son tour, s'avança pour parler, les ovations redoublèrent.

Sa démarche était plus pesante que jamais. Il était las de sa journée. Il enfonçait le cou dans les épaules; sur son front bas, ses cheveux, collés de sueur, s'ébouriffaient. Lorsqu'il eut lentement gravi les marches, et que,

le corps tassé, bien d'aplomb sur ses jambes, il s'immobilisa, face au public, il semblait un colosse trapu qui
tend le dos, et s'arc-boute, et s'enracine au sol, pour
barrer la route à l'avalanche des catastrophes.

Il cria :

— « *Citoyens!* »

Sa voix, par un prodige naturel qui se répétait chaque
fois qu'il montait à la tribune, couvrit, d'un coup, ces
milliers de clameurs. Un silence religieux se fit : le
silence de la forêt avant l'orage.

Il parut se recueillir un instant, serra les poings, et,
d'un geste brusque, ramena sur sa poitrine ses bras courts.
(« Il a l'air d'un phoque qui prêche », disait irrévéren-
cieusement Paterson.) Sans hâte, sans violence au départ,
sans force apparente, il commença son discours; mais,
dès les premiers mots, son organe bourdonnant, comme
une cloche de bronze qui s'ébranle, avait pris possession
de l'espace, et la salle, tout à coup, eut la sonorité d'un
beffroi.

Jacques, penché en avant, le menton sur le poing, l'œil
tendu vers ce visage levé — qui semblait toujours regarder ailleurs, au-delà, — ne perdait pas une syllabe.

Jaurès n'apportait rien de nouveau. Il dénonçait, une
fois de plus, le danger des politiques de conquête et de
prestige, la mollesse des diplomaties, la démence patriotique des chauvins, les stériles horreurs de la guerre. Sa
pensée était simple; son vocabulaire, assez restreint; ses
effets, souvent, de la plus courante démagogie. Pourtant
ces banalités généreuses faisaient passer à travers cette
masse humaine à laquelle Jacques appartenait ce soir,
un courant de haute tension, qui la faisait osciller au
commandement de l'orateur, frémir de fraternité ou de
colère, d'indignation ou d'espoir, frémir comme une
harpe au vent. D'où venait la vertu ensorcelante de Jaurès? de cette voix tenace, qui s'enflait et ondulait en
larges volutes sur ces milliers de visages tendus? de son
amour si évident des hommes? de sa foi? de son lyrisme
intérieur? de son âme symphonique, où tout s'harmoni-
sait par miracle, le penchant à la spéculation verbeuse et
le sens précis de l'action, la lucidité de l'historien et la

rêverie du poète, le goût de l'ordre et la volonté révolutionnaire? Ce soir, particulièrement, une certitude têtue,
qui pénétrait chaque auditeur jusqu'aux moelles, émanait de ces paroles, de cette voix, de cette immobilité : la
certitude de la victoire toute proche; la certitude que,
déjà, le refus des peuples faisait hésiter les gouvernements
et que les hideuses forces de la guerre ne pourraient pas
l'emporter sur celles de la paix.

Lorsque, après une péroraison pathétique, il quitta
enfin la tribune, contracté, écumant, tordu par le délire
sacré, toute la salle, debout, l'acclama. Les battements
de mains, les trépignements, faisaient un vacarme assourdissant, qui, pendant plusieurs minutes, roula d'un mur
à l'autre du Cirque, comme l'écho du tonnerre dans une
gorge de montagne. Des bras tendus agitaient frénétiquement des chapeaux, des mouchoirs, des journaux, des
cannes. On eût dit un vent de tempête secouant un champ
d'épis. En de pareils moments de paroxysme, Jaurès
n'aurait eu qu'un cri à pousser, un geste de la main à
faire, pour que cette foule fanatisée se jetât, derrière lui,
tête baissée, à l'assaut de n'importe quelle Bastille.

Insensiblement, ce tumulte s'ordonna, devint rythme.
Pour se délivrer de l'étau qui les serrait, toutes ces poitrines haletantes recouraient de nouveau à la musique,
au chant :

— Debout les damnés de la terre!...

Et, au dehors, les milliers de manifestants qui n'avaient
pu entrer, et qui, malgré les déploiements de la police,
obstruaient toutes les rues avoisinantes, reprirent le
refrain de *l'Internationale* :

Debout les damnés de la terre!...
. . . .
C'est l'éruption de la fin!

LIII

La salle, insensiblement, se vidait. Jacques, soulevé, ballotté en tous sens, protégeait de son mieux le petit Vanheede, qui se cramponnait à lui comme un naufragé, et il ne quittait pas de l'œil le groupe que formaient, à quelques mètres, Meynestrel, Mithœrg, Richardley, Saffrio, Zelawsky, Paterson et Alfreda. Mais comment les atteindre? Poussant l'albinos devant lui, et profitant des moindres remous qui le dérivaient du côté de ses amis, il parvint à franchir peu à peu le court intervalle qui le séparait d'eux. Alors seulement il cessa de lutter et se laissa charrier, avec les autres, par le courant qui les entraînait vers la sortie.

Au chant de *l'Internationale*, qui tantôt éclatait comme une fanfare, et tantôt roulait en sourdine, se mêlaient des cris stridents : « A bas la guerre! », « Vive la Sociale! », « Vive la paix! »

— « Viens, petite fille, tu vas te perdre », dit Meynestrel.

Mais Alfreda n'entendit pas. Accrochée au bras de Paterson, elle voulait absolument voir ce qui se passait à l'avant.

— « Attends, chère », murmura l'Anglais.

Il entrelaça solidement les doigts de ses deux mains et, se penchant, il offrit à la jeune femme une sorte d'étrier, où elle réussit à mettre le pied.

— « Hop! »

Il se redressa d'un coup de reins et la souleva au-dessus des têtes. Elle riait. Pour conserver son équilibre, elle plaquait son corps contre le buste de Paterson. Ses grands yeux de poupée, largement ouverts, brillaient ce soir d'un feu sauvage.

— « Je ne vois rien », dit-elle, d'une voix molle, eni-vrée... « Rien... qu'une forêt de drapeaux! »

Elle ne se hâtait pas de descendre. L'Anglais, aveuglé par un pan de la jupe, continuait à avancer, en trébu-chant.

Ils se trouvèrent tous dehors sans savoir comment.

Dans la rue, l'entassement était plus compact encore que dans la salle, et le vacarme si intense, si continu, qu'on cessait presque de l'entendre. Après quelques minutes de piétinement, cette masse humaine parut s'orienter, s'ébranla, et, submergeant les cordons de la police, englou-tissant au passage les curieux tassés sur les trottoirs, se mit à couler lentement dans la nuit.

— « Où nous mènent-ils? » demanda Jacques.

— « *Zusammen marschieren, Camm'rad* [1]! » cria Mi-thœrg, dont le visage mou était rouge et gonflé comme s'il sortait de l'eau bouillante.

— « Je pense qu'on va manifester devant les minis-tères », expliqua Richardley.

— « *Keinen Krieg! Friede! Friede* [2]! » hurlait Mithœrg.

Et Zelawsky modulait, sur un ton guttural :

— « *Daloï Vaïnou!... Mir! Mir* [3]! »

— « Où donc est Freda? » murmura Meynestrel.

Jacques se retourna pour chercher la jeune femme des yeux. Derrière lui, marchait Richardley, la tête haute, son éternel sourire aux lèvres, son sourire trop crâne. Puis venait Vanheede, entre Mithœrg et Zelawsky : l'albinos avait noué ses coudes aux bras de ses deux compagnons, et il semblait porté par eux; il ne criait pas, il ne chantait pas; il dressait vers le ciel son masque diaphane, aux yeux mi-clos, avec une expression dou-loureuse et extasiée... Plus loin, suivaient Alfreda et Paterson. Jacques n'aperçut que leurs visages; mais si rapprochés que les deux corps paraissaient enlacés.

1. « Marcher en groupe, camarade! »
2. « Pas de guerre! La paix! La paix! »
3. « A bas la guerre! Paix! Paix. »

— « Où est-elle donc? » répéta le Pilote, d'une voix anxieuse. Il était comme un aveugle qui a perdu son chien.

C'était une chaude nuit d'été, sombre et profonde. Les devantures étaient éteintes. A toutes les fenêtres, dont beaucoup étaient éclairées, des silhouettes noires se penchaient. Au croisement des grandes artères, des chapelets de trams, sans lumière et vides, s'alignaient sur les rails. Des nuées de piétons affluaient par les rues, et grossissaient sans trêve le flot mouvant. La majorité des manifestants était faite d'ouvriers de la ville et de la banlieue. Et, de partout, d'Anvers, de Gand, de Liége, de Namur, de tous les centres miniers, il était venu des militants pour se joindre aux socialistes bruxellois, et aux délégations étrangères : Bruxelles, ce soir, semblait devenue la capitale européenne de la paix.

« Mais, ça y est! » se dit Jacques. « La paix est sauvée! Aucune force au monde ne renversera ce barrage! Si cette foule le veut, la guerre ne passera pas! »

La police, impuissante, s'était contentée de protéger le Palais royal, le Parc et les ministères, par un quadruple cordon d'agents, devant lequel la tête du cortège défila sans s'arrêter, pour gagner la place Royale, et descendre vers le centre de la ville. Au passage, devant la solennité muette des palais, les bouches, par milliers, scandaient, du même élan : « Vive la Sociale! », « A bas la guerre! »

A l'avant, des groupes recueillis marchaient fièrement autour de leurs oriflammes. Le reste suivait, sans ordre, formant une ruisselante et tumultueuse kermesse, où des femmes s'agrippaient au bras de leurs hommes, où des gosses, hissés sur l'épaule des pères, ouvraient des yeux fascinés. Tous avaient conscience de représenter une fraction de la grande force prolétarienne. Les traits tendus, le regard fixe, ils marchaient sans presque se parler; et, dans les arrêts, ils continuaient à marquer le pas, en cadence. Les fronts découverts luisaient sous les globes électriques. Sur tous ces visages enivrés de confiance et durcis par la même volonté, se lisait la conviction que, ce soir, la partie était gagnée contre les gouvernements. Et, au-dessus de cette marée déferlante, *l'Internationale*, gueulée sans trêve, à pleine voix, déployait son chant puissamment martelé, qui était comme la pulsation de tous ces cœurs.

A plusieurs reprises, Jacques eut l'impression que Meynestrel tentait de s'approcher de lui davantage, comme s'il eût voulu lui parler; mais, chaque fois, il en était empêché par la bousculade ou par une recrudescence du tumulte.

— « Enfin, la voilà, *l'action de masse!* » lui cria Jacques. Il s'efforçait de sourire, par un reste de respect humain; mais son regard étincelait de cette même joie fiévreuse qui éclatait dans tous les yeux.

Le Pilote ne répondit pas. Ses prunelles étaient dures, et sa bouche gardait un pli d'amertume que Jacques ne s'expliquait pas.

Devant eux, un frémissement houleux fit brusquement osciller le cortège. La tête de la colonne avait dû se heurter à quelque obstacle. Comme Jacques se dressait sur les pointes pour essayer de comprendre la cause du désordre, il perçut à son oreille la voix du Pilote : quelques mots, jetés très vite, sur ce ton de fausset qui déconcertait toujours :

— « Mon petit, je crois bien que, ce soir, Freda ne... »

Le reste de la phrase s'était à demi perdu dans le bruit. Jacques se tourna, stupéfait : il avait cru entendre : « ...ne reviendra pas à l'hôtel ».

Leurs regards se croisèrent. Le visage du Pilote était dans l'ombre; ses pupilles noires, aussi dénuées d'expression que celles d'un chat, flambaient avec une phosphorescence animale.

A ce moment, un remous profond se propagea jusqu'à eux, et les souleva.

Au croisement du boulevard du Midi, un petit groupe de nationalistes, réunis en hâte autour d'un drapeau, avait témérairement voulu barrer le passage au défilé. Courte bagarre, qui n'avait pas empêché les manifestants de continuer leur route. Mais cet arrêt, ces secousses, avaient suffi pour séparer Jacques de Meynestrel et de ses amis.

Déporté vers la droite, il se trouva bloqué contre les maisons, tandis que, au centre, sous la pression de l'arrière, s'établissait un fort courant qui entraînait le groupe de Meynestrel en avant. Et, tout à coup, de la place où il était momentanément immobilisé, il aperçut, à quelques mètres, le visage de Paterson. L'Anglais était toujours avec Alfreda. Ils passèrent sans le voir. Mais, lui, il eut le temps de les regarder. Ils ne ressemblaient plus à eux-mêmes... La pénombre, en accusant les reliefs osseux, sculptait bizarrement le masque de Paterson. Ses yeux, généralement mobiles et rieurs, avaient un éclat fixe, et comme une pointe de folie cruelle. La figure d'Alfreda n'était pas moins changée : une expression ardente, résolue, insolemment sensuelle, déformait et vulgarisait ses traits : on eût dit le visage d'une fille, le visage d'une fille saoule. Elle appuyait sa tempe contre l'épaule de Pat'. Sa bouche était ouverte : elle chantait l'*Internationale*, d'une voix rauque et saccadée; elle avait l'air de célébrer son propre triomphe, sa délivrance, la victoire de l'instinct... Les mots de Meynestrel revinrent à l'esprit de Jacques : « Je crois que, ce soir, Freda ne reviendra pas... »

Il eut peur; et, sans bien savoir ce qu'il allait leur dire, il essaya de se glisser dans la foule, pour les rejoindre. Il cria : « Pat'! » Mais il était prisonnier de cette masse qui l'enserrait. Après de vains efforts, il dut renoncer. Quelque temps encore, il les suivit des yeux; puis il les perdit complètement de vue, et s'abandonna, passif, au flot qui maintenant le portait en avant.

Alors, seul, il fut saisi par le phénomène magique de la contagion collective. Toute perception de l'espace et du temps s'évanouit; la conscience individuelle s'effaça. Ce fut comme un obscur, un léthargique retour au milieu originel. Plongé, fondu dans cette multitude ambulante, fraternelle, il se sentait débarrassé de lui-même. Au fond de l'être, pareille à une source chaude qui ne jaillit pas jusqu'à la surface, sans doute gardait-il bien la conscience confuse de faire partie d'un tout, d'un tout qui était le nombre, la vérité, la force; mais il n'y songeait pas. Et il continuait à marcher, la tête vide, en proie à une ivresse légère, reposante comme un sommeil.

Cet état bienheureux se prolongea une heure, peut-être davantage. Le choc de son pied au bord d'un trottoir le tira de cet envoûtement. Il découvrit soudain sa fatigue.

La colonne, endiguée entre de sombres façades, avançait toujours, d'un glissement lent, implacable. A l'arrière, les chants avaient presque cessé. Par instants, un cri farouche délivrait une poitrine oppressée : « Vive la paix! », « Vive l'Internationale! »; et ce cri, pareil au salut matinal du coq, en éveillait d'autres, ici et là. Puis, le calme retombait; et ce n'était plus, pendant quelques minutes, qu'un halètement sourd, un piétinement de troupeau.

Il manœuvra pour dériver vers le bord, approcher des maisons. Il se laissa charrier le long des boutiques closes, guettant une occasion pour s'échapper. Une ruelle s'offrit. Elle était pleine de gens du quartier, massés là, pour voir. Il put s'y faufiler, gagner un espace libre, près d'une fontaine encastrée dans le mur. L'eau coulait, fraîche et claire, avec un bruit amical. Il but, mouilla son front, ses mains, et resta un long moment, à souffler. Au-dessus de lui, le firmament d'été scintillait. Il se rappela les bagarres de Paris, l'avant-veille; celles d'hier, à Berlin. Dans toutes les villes d'Europe, les peuples s'insurgeaient, avec la même violence, contre le sacrifice inutile. Partout, à Vienne, sur la Ringstrasse, à Londres, dans Trafalgar Square, à Pétersbourg, sur la Perspective Newski, où des cosaques, sabre au clair, chargeaient les manifestants, partout, s'élevait le même cri : « *Friede! Peace! Mir!* » Par-dessus les frontières, les mains de tous les travailleurs se tendaient vers le même idéal fraternel; et, de toute l'Europe jaillissait la même clameur. Comment douter de l'avenir? Demain, l'humanité, délivrée de son angoisse, allait pouvoir de nouveau travailler à se faire un destin meilleur...

L'avenir!... Jenny...

L'image de la jeune fille l'avait ressaisi brusquement, refoulant tout, substituant aux violentes exaltations de ce soir, un désir éperdu de tendresse, de douceur.

Il se leva, et se remit en marche, dans la nuit.

Dormir... C'était la seule chose, maintenant, dont il avait envie. N'importe où, sur le premier banc venu... Il chercha à s'orienter dans cette partie de la ville qu'il connaissait mal. Et, soudain, il se trouva sur une place déserte, qu'il se rappelait avoir traversée, cet après-midi, avec Paterson et Alfreda. Courage... L'hôtel où l'Anglais avait sa chambre ne devait pas être éloigné...

Il le retrouva, en effet, sans trop de peine.

Il prit tout juste le temps de se déchausser, d'enlever son veston, son col, et se jeta, à demi habillé, sur le lit.

LIV

Lorsqu'il ouvrit les yeux, la pièce était violemment éclairée. Il mit quelques secondes à reprendre pied dans le réel. Il aperçut le dos d'un homme, agenouillé au fond de la chambre : Paterson... L'Anglais pliait en hâte quelques vêtements dans une valise ouverte à terre. Partait-il déjà? Quelle heure était-il?

— « C'est toi, Pat'? »

Paterson, sans répondre, ferma la valise, la posa près de la porte et s'approcha du lit. Il était pâle, et son regard était provocant :

— « Je l'emmène! » jeta-t-il.

Une sorte de menace vibrait dans sa voix.

Jacques le regardait, abasourdi, les yeux gonflés de fatigue.

— « *Hush!* Tais-toi! » bégaya Paterson, bien que Jacques n'eût pas même remué les lèvres. « Je sais!... C'est ainsi! Et personne n'y peut plus rien!... »

Jacques, brusquement, avait compris. Il dévisageait l'Anglais avec l'expression d'un enfant qu'on a éveillé en plein cauchemar.

— « Elle est en bas, dans un taxi. Elle est déterminée. Moi aussi. Elle ne lui a rien dit, elle le plaint, elle ne veut rien lui dire, elle n'a même pas voulu reprendre ses choses à elle. Nous partons, elle ne le reverra pas. Le premier train, pour Ostende. Demain soir, à Londres... Tout est fini comme ça. Personne n'y peut plus rien! »

Jacques s'était redressé. Il appuyait sa tête au bois du lit, et ne disait rien. « Une gueule d'assassin », songea-t-il.

— « Moi, c'est depuis des mois! » continua Paterson, immobile sous le plafonnier. « Mais je n'avais jamais

osé... Ce soir seulement, j'ai appris qu'elle aussi... Pauvre
darling! Tu ne sais pas sa vie avec cet homme... Moins
qu'un homme : *rien!*... Oh, il a le noble rôle! Il l'avait
prévenue. Elle avait tout accepté! Elle pensait pouvoir.
Elle ne savait pas... Mais, depuis qu'elle m'aime, non,
le sacrifice est impossible... Ne la juge pas! » répéta-t-il
soudain, comme s'il avait lu quelque verdict sévère sur
la physionomie hébétée de Jacques. « Tu ne sais pas
quel il est, cet homme! Capable de tout! Par désespoir
de ne croire à rien, de ne pouvoir croire à rien, — pas
même de croire à lui, — parce qu'il n'est *rien!* »

Jacques, les bras allongés sur le lit, la tête un peu renversée, les yeux brûlés par la lumière, n'avait pas fait un
mouvement. La fenêtre était ouverte. Des moustiques,
qu'il n'essayait pas de chasser, cornaient à ses oreilles.
Il éprouvait cette faiblesse écœurante des gens qui ont
perdu beaucoup de sang.

— « Chacun a droit de vivre! » reprit farouchement
l'Anglais. « Tu peux demander à quelqu'un qu'il se
jette à l'eau pour sauver un homme : mais tu ne peux pas
demander qu'il tienne encore et toujours la tête de
l'homme au-dessus de l'eau, jusqu'à lui-même être sui-
cidé!... Elle veut vivre. Eh bien! moi, je suis là, et je
l'emmène!... *Hush!*... »

— « Je ne vous reproche rien », murmura Jacques,
sans bouger la tête. « Mais je pense à *lui*... »

— « *You don't know him! He is capable of anything!...
That man is a monstre... — a perfect monstre* [1]! »

— « Peut-être qu'il en mourra, Pat'. »

Les lèvres de Paterson s'entrouvrirent, et ses traits
blêmes se contractèrent comme s'il eût reçu un coup.
Jacques ne put supporter la vue de ce visage, qui, tout
à coup, lui sembla hideux. « Un assassin », songea-t-il
de nouveau. Il détourna les yeux, une seconde, puis il
poursuivit, d'une voix sourde :

— « Je pense au Parti. Le Parti a besoin de ses chefs.

---

1. « Tu ne le connais pas! Il est capable de n'importe quoi!...
Cet homme est un monstre... un véritable monstre! »

Plus que jamais... C'est une trahison, Pat'. Une trahison double. Une trahison sur tous les plans. »

L'Anglais avait reculé jusqu'à la porte. Sa casquette de travers, son teint blafard, son œil traqué, le rictus de sa bouche, lui donnaient soudain une face de gouape. Il se baissa vivement, et saisit la valise. Il n'avait plus l'air d'un assassin, mais d'un cambrioleur.

— « *Good night!* » fit-il. Il avait les paupières baissées. Il ne les releva pas, et s'enfuit.

A peine la porte fut-elle refermée, que la pensée de Jenny vint s'imposer à Jacques, avec une acuité insoutenable. Pourquoi Jenny?... Il entendit, dans la rue silencieuse, une auto qui démarrait. Longtemps, la tête appuyée au bois, l'œil fixé sur la porte close, il demeura immobile. Tantôt il avait devant lui la jolie figure de Pat', son regard frais, son sourire de boy blond; et tantôt ce masque cafard de domestique congédié, de voleur pris sur le fait, ce masque effronté et honteux... Un masque hideusement dénaturé par la passion... Celui qu'il avait, sans doute, lui-même, dans le couloir du métro, à la poursuite de Jenny... Et, ce jour-là, n'était-il pas capable, lui aussi, de vilenies, de trahisons?

Dès six heures et demie, Jacques, qui n'avait pu se rendormir, courait chez Meynestrel.

Tout sommeillait encore dans la pension. Seule, une vieille femme lavait le carrelage du vestibule. Jacques, une minute, balança : devait-il repartir, ou monter? S'il voulait prendre le train à huit heures, il n'avait pas le temps de retarder sa visite; et, après la scène de la nuit, il ne pouvait se résoudre à quitter Bruxelles sans avoir revu son ami.

Il frappa, une première fois, à la chambre du Pilote. Pas de réponse. S'était-il trompé? Non, c'était bien là, n° 19, qu'il était venu hier. Meynestrel, après une nuit de vaine attente, s'était peut-être endormi?... Il allait frapper de nouveau, lorsqu'il crut percevoir, contre la porte, un rapide glissement de pieds nus, le frôlement d'une main sur la serrure. Une pensée folle, terrible, lui traversa l'esprit. Instinctivement, il saisit le bouton, et

le tourna. La porte s'ouvrit et heurta Meynestrel,
juste au moment où celui-ci allait donner un tour de
clef.

Les deux hommes se dévisagèrent. Sur les traits glacés
du Pilote, aucune expression traduisible : un éclair de
dépit, peut-être... Il parut hésiter, l'espace d'une seconde.
Allait-il repousser le visiteur, refermer le battant ? Jacques
en eut le soupçon. Cédant à la même intuition qui lui
avait fait tourner le pène, il poussa la porte d'un coup
d'épaule, et entra.

Du premier coup d'œil, il s'aperçut que la chambre
était changée, comme agrandie. La table, les chaises,
étaient poussées contre les murs, laissant, au centre, une
place libre, devant la glace de l'armoire. Le lit était
défait, mais recouvert. La pièce paraissait rangée, préparée pour quelque chose. Meynestrel aussi : il était
vêtu d'un pyjama bleuté, sur lequel les plis du repassage
se voyaient encore. Aucun vêtement ne pendait au porte-
manteau. Pas d'ustensiles de toilette sur le lavabo. Tout
semblait déjà enfermé, pour un départ, dans les deux
mallettes closes, posées devant la fenêtre. Pourtant, le
Pilote ne pouvait sortir en pyjama, et pieds nus ?...

Les yeux de Jacques revinrent sur Meynestrel. Il était
resté à la même place ; il regardait Jacques. Il était debout,
immobile, mais il n'avait pas l'air assuré sur ses jambes.
Il faisait penser à un opéré qui sort de léthargie ; à un
mort, qu'on vient de tirer du néant.

— « Qu'est-ce que vous *alliez* faire ? » balbutia Jacques.

— « Moi ? » fit Meynestrel. Ses paupières s'abaissèrent
malgré lui. Chancelant, il recula jusqu'au mur, et balbutia, comme s'il avait mal entendu :

— « Ce que je *vais* faire ?... »

Puis, s'asseyant près de la table, il mit doucement son
front entre ses mains.

Même sur la table régnait un ordre étrange. Deux
lettres cachetées étaient posées, l'une à côté de l'autre,
à l'envers ; et, sur un journal plié, s'alignaient des objets
personnels : un stylo, un portefeuille, une montre, un
trousseau de clefs, de la monnaie belge.

Jacques demeura quelques instants perplexe, sans oser

faire un mouvement; puis il s'approcha de Meynestrel, qui, aussitôt, redressa la tête :

— « Chut... »

Il se leva avec effort, fit quelques pas en boitant, revint vers Jacques, et répéta, une seconde fois, mais sur un ton tout différent :

— « Ce que je vais faire?... Eh bien! je vais m'habiller, mon petit... et puis je vais sortir d'ici, avec toi! »

Sans regarder Jacques, il ouvrit une des mallettes, en tira ses effets, les déplia sur le lit, sortit d'un journal ses souliers poussiéreux, et commença à se vêtir, comme s'il eût été seul. Lorsqu'il fut prêt, il s'avança jusqu'à la table, et, toujours sans s'occuper de Jacques qui s'était assis et se taisait, il prit les deux lettres, et les déchira en petits morceaux qu'il alla jeter dans la cheminée.

A ce moment, Jacques, qui ne le quittait pas des yeux, vit que l'âtre était plein de cendres, de papiers fraîchement brûlés. « Avait-il donc avec lui tant de notes personnelles? » se demanda-t-il. Et, tout à coup : « Les documents Stolbach? » Il jeta un coup d'œil égaré vers la mallette ouverte : elle était peu remplie, et l'on n'y apercevait pas le paquet des papiers. « Il les aura mis dans l'autre mallette », se dit Jacques, sans vouloir s'arrêter à l'absurde soupçon qui venait de l'effleurer.

Meynestrel était revenu vers la table. Il ramassa la monnaie, le portefeuille, les clefs, et mit le tout, avec ordre, dans ses poches.

Alors seulement, il parut se souvenir de la présence de Jacques. Il le regarda, et s'avança vers lui.

— « Tu as bien fait de venir, mon petit... Qui sait? Tu m'as rendu service, peut-être... »

Son visage était calme. Il souriait bizarrement.

— « Rien ne vaut la peine, vois-tu... Il n'y a jamais rien qui mérite qu'on désire; mais, rien non plus qui mérite qu'on craigne... Rien... Rien... »

D'un geste inattendu, il tendit à Jacques ses deux mains à la fois. Et, comme Jacques les saisissait avec émotion, Meynestrel murmura, sans cesser de sourire :

— « *So nimm denn meine Hünde, und fähre mich* [1]...
Allons ! » ajouta-t-il, en se dégageant.

Il s'approcha des mallettes, et en prit une. Jacques se
pencha aussitôt pour prendre l'autre.

— « Non, celle-là n'est pas à moi... Je la laisse. »

Et, dans son regard voilé, passa un rapide sourire,
d'une tristesse, d'une tendresse, déchirantes.

— « Il a détruit les documents », se dit Jacques, stupéfait. Mais il n'osa poser aucune question.

Ils sortirent ensemble de la pièce. Meynestrel tirait la
jambe, un peu plus que de coutume.

En bas, il passa devant la porte du bureau, sans entrer.
Jacques songea : « Il avait même pensé à régler sa note ! »

— « Express de Genève... Sept heures cinquante »,
murmura Meynestrel, en consultant l'horaire des che-
mins de fer affiché sur le mur du vestibule. « Et toi ? Tu
prends huit heures, pour Paris ? Tu auras juste le temps
de me mettre dans mon train... Comme tout s'arrange,
tu vois... ! »

1. « Et maintenant, prends mes mains, et conduis-moi. »

LV

Une courte et chaude averse venait de laver Paris, et le soleil de midi brillait d'un plus mordant éclat, lorsque Jacques débarqua du train de Belgique.

Il était sombre. Les mauvais présages s'accumulaient. Durant son voyage, il n'avait recueilli que d'alarmants indices. Son train était bondé. Une grande effervescence régnait parmi les habitants des régions frontières. Les soldats permissionnaires, les officiers en congé dans le Nord, avaient été avisés télégraphiquement d'avoir à rejoindre leurs régiments. Isolé des socialistes français qui avaient quitté Bruxelles par le même convoi, il avait voyagé en surnombre dans un compartiment rempli de gens du Nord, qui se parlaient sans se connaître, se passaient les journaux, se communiquaient des nouvelles. Ils commentaient les événements avec une inquiétude où la surprise, la curiosité, une certaine incrédulité même, semblaient tenir plus de place encore que l'effroi; de toute évidence, la plupart s'accoutumaient déjà à l'idée d'une guerre possible. Les renseignements que ces gens colportaient sur les précautions prises par le gouvernement français étaient révélateurs. Partout, déjà, les voies, les ponts, les aqueducs, les usines apparentées aux industries de guerre, étaient surveillés par la troupe. Un bataillon d'active occupait les moulins de Corbeil, dont le directeur était accusé, par *l'Action française*, d'être officier de réserve dans l'armée allemande. A Paris, l'adduction des eaux, les réservoirs d'alimentation, étaient sous la garde de l'armée. Un monsieur décoré expliquait, avec des précisions d'ingénieur, les travaux entrepris en hâte à la tour Eiffel pour perfectionner l'équipement de

▼   18 la T. S. F. Un Parisien, constructeur d'autos, se plaignait que plusieurs centaines de voitures, fortuitement réunies pour un concours, eussent été, sinon réquisitionnées, du moins retenues sur place jusqu'à nouvel ordre.

Par l'*Humanité*, que Jacques avait pu se procurer en gare de Saint-Quentin, il avait appris, avec stupeur et colère, que le gouvernement avait eu le front d'interdire, à la dernière minute, le meeting que la C. G. T. avait organisé, la veille, mercredi 29, à la salle Wagram, et où toutes les organisations ouvrières de Paris et de la banlieue étaient convoquées pour une manifestation de masse. Ceux des manifestants qui étaient venus quand même dans le quartier des Ternes, s'étaient vus refoulés par les charges brutales de la police. Les bagarres avaient duré une partie de la nuit; et peu s'en était fallu que des colonnes de militants eussent atteint le ministère de l'Intérieur et l'Elysée. On attribuait au retour de Poincaré ce geste d'autorité nationaliste, qui semblait annoncer l'intention du gouvernement de briser l'élan de la protestation ouvrière, sans respect pour le droit de réunion et au mépris des plus anciennes libertés républicaines.

Le train avait une demi-heure de retard. En sortant de la buvette, où il avait été prendre un sandwich, Jacques croisa un vieux journaliste qu'il avait rencontré plusieurs fois au *Café du Progrès*, un nommé Louvel, rédacteur à *la Guerre sociale*. Il habitait Creil, et venait tous les jours passer l'après-midi au journal. Ils sortirent ensemble de la gare. La cour, les maisons de la place, étaient encore pavoisées : le retour du président de la République, la veille, avait provoqué dans Paris une explosion de patriotisme, dont Louvel avait été témoin, et qu'il racontait avec une émotion inattendue.

— « Je sais », coupa Jacques. « Tous les journaux en sont pleins. C'est écœurant... Je pense que, à *la Guerre sociale*, vous n'avez pas fait chorus? »

— « A *la Guerre sociale*? Tu n'as donc pas lu les articles du patron, ces jours-ci? »

— « Non. J'arrive de Bruxelles. »

— « Tu retardes, mon bon... »

— « Gustave Hervé? »

— « Hervé n'est pas un rêveur imbécile... Il voit les choses comme elles sont... Voilà plusieurs jours déjà qu'il a compris que la guerre était inévitable, et qu'il serait fou, qu'il serait même criminel, de s'entêter dans l'opposition... Procure-toi son article de mardi, tu verras... »

— « Hervé, patriotard? »

— « Patriotard, si tu veux... Réaliste, tout simplement! Il reconnaît, avec loyauté, qu'on ne peut accuser le gouvernement d'aucun geste provocateur. Et il en conclut que, si la France est forcée de se battre pour son sol, rien dans la politique française de ces dernières semaines ne justifierait une défection du prolétariat. »

— « Hervé dit ça? »

— « Il a même été jusqu'à écrire tout net que ce serait *une trahison!* Parce que, ce sol, qu'il s'agirait de défendre, c'est la patrie de la Grande Révolution, après tout! »

Jacques s'était arrêté. Il regardait Louvel en silence. A la réflexion, il n'était pas tellement surpris : il se rappelait qu'Hervé avait pris violemment position contre l'idée de grève générale, remise en discussion, quinze jours plus tôt, par Vaillant et Jaurès au congrès du socialisme français.

Louvel poursuivait :

— « Tu retardes, mon bon; tu retardes... Va écouter ce qu'on dit ailleurs... A *la Petite République,* par exemple... Ou bien au Centre du Parti républicain, où j'ai passé hier soir... Partout, c'est le même son de cloche... Partout, les yeux se sont ouverts... Hervé n'est pas le seul à avoir compris... C'est très joli, la fraternité des peuples. Mais les événements sont là; il faut les regarder en face. Que veux-tu faire? »

— « N'importe quoi, plutôt que... »

— « Une guerre civile, pour éviter l'*autre?* Utopie!... A l'heure actuelle, personne ne marcherait... Devant la menace d'une invasion étrangère, tout mouvement d'insurrection avorterait. Même dans les centres ouvriers, même dans les milieux de l'Internationale, la majorité,

d'accord avec l'ensemble de la population, entend défendre son territoire... La fraternité universelle, oui, en
principe. Mais, pour l'instant, elle passe au second plan;
tout le monde, aujourd'hui, se sent une fraternité res-
treinte : une fraternité *française*, mon bon... Et puis,
nom de Dieu, voilà assez longtemps que les Pruscots
nous embêtent! S'ils veulent venir s'y frotter!... »

La place retentissait des cris d'une demi-douzaine de
camelots qui galopaient en glapissant :

— « *Paris-Midi!* »

Louvel traversa la chaussée pour acheter le numéro.
Jacques allait le suivre, lorsqu'un taxi vide, qui rôdait,
passa devant lui. Il sauta dedans. Avant toutes choses,
courir chez Jenny.

« Hervé... », songeait-il, écœuré. « Si ceux-là flanchent,
comment donc pourraient-ils tenir, les autres, les petits,
la masse... ceux qui lisent chaque matin, dans tous les
journaux, qu'il y a des guerres justes et des guerres
injustes, et qu'une guerre contre l'impérialisme prussien, pour en finir, une bonne foi, avec les pangerma-
nistes, serait une guerre juste, une guerre sainte, une
croisade pour la défense des libertés démocratiques!... »

En arrivant avenue de l'Observatoire, il leva les yeux
vers le balcon des Fontanin. Toutes les fenêtres étaient
ouvertes.

« Sa mère est peut-être de retour? » se dit-il.

Non : Jenny était seule. Il en eut la certitude, dès
qu'il la vit, pâle, bouleversée de joie, ouvrir la porte et
reculer dans l'ombre du vestibule. Elle fixait sur lui un
regard anxieux, mais si tendre, qu'il avança vers elle,
et, spontanément, écarta les bras. Elle frissonna, ferma
les yeux, et s'abattit sur sa poitrine. Leur première
étreinte... Ni l'un ni l'autre ne l'avait prémédité; elle
ne dura que quelques secondes : subitement, comme si
Jenny reprenait conscience d'une réalité impérieuse, elle
se dégagea; et, levant la main vers la table où gisait un
journal déplié :

— « Est-ce vrai? »

— « Quoi? »

— « La... mobilisation! »

Il saisit la feuille qu'elle désignait. C'était un numéro de ce *Paris-Midi* qu'on criait sur la place de la gare; qu'on vendait, depuis une heure, par milliers d'exemplaires, dans tous les quartiers de Paris. La concierge, affolée, venait de l'apporter à Jenny.

Le sang afflua au visage de Jacques :

Un conseil de guerre a été tenu cette nuit à l'Elysée... Le IIIe Corps d'armée est dirigé en hâte vers la frontière... Les troupes du VIIIe Corps ont reçu leurs effets, leurs munitions, leurs vivres de campagne, et attendent l'ordre de départ...

Elle le regardait, les traits figés par l'angoisse. Enfin, avec la brusquerie d'une hésitation vaincue, elle murmura :

— « S'il y a la guerre, Jacques... partirez-vous? »

Il attendait la question, depuis cinq jours. Il releva les yeux, et, de la tête, résolument, il fit : non.

Elle songea : « Je le savais »; puis, luttant contre la gêne perfide qui la troublait, elle se dit aussitôt : « Il faut beaucoup de bravoure pour refuser de partir! »

Ce fut elle qui rompit le silence :

— « Venez. »

Elle l'avait pris par la main, et l'entraînait. La porte de sa chambre était restée ouverte. Elle hésita une seconde, et l'y fit entrer. Il la suivit, sans faire attention.

— « Ce n'est peut-être pas vrai », soupira-t-il. « Mais ça peut l'être demain. La guerre nous enserre de tous les côtés. Le cercle se rétrécit. La Russie s'obstine, l'Allemagne aussi... Dans chaque pays, le pouvoir s'entête aux mêmes offres dérisoires, aux mêmes intransigeances, aux mêmes refus... »

« Non », pensait-elle, « ce n'est pas la peur. Il est courageux. Il est logique. Il ne doit pas faire comme les autres; il ne doit pas céder, il ne doit pas partir. »

Sans un mot, elle s'approcha de lui, et se blottit contre sa poitrine.

« Il me restera! » se dit-elle soudain; et son cœur fit un bond.

Jacques l'entourait de son bras, et, debout, penché sur elle, il baisait le front à demi caché. Elle défaillait

de douceur, à se sentir si fortement saisie. Elle se faisait petite et légère, pour qu'il pût — elle ne savait
quoi — la soulever, l'emporter... Elle brûlait de l'interroger sur son voyage, mais elle ne l'osait pas. Par la
seule pression de son visage, il l'obligea doucement à
relever la tête, et ses lèvres frôlèrent la joue, la longue
joue lisse, jusqu'à la bouche, qui restait close, serrée,
mais qui ne se détourna pas. Elle étouffait un peu sous
ce baiser insistant, et, pour respirer, glissant la main
entre leurs deux visages, elle écarta le buste. Ses traits
étaient surprenants de calme, de gravité. Jamais elle
n'avait paru plus consciente, plus responsable, plus résolue. Sans la brusquer, il la reprit passionnément contre
lui. Elle s'abandonna, sans timidité ni résistance. Elle
ne souhaitait plus rien que de se sentir ainsi tenue
entre ses bras. Sagement enlacés, joue contre joue, ils
s'assirent sur le lit bas, qui formait un étroit divan en
face de la fenêtre. Plusieurs minutes, ils demeurèrent
immobiles, silencieux.

— « Et toujours pas de lettre de maman », dit-elle à
mi-voix.

— « C'est vrai... Votre mère... »

Elle lui en voulut, quelques secondes, de partager si
mal l'angoisse qui la rongeait.

— « Aucune nouvelle ? »

— « Une carte de Vienne, écrite à la gare, et datée
de lundi : " Bien arrivée ". C'est tout ! »

Cette carte, Jenny l'avait reçue la veille, le mercredi
matin. Et, depuis, mortellement inquiète, elle avait en
vain guetté les courriers : ni lettres, ni télégramme...
Elle se perdait en conjectures.

D'un œil distrait, il parcourait cette chambre qu'il
ne connaissait pas, et dont la découverte l'eût si fort
ému quelques jours plus tôt. C'était une petite pièce
claire et ordonnée, tapissée d'un papier à raies blanches
et bleues. La cheminée servait de coiffeuse : des brosses
d'ivoire, une pelote à épingles, quelques photos insérées
dans la feuillure de la glace. Sur la table, le sous-main
de cuir blanc était fermé. Rien ne traînait, si ce n'est
quelques journaux hâtivement repliés.

Dans un souffle, à l'oreille, il dit :

— « Votre chambre... » Puis, comme elle ne répondait rien, il reprit, évasivement : « Je ne croyais vraiment pas que votre mère continuerait son voyage... »

— « Vous ne la connaissez pas! Maman ne renonce jamais à ce qu'elle a décidé. Et, maintenant qu'elle est sur place, elle voudra faire toutes les démarches qu'elle a en tête... Mais le pourra-t-elle? Que pensez-vous? Est-ce que ce n'est pas dangereux, en ce moment, d'être en Autriche? Dites? Que peut-il arriver? La laissera-t-on seulement revenir, si elle tarde? »

— « Je ne sais pas », avoua Jacques.

— « Que peut-on faire? Je n'ai même pas son adresse... Comment expliquer ce silence? Je me dis que si elle était repartie, elle m'aurait télégraphié... Elle doit donc être restée à Vienne; et, sûrement, elle m'écrit; les lettres doivent se perdre en route... » D'un geste anxieux, elle désigna les journaux sur la table : « Quand on lit ce qui se passe, on ne peut pas ne pas trembler... »

Ces journaux, Jenny avait couru les acheter, dès la première heure, — se hâtant de rentrer pour ne pas manquer le retour de Jacques. Et, toute la matinée, elle les avait lus et relus, obsédée par cette menace suspendue sur tous les êtres qui lui étaient chers : Jacques, sa mère, Daniel.

— « Daniel aussi m'a écrit », dit-elle, en se levant.

Elle alla prendre dans le sous-main une enveloppe qu'elle tendit à Jacques. Puis, d'elle-même, comme un animal fidèle, elle revint se blottir contre lui.

Daniel ne cachait pas l'inquiétude où le plongeait le voyage de Mme de Fontanin. Il s'apitoyait sur le sort de Jenny, seule à Paris pendant cette tourmente. Il lui conseillait d'aller voir Antoine, les Héquet. Il la conjurait de ne pas s'alarmer; tout pouvait s'arranger encore. Mais, en post-scriptum, il annonçait que sa division était en alerte, qu'il pensait quitter Lunéville dans la nuit, et que, peut-être, il lui serait difficile de donner de ses nouvelles les jours suivants.

La tête appuyée à la poitrine de Jacques, les yeux

levés, elle le regardait lire. Il replia la lettre et la lui
rendit. Il vit qu'elle attendait un mot d'espoir :

— « Daniel a raison : tout peut s'arranger encore...
Si seulement les peuples comprenaient... S'ils se décidaient à agir... C'est à ça qu'il faut travailler, jusqu'au
dernier, dernier moment! »

Emporté par son idée fixe, il conta brièvement les
manifestations de Paris, de Berlin, de Bruxelles, et quels
transports l'avaient saisi devant l'unanime élan de ces
foules qui, envers et contre tout, clamaient, par toute
l'Europe, leur volonté de paix. Et, soudain, il eut honte
d'être là. Il pensait à l'activité de ses camarades, aux
réunions organisées ce jour même dans les diverses sections socialistes, à tout ce qu'il avait personnellement à
faire, — cet argent qu'il devait prendre et mettre le
plus tôt possible à la disposition du Parti... Il avait
redressé la tête, et, tout en caressant les cheveux de la
jeune fille, il déclara, avec un mélange de mélancolie
et de rudesse :

— « Je ne peux pas rester avec vous, Jenny... Il y
a trop de choses qui m'appellent... »

Elle ne bougea pas, mais il la sentit se contracter, et
vit le regard désespéré qu'elle glissa vers lui. Il la pressa
plus violemment contre sa poitrine; il couvrit de baisers
le pauvre visage défait. Il avait pitié d'elle, et tout le
poids des événements s'aggravait soudain pour lui de
cette douleur muette qu'il ne savait comment secourir.

— « Je ne peux pourtant pas vous emmener avec
moi... », murmura-t-il, comme s'il eût pensé tout haut.

Elle tressaillit, et osa dire :

— « Pourquoi non? »

Avant qu'il eût compris ce qu'elle voulait faire, elle
s'était échappée de ses bras, avait ouvert son armoire,
pris un chapeau, des gants.

— « Jenny! J'ai dit ça... Mais c'est impossible, voyons.
J'ai des choses à faire, des gens à voir... Il faut que
j'aille à *l'Huma*... au *Libertaire*... ailleurs encore... à
Montrouge, ce soir... Qu'est-ce que vous deviendriez,
pendant ce temps-là? »

— « Je resterai en bas, dans la rue... », dit-elle sur

un ton suppliant qui les surprit tous les deux. Elle avait abdiqué toute fierté. Ces trois jours de séparation l'avaient transformée. « Je vous attendrai autant qu'il faudra... Je ne vous gênerai en rien... Laissez-moi vous suivre, Jacques; laissez-moi partager votre vie... Non, je ne vous demande pas ça, je sais que c'est impossible... Mais ne m'abandonnez pas... ici... avec ces journaux! »

Jamais encore il ne l'avait sentie si proche : c'était une Jenny nouvelle, — une sœur de combat!

— « Je vous emmène! » s'écria-t-il joyeusement. « Je vous présenterai mes amis... Vous verrez... Ce soir, nous irons ensemble au meeting de Montrouge... Venez! »

— « La première chose, c'est d'en finir avec cette affaire d'héritage... », déclara-t-il, posément, dès qu'ils furent dehors. « Et ensuite, il s'agira de savoir ce qu'il y a de vrai dans les nouvelles de *Paris-Midi*. »

Il y avait de la gaieté dans sa voix. La présence de la jeune fille lui rendait son entrain des meilleurs jours. Il glissa la main sous le coude de Jenny, et l'entraîna, d'un pas rapide, vers le Luxembourg.

A la charge de l'agent (comme aux succursales des établissements de crédit, aux caisses d'épargne, aux bureaux de poste), la foule assiégeait les guichets pour changer en espèces le papier-monnaie. En Bourse, depuis deux jours, c'était la panique. Les agents de change et les gros coulissiers s'employaient auprès du gouvernement afin d'obtenir un moratoire qui permît de reporter, à tout hasard, en fin août, la liquidation de juillet.

— « Vous pouvez dire que vous étiez bien renseigné, Monsieur », confessa le fondé de pouvoir, avec un clignement d'œil plein de considération. « A quarante-huit heures près, nous n'aurions pas pu exécuter votre ordre! »

— « Je sais », fit Jacques imperturbablement.

Quelques heures plus tard, la moitié de la respectable fortune laissée par M. Thibault, — moins deux cent cinquante mille francs de valeurs sud-américaines, qu'il n'avait pas été possible de liquider en un si bref délai, — était déposée, par les soins de Stefany, entre des mains discrètes et qualifiées, qui, avant vingt-quatre heures, s'étaient chargées de mettre ce don anonyme à la disposition du Bureau international.

LVI

Vers la même heure, Antoine grimpait les escaliers du Quai d'Orsay, pour aller faire à Rumelles sa piqûre. Depuis plusieurs jours, particulièrement depuis le retour du ministre, le diplomate, sur les dents jour et nuit, avait dû renoncer à venir rue de l'Université; et, comme son organisme surmené avait plus que jamais besoin de ce coup de fouet quotidien, il avait été convenu que le docteur viendrait régulièrement au ministère. Antoine s'était prêté de bonne grâce à ce dérangement : les vingt minutes qu'il passait dans le bureau de Rumelles, le tenaient journellement au courant des fluctuations diplomatiques, et il croyait être ainsi, par un heureux hasard, l'un des quelques hommes les mieux renseignés de Paris.

Plusieurs personnes attendaient audience dans la galerie et dans le petit salon voisin. Mais l'huissier connaissait le docteur, et il l'introduisit par une porte de service.

— « Eh bien », dit Antoine, en tirant de sa poche le numéro de *Paris-Midi*, « tout se précipite? »

— « Tst... » fit Rumelles, en se levant, les sourcils froncés. « Détruisez-moi ça bien vite... Nous avons démenti aussitôt! Le gouvernement exercera des poursuites contre ce canard effronté. Pour l'instant, la police a saisi tout ce qui restait de l'édition. »

— « Alors, c'est faux? » demanda Antoine, déjà rassuré.

— « N... non. »

Antoine, qui installait sa trousse sur un coin du

bureau, leva la tête et considéra en silence Rumelles, qui, lentement, l'air harassé, se déshabillait :

— « Il est bien exact que nous avons eu, cette nuit, une chaude alerte... » Le timbre de sa voix, assourdi par la fatigue, parut changé à Antoine. « A quatre heures du matin, nous étions tous debout, et nous n'en menions pas large... Le ministre de la Guerre, et celui de la Marine, étaient mandés d'urgence à l'Elysée, où se trouvait déjà le président du Conseil; là, pendant deux heures, on a réellement envisagé... les mesures extrêmes. »

— « Et... on ne les a pas prises? »

— « Finalement non. Pas encore... Depuis ce matin, la consigne est même d'annoncer une légère détente. L'Allemagne a pris la peine de nous prévenir officiellement qu'elle ne mobilisait pas; au contraire, elle " cause " activement avec Vienne et avec Pétersbourg. Il nous est donc difficile, pour l'instant, de prendre des initiatives qui risqueraient... »

— « Mais, c'est bon signe, ce geste allemand! »

Rumelles l'arrêta d'un regard :

— « Une feinte, mon cher! Rien de plus qu'une feinte! Un geste de modération, pour essayer, si possible, de gagner l'Italie à la cause des Empires centraux. Un geste qui, en fait, ne peut avoir aucune conséquence : l'Allemagne sait aussi bien que nous que l'Autriche ne peut plus, et que la Russie ne veut plus, reculer. »

— « C'est effarant, ce que vous dites là... »

— « Ni l'Autriche, ni la Russie... *Ni les autres,* d'ailleurs... Car c'est ça, mon cher, qui rend la situation diabolique : presque partout, au sein des gouvernements, il y a encore des volontés de paix; mais, partout aussi, maintenant, il y a des volontés de guerre... Acculé, par la force des choses, devant l'hypothèse menaçante, il n'y a plus un seul gouvernement qui ne se dise : " Après tout, c'est une partie à jouer... et peut-être une belle occasion à saisir! " Mais oui! Vous savez bien que chaque nation d'Europe a, depuis toujours, en réserve, quelque but à atteindre, quelque bénéfice à tirer d'une guerre dans laquelle elle serait entraînée... »

— « Même nous? »

— « Chez nous, les plus pacifiques de nos dirigeants se disent déjà : " Après tout, voilà peut-être le cas d'en finir avec l'Allemagne... et de reprendre l'Alsace-Lorraine. " L'Allemagne pense à rompre son encerclement; l'Angleterre, à anéantir la marine germanique, et à chiper aux Allemands leur commerce et leurs colonies. Chacun, au-delà de la catastrophe qu'il voudrait encore éviter, aperçoit néanmoins déjà le profit qu'il pourrait peut-être réaliser... si elle se produisait. »

Rumelles s'exprimait sur un ton bas et monocorde. Il semblait excédé de parler, et trop fatigué pour avoir la force de se taire.

— « Alors? » fit Antoine. Il avait une telle horreur physique de l'attente et de l'incertitude, qu'il eût presque préféré, en ce moment, savoir que la guerre était déclarée et qu'il n'y avait plus qu'à partir.

— « Et puis... », commença Rumelles, sans répondre. Il se tut, passa lentement ses doigts dans sa crinière bouclée, et garda son front pressé entre ses mains.

A force de discourir sur toutes ces questions, et de les entendre développer, depuis quinze jours, du matin au soir, il ne paraissait plus avoir bien conscience de la gravité des événements qu'il annonçait. Debout, les yeux baissés, les mains aux tempes, il souriait. Les pans de sa chemise flottaient sur ses cuisses, qui étaient grasses, blanches et duvetées de blond. Son sourire ne s'adressait pas à Antoine. C'était un sourire vague, grimaçant, presque niais : aussi peu « léonin » que possible. Les traces du plus manifeste épuisement se lisaient sur son masque bouffi, sur son front ridé, terreux, où la sueur collait des frisures grises. Il avait passé les deux dernières nuits au ministère. Il était plus que las : les secousses de cette semaine dramatique avaient usé, détruit, épuisé ses forces, comme celles du poisson qu'on a longtemps traîné en zigzag, sous l'eau. Grâce aux piqûres (et aux tablettes de kola qu'il croquait toutes les deux heures, malgré la défense d'Antoine), il parvenait à donner son effort quotidien; mais dans un état voisin du somnambulisme. La mécanique remontée fonctionnait encore, mais il avait l'impression que quelque organe essentiel avait dû se rompre : la machine, maintenant, n'obéissait plus.

Il faisait pitié. Néanmoins Antoine voulait savoir; il répéta :

— « Et puis ? »

Rumelles tressaillit. Il releva le front, sans retirer ses mains. Il se sentait la tête bourdonnante et fragile, prête à se fêler au moindre choc. Non, cela ne pourrait pas durer, quelque chose finirait par éclater là-dedans... A ce moment, il eût donné tout au monde, sacrifié sa carrière, ses ambitions, pour une demi-journée d'isolement, de repos total, n'importe où, fût-ce dans une cellule de prison...

Cependant, il reprit, baissant davantage la voix :

— « Et puis *nous savons* ceci : Berlin a prévenu Pétersbourg que, à la moindre aggravation de la mobilisation russe, l'Allemagne décréterait immédiatement sa mobilisation... Une sorte d'ultimatum ! »

— « Mais qu'est-ce qui empêche la Russie d'arrêter sa mobilisation ? » s'écria Antoine. « N'annonçait-on pas, hier, que le Tsar proposait un arbitrage de la Cour de La Haye ? »

— « Exact : *seulement*, mon cher, le fait est là : en Russie, tout en parlant d'arbitrage, on poursuit obstinément la mobilisation ! » prononça Rumelles avec une sorte d'indifférence. « Une mobilisation qui a été commencée, non seulement sans nous avertir, mais en cachette de nous !... Et commencée depuis quand ? Certains disent *depuis le* 24 ! Quatre jours avant la déclaration de guerre de l'Autriche ! Cinq jours avant la mobilisation autrichienne !... Son Excellence M. Sazonov nous a nettement fait savoir, hier dans la soirée, que la Russie activait ses préparatifs militaires. M. Viviani, qui, lui, plus sincèrement, je crois, que beaucoup d'autres, désire à tout prix éviter la guerre, est littéralement atterré. Si l'ukase de mobilisation, — de mobilisation *générale*, — était enfin officiellement lancé, ce soir, à Pétersbourg, ça n'étonnerait aucun de nous !... C'est ça qui a motivé le conseil de guerre de cette nuit... Et c'est, en effet, infiniment plus grave qu'une proposition platonique d'arbitrage à La Haye !

ou même que les lettres " fraternelles " qui s'échangent, paraît-il, d'heure en heure, entre le Kaiser et son cousin le Tsar!... Pourquoi, en Russie, cette obstination provocatrice? Est-ce parce que M. Poincaré a toujours répété, prudemment, que l'appui militaire français ne serait acquis à la Russie que si l'Allemagne intervenait militairement? On se le demande... On dirait presque que Pétersbourg veut forcer Berlin à faire le geste agressif qui obligerait la France à tenir ses engagements d'alliée!... »

Il se tut. Il regardait ses genoux avec attention, et se palpait les jambes. Hésitait-il à parler davantage? Antoine ne le pensait pas : il avait l'impression, aujourd'hui, que le diplomate n'était plus bien en état de mesurer ce qu'il pouvait dire et ce qu'il aurait dû taire.

— « M. Poincaré a été très fort », reprit-il, sans redresser la tête. « Très fort... Jugez-en : notre ambassadeur à Pétersbourg a reçu, cette nuit même, l'ordre télégraphique de *désapprouver catégoriquement* la mobilisation russe, au nom de son gouvernement. »

— « A la bonne heure! » fit Antoine, naïvement. « Je n'ai jamais été de ceux qui croient que Poincaré consentirait à la guerre. »

Rumelles ne répondit pas tout de suite.

— « M. Poincaré tient surtout à mettre notre responsabilité à couvert », murmura-t-il, avec un petit rictus imprévu. « Maintenant, voyez-vous, tardif ou non, *quoi qu'il advienne*, ce télégramme est là : il restera dans les archives, il fera foi de notre volonté de paix... L'honneur français est sauf... Il était temps... C'est très fort. »

Il prit le récepteur téléphonique dont la sonnerie sourde venait de se faire entendre.

— « Impossible... Dites-lui que je ne peux recevoir aucun journaliste... Non, même pas lui! »

Antoine réfléchissait :

— « Mais, si la France voulait, encore maintenant, arrêter à coup sûr la mobilisation russe, est-ce qu'elle n'aurait pas un moyen beaucoup plus efficace qu'une désapprobation officielle? D'après ce que vous expliquiez l'autre jour, si la Russie mobilise *avant* l'Allemagne, nos traités ne nous obligent pas à prêter notre appui aux

Russes. Eh bien, ne suffirait-il pas de rappeler ça, sur un certain ton, à votre Sazonov, pour lui faire ralentir ses préparatifs ? »

Rumelles haussa gentiment les épaules, comme devant les bavardages d'un gamin.

— « Mon cher, les traités franco-russes d'autrefois, qu'est-ce qu'il en reste ? L'histoire dira si je me trompe, mais j'ai bien le sentiment que, dans ces deux dernières années, et surtout dans ces dernières semaines, — par le jeu subtil de l'éternelle duplicité slave, — peut-être aussi par l'imprudence généreuse de nos gouvernants, — notre alliance avec la Russie a été renouvelée *sans condition*... et que la France est liée, d'avance, à toute action militaire de son alliée... Et que ce n'est pas l'œuvre de notre ministre des Affaires étrangères... » ajouta-t-il, à mi-voix.

— « Viviani et Poincaré sont pourtant d'accord... »

— « Peuh », fit Rumelles. « D'accord, oui, évidemment... Avec cette différence que M. Viviani a toujours résisté aux influences des militaires... Vous savez que, avant d'être président du Conseil, il était de ceux qui avaient voté contre les trois ans... Hier encore, quand il a débarqué, il avait l'air de croire fermement que tout devait, que tout pouvait s'arranger. Qu'est-ce qu'il en pense, maintenant ? Cette nuit, après le grand Conseil, il était méconnaissable, il faisait peine à voir... Si nous mobilisons, je ne serais pas surpris qu'il démissionne... »

Tout en parlant, il avait gagné, d'un pas traînard, le canapé, et s'y était allongé, sur le côté, le nez dans les coussins.

— « Aujourd'hui », reprit-il, sur le même ton doctoral, « je crois, mon cher, que c'est la cuisse droite, n'est-ce pas ? »

Antoine s'approcha pour faire la piqûre.

Il y eut une longue minute de silence.

— « Au début », marmonna Rumelles, d'une voix que les coussins assourdissaient, « c'est l'Autriche qui, systématiquement, semblait saboter tous les efforts qu'on tentait pour sauvegarder la paix. Aujourd'hui, c'est nettement la Russie... » Il se leva et commença à se rhabiller. « Ainsi, c'est elle qui vient, par son intransigeance, de neutraliser

le nouvel effort de médiation anglaise. On avait sérieusement travaillé à Londres, hier, et on avait amorcé quelque
chose : l'Angleterre proposait d'accepter provisoirement
l'occupation de Belgrade comme un fait, comme un
simple gage pris par l'Autriche; mais d'exiger, en retour,
que l'Autriche stipule ouvertement ses intentions. C'était,
à tout le moins, un point de départ pour commencer des
négociations. Seulement, il y fallait l'assentiment unanime des puissances. Or, la Russie a carrément refusé le
sien : en exigeant, comme condition absolue, l'arrêt
officiel des hostilités en Serbie et l'évacuation de Belgrade
par les troupes autrichiennes; ce qui, en l'état actuel, était
vraiment demander à l'Autriche une reculade inacceptable! Et tout est cassé, de nouveau... Non, non, mon
cher; inutile de se leurrer. La Russie obéit à une décision
irrévocable, et qui ne paraît pas prise d'hier... Elle ne
veut plus rien entendre; elle ne veut plus renoncer à
cette guerre qu'elle espère avantageuse; et elle nous
entraînera tous dans la danse... Nous n'y échapperons
pas! »

Il avait remis son veston. Il se dirigea machinalement
vers la cheminée, pour vérifier dans la glace le nœud de
sa cravate. Mais, à mi-chemin, il se retourna :

— « Et croyez-vous seulement que personne de nous
sache réellement la vérité? Il y a beaucoup plus de fausses
nouvelles que de vraies... Comment s'y reconnaître? Songez, mon cher, que, depuis quinze jours, partout, dans
tous les bureaux des ministres des Affaires étrangères et
des chefs d'Etat-Major, le téléphone tinte sans arrêt, exigeant des réponses immédiates, sans laisser aux responsables surmenés le temps de la méditation ni de l'étude!
Songez que, dans tous les pays, sur les tables des chanceliers, des ministres, des chefs d'Etat, s'accumulent,
d'heure en heure, des télégrammes chiffrés qui dénoncent
les intentions cachées des nations voisines! C'est un cliquetis forcené de nouvelles, d'affirmations contradictoires, toutes plus graves, plus urgentes les unes que les
autres! Comment y voir clair dans cet imbroglio infernal?
Tel renseignement, ultra-confidentiel, communiqué par
nos services secrets, nous révèle un danger imprévu,

immédiat, qui peut encore être conjuré par une riposte rapide. Impossible de vérifier. Si nous nous décidons pour la riposte, et que la nouvelle soit fausse, notre initiative aura aggravé la situation, provoqué, peut-être, un geste décisif de l'adversaire, compromis des négociations qui allaient aboutir. Mais, si nous ne ripostons pas, et que le danger soit réel? Demain, il sera trop tard pour agir... Littéralement, l'Europe titube, comme une femme ivre, sous cette avalanche de nouvelles, à moitié vraies, à moitié fausses... »

Il allait et venait à travers la pièce, rajustant son col d'une main maladroite, et titubant presque, lui aussi, comme l'Europe, sous la confusion de ses idées.

— « Pauvres chancelleries! » grommela-t-il. « Tout le monde leur jette la pierre... Elles seules pourtant pouvaient sauver la paix. Et elles y seraient parvenues, peut-être, si elles avaient pu consacrer tout leur effort au fond du débat; mais leurs principales forces s'usent à ménager l'amour-propre des hommes, et des nations! C'est pitoyable, mon cher... »

Il s'arrêta près d'Antoine, qui refermait sa trousse, en silence.

— « Et puis », reprit-il, comme s'il ne pouvait plus s'empêcher de penser tout haut, « les diplomates, les hommes de gouvernement ne sont plus les seuls, aujourd'hui, à décider... Ici, au Quai, depuis quelques jours, nous avons tous l'impression que, déjà, l'heure de la politique et de la diplomatie est passée... Il y a, maintenant, dans chaque pays, des gens qui ont pris la parole : ce sont les militaires... Ils sont les plus forts : ils parlent au nom de la sécurité nationale; et tous les pouvoirs civils capitulent là devant... Oui, même dans les pays les moins belliqueux, le pouvoir réel est déjà aux mains de l'Etat-Major... Et quand on en est là, mon cher... quand on en est là... » Il fit un geste vague. De nouveau, le sourire grimaçant et niais, flotta sur ses lèvres.

Le téléphone sonna.

Pendant quelques secondes, il regarda fixement l'appareil.

— « Un engrenage diabolique », murmura-t-il sans

lever les yeux. « Un engrenage qui semble s'être embrayé tout seul... Nous roulons à l'abîme, comme un train dont les freins étaient mal bloqués, et qui dévale une pente, emporté par son propre poids, à une vitesse qui s'accélère de minute en minute... qui est devenue vertigineuse... Les choses ont l'air d'*avoir échappé*... d'aller, d'aller toutes seules... sans qu'on les dirige, sans que personne les veuille... Personne... Ni les ministres ni les rois. Personne qu'on puisse nommer... Nous avons tous l'impression d'être débordés, d'être dépossédés, d'être désarmés, d'être joués... sans savoir comment ni par qui... Chacun fait ce qu'il a dit qu'il ne ferait pas; ce que, la veille, il ne voulait absolument pas faire... Comme si tous les responsables étaient devenus des jouets — je ne sais pas — les jouets de forces, de puissances occultes, qui mèneraient la partie de très haut, de très loin... »

Il avait posé la main sur le téléphone, qu'il continuait à regarder d'un œil vague. Enfin, il se redressa. Et, avant de prendre le récepteur, il fit vers Antoine un signe amical :

— « A demain, mon cher... Excusez-moi, je ne vous reconduis pas. »

LVII

Antoine quitta le ministère, si las, si fiévreux, si bouleversé, qu'il décida, quoique sa journée fût très chargée, de se reposer un instant chez lui avant de continuer sa tournée. Il se répétait, sans bien parvenir à croire cela possible : « Dans un mois, peut-être... mobilisé... L'inconnu... »

En pénétrant sous la voûte, il aperçut un homme jeune qui sortait du vestibule, et qui, le voyant, s'arrêta.

C'était Simon de Battaincourt.

« Le mari », songea Antoine, sur la défensive.

Il ne l'avait pas reconnu tout de suite, bien qu'il l'eût jadis rencontré plusieurs fois, — et l'an dernier encore, lorsqu'on avait dû mettre dans le plâtre la fillette d'Anne.

Simon s'excusait :

— « J'avais cru que c'était votre jour de consultation, docteur... J'ai pris, à tout hasard, un rendez-vous pour demain ; mais, je voudrais tant repartir ce soir pour Berck... Si je pouvais, sans trop vous déranger... »

« Que diable me veut-il ? » se dit Antoine, méfiant. Il voulut être beau joueur, ne pas se dérober :

— « Dix minutes... », fit-il sans aménité. « Je m'excuse, j'ai des visites à faire toute la journée... Montez avec moi. »

Côte à côte avec cet homme dans l'étroite cabine de l'ascenseur où se mêlaient leurs souffles, leurs transpirations, Antoine, raidi dans une animosité qu'aggravait une bizarre impression de dégoût, se répétait : « Le mari d'Anne... Le mari... »

— « Vous pensez bien qu'on évitera le guerre? » demanda subitement Battaincourt. Un vague sourire, puéril et doux, jouait sur ses lèvres.

— « Je commence à en douter », murmura Antoine, sombrement.

Les traits du jeune homme se décomposèrent :

— « C'est impossible, voyons... C'est impossible qu'on en soit arrivé là... »

Antoine, silencieux, jouait avec son trousseau de clefs. Il poussa la porte :

— « Passez. »

— « Je viens vous consulter pour ma petite Huguette... », commença Simon.

Il prononçait avec une émotion touchante le nom de cette enfant qui ne lui était rien, mais qu'il s'était pris à aimer comme sa fille, et à la guérison de laquelle il semblait s'être entièrement consacré. Il ne tarissait pas de détails sur la vie de la petite malade. Elle supportait avec une patience angélique, affirmait-il, cette longue immobilité dans le plâtre. Elle passait dehors neuf ou dix heures par jour. Il lui avait acheté une petite ânesse blanche, pour traîner le « cercueil » à travers les rues de Berck, jusqu'aux dunes. Le soir, il lui faisait la lecture, lui enseignait un peu de français, d'histoire, de géographie.

Tout en dirigeant Battaincourt jusqu'à son cabinet, Antoine écoutait en silence; et, repris par son attention professionnelle, il cherchait, au fil de ce bavardage, à rassembler les indices capables de le renseigner sur l'état physiologique de la malade. Il avait totalement oublié Anne. Ce fut seulement quand il vit Battaincourt s'enfoncer dans ce même fauteuil où, si souvent, il avait fait asseoir sa maîtresse, qu'il se dit, avec une étrange insistance : « L'homme qui est là, et qui me parle, et qui me sourit, et qui vient me confier des choses qui lui tiennent à cœur, c'est un homme que je trompe, que je vole, et qui ne le sait pas... »

Il n'en éprouva d'abord qu'une contrariété imprécise, d'ordre physique, analogue au désagrément que cause un contact indésirable, voire un peu répugnant. Puis,

comme soudain Simon s'était tu et paraissait légèrement
gêné, un soupçon traversa l'esprit d'Antoine : « Saurait-il? »

— « Mais, ce n'est pas pour vous conter ma vie de
garde-malade que j'ai fait le voyage », dit alors Battaincourt.

Le regard d'Antoine, investigateur malgré lui, incita
l'autre à poursuivre :

— « C'est parce que je me pose, en ce moment,
diverses questions embarrassantes... Par lettres, on risque
des malentendus... J'ai préféré vous voir, pour tirer
toutes ces choses au clair... »

« Et pourquoi ne saurait-il pas, après tout? » songea
rapidement Antoine.

Il y eut quelques secondes de silence, pendant lesquelles il s'abandonna aux suppositions les plus saugre-
nues.

— « Voilà », reprit enfin Simon : « Je ne suis pas certain que le séjour de Berck convienne tout à fait à Huguette. » Et il se lança dans des explications climato-
logiques.

D'après lui, les progrès s'étaient sensiblement ralentis
depuis Pâques. Le médecin de Berck, qui pourtant avait
intérêt à défendre son pays, n'était pas loin de penser
que le voisinage de la mer était défavorable à l'enfant.
L'altitude, peut-être? Justement, Miss Mary, la gouver-
nante d'Huguette, avait eu, par des relations anglaises,
d'extraordinaires renseignements sur un jeune médecin
des Pyrénées-Orientales, qui s'était spécialisé dans les
cas de ce genre, et obtenait des résultats surprenants...

Antoine, immobile, examinait ce visage fin, au profil busqué de chèvre, cette chair pâle de blond que le
plein air des dunes ne réussissait pas à hâler. Il paraissait écouter, peser avec soin le pour et le contre des
suggestions de Battaincourt. En réalité, il entendait à
peine. Il songeait au jugement que dans ses rares heures
de confidence, Anne portait sur son mari : un être nul
et perfide, égoïste, vaniteux, sournoisement méchant.
Jusque-là, il avait accepté ce portrait sans défiance,
parce qu'elle parlait de Simon avec un détachement

dédaigneux qui semblait être un gage de véracité; mais, depuis qu'il avait le modèle sous les yeux, mille pensées confuses s'enchevêtraient dans son cerveau.

— « Est-ce que je ne devrais pas transporter Huguette à Font-Romeu? » demanda Battaincourt.

— « Bonne idée, peut-être... Oui... », murmura Antoine.

— « Bien entendu, je m'y installerais auprès d'elle. Peu m'importent la distance, l'isolement, si l'enfant doit s'en trouver bien. Quant à ma femme... » A l'évocation d'Anne, une expression de souffrance, vite dissimulée, effleura son visage : « Elle ne vient pas beaucoup nous voir à Berck », avoua-t-il, avec un sourire qui s'efforçait à l'indulgence. « Paris est si près, vous comprenez... Elle se laisse toujours inviter par des amis, retenir malgré elle par sa vie mondaine... Mais, si elle se fixait à Font-Romeu, auprès de nous, peut-être qu'elle oublierait bientôt son Paris... »

Dans son regard passa le rêve d'une reprise d'intimité, à laquelle il était visible pourtant qu'il ne croyait guère. Sans aucun doute, il aimait cette femme, douloureusement, autant qu'au premier jour.

— « Tout changerait peut-être... », murmura-t-il mystérieusement.

Antoine distinguait bien ce par quoi le jugement d'Anne sur Simon pouvait être, en apparence, justifié. Cependant — et cette certitude s'imposait à lui avec une évidence progressive — l'homme assis là, devant lui, dans ce fauteuil, était profondément différent du portrait qu'en faisait Anne. Fausseté, égoïsme, méchanceté : autant d'accusations qui ne résistaient pas cinq minutes à l'examen, à cette intuition clairvoyante que la présence, le contact direct, éveillent chez un observateur quelque peu doué de flair. Au contraire : la droiture, la modestie naturelle, la bonté de Battaincourt, éclataient en ses moindres propos, jusque dans les gaucheries de son maintien. « Un faible, soit! » se disait Antoine. « Un scrupuleux, sans doute, un tourmenté; un imbécile, peut-être... Un monstre de perfidie, sûrement non! »

Simon poursuivait tranquillement son monologue.

Avec un bon regard, chargé de confiance et de gratitude, il expliquait qu'il n'avait naturellement jamais songé à prendre un parti aussi grave sans avoir l'avis d'Antoine. Il s'en remettait entièrement à lui. Il connaissait sa compétence, son dévouement. Il avait même espéré, afin qu'Antoine pût décider en connaissance de cause, qu'il viendrait à Berck, entre deux trains, revoir la petite malade. Quoique, évidemment, dans les circonstances actuelles...

Antoine, maintenant, l'écoutait attentivement. Il venait de prendre la détermination de rompre pour toujours sa liaison avec Anne.

Cela s'était-il vraiment décidé, là, en ces quelques minutes? Ou bien, depuis longtemps déjà, cette résolution extrême était-elle prise dans la pénombre de sa volonté? Pouvait-on même appeler résolution, cette soumission immédiate et sans débat, à une nécessité devenue soudainement urgente, impérieuse, irrésistible?... S'il avait eu loisir de l'analyser, sans doute eût-il pensé que son obstination, durant ces derniers jours, à éviter les téléphonages d'Anne, à se dérober aux rendez-vous successifs qu'elle lui avait fait proposer par Léon, dissimulait déjà un secret, un inconscient désir de rompre. Il eût même dû s'avouer, bien que la politique ne parût avoir aucun rôle à jouer en cette affaire, que le drame où se débattait l'Europe n'était pas étranger à ce détachement : comme si la liaison avec cette femme n'eût plus été à la mesure de certains sentiments nouveaux, à l'échelle des événements qui perturbaient le monde.

Quoi qu'il en fût, ce qui venait de hâter cette rupture, et d'en faire, presque à son insu, une chose définitive, consommée, c'était la présence de Simon dans son cabinet. Il lui avait été intolérable de se trouver, chez lui, face à face avec cet homme mystifié; d'accueillir, avec un visage hypocritement loyal, cette considération, cette confiance; et de voir cet homme, ignorant tout du sort qui lui était fait, s'adresser à lui comme à un ami sûr. Il s'était dit, confusément : « Ça ne va pas... Ça ne peut pas être... La vie ne doit pas être ça... Moi d'abord, oui : mon agrément, mon plaisir... Mais, derrière, il y a des êtres engagés, des destinées qu'il est monstrueux de sacrifier à la légère... C'est à cause de gens comme moi, d'existences comme la mienne, d'actes comme celui-là, que le désordre, et le mensonge, et l'injustice, et la souffrance morale, sont installés dans le monde... »

Chose curieuse, depuis la seconde où il s'était déclaré, à lui-même, sur un certain ton irrévocable : « Anne et moi, c'est fini », tout lui semblait magiquement rentré dans l'ombre. Oui, vraiment, c'était comme si rien n'avait eu lieu. Il pouvait, sans malaise aucun, regarder Battaincourt dans les yeux, lui sourire, lui prodiguer ses encouragements, ses conseils. Quand Simon, timide comme un écolier, balbutia, en se levant : « Je crois que j'ai dépassé mes dix minutes », Antoine lui toucha affectueusement l'épaule, en riant. Il le raccompagna, en bavardant, jusqu'à l'escalier. Il promit même d'aller à Berck, la semaine suivante. (Il avait, un instant, oublié tout, jusqu'à la guerre... Il y resongea soudain. Et l'idée lui vint que l'imminence du cataclysme qui menaçait de bouleverser toutes les valeurs courantes, l'aidait sans doute à accepter d'un cœur serein l'insolite de ce tête-à-tête. « Dans un mois, nous serons peut-être tués, tous les deux », se dit-il. « Que pèse tout le reste, auprès de ça?... »)

— « Le train de huit heures trente vous met à Rang vers onze heures, et à Berck pour déjeuner », précisait déjà Simon, tout rasséréné.

— « Sauf imprévu... », stipula Antoine.

Le visage du jeune homme pâlit et se contracta. Il pressa un instant son poing contre ses lèvres. Une détresse poignante élargissait son regard. Antoine perçut distinctement que, à cette minute-là, le fils du vieil huguenot, du colonel comte de Battaincourt, tremblait devant son devoir de soldat.

— « Que deviendrait Huguette, si j'étais mobilisé? » dit Simon, sans regarder Antoine. « Il lui resterait sa Miss... » A ce moment, les deux hommes, en même temps, et presque de la même façon, pensèrent à Anne.

Battaincourt gagna la porte, en silence. Sur le palier, il se retourna :

— « Vous partez quel jour? »

— « Le premier... Aide-major d'un bataillon d'infanterie... Au 54e, à Compiègne... Et vous? »

— « Le troisième... Maréchal des logis... A Verdun, 4e hussards. »

Ils se serrèrent la main, fraternellement. Puis, après un dernier geste amical, Antoine referma doucement la porte.

Il demeura un instant, debout, immobile, le regard perdu sur le tapis. Une vision aiguë s'imposait à lui : Simon de Battaincourt, déguisé en « margis » de hussards, galopant sous le feu, à la tête de son peloton, dans une plaine d'Alsace...

La sonnerie du téléphone, brutale, le redressa.

« C'est peut-être elle », se dit-il. Il souriait durement. Une envie le prit de sauter sur l'appareil, d'en finir tout de suite.

Au bout du couloir, Léon avait décroché le récepteur :

— « Oui... Vendredi, 7 août? Très bien... Trois heures... De la part du professeur Jeantet?... Entendu, Monsieur, je vais inscrire... »

Antoine descendait l'escalier, en feuilletant son agenda, lorsque, sur le palier du premier étage, un bruit de voix connues lui fit lever la tête. Il poussa la porte, et se dirigea vers la pièce réservée aux archives.

Studler et Roy, assis, discutaient. Ils n'avaient pas leurs blouses blanches. Autour d'eux, les journaux du jour étaient éparpillés sur les tables, les sièges.

— « Alors, mes enfants, c'est comme ça qu'on travaille? »

Studler, sombre, haussa les épaules.

Roy se leva, sourit, et regarda Antoine, d'un air interrogateur :

— « Vous avez vu Rumelles, Patron? »

— « Oui. Les nouvelles de *Paris-Midi* sont fausses. Le gouvernement a démenti. Mais tout va de plus en plus mal... » Après une pause, il ajouta laconiquement : « On tourne en rond au bord du gouffre... »

Studler grommela :

— « Et l'Allemagne se prépare !... »

— « Nous aussi, heureusement », fit Roy.

Il y eut un silence.

— « Les dernières chances de paix sont entre les mains de la classe ouvrière », soupira Studler. « Mais elle n'en aura conscience que lorsqu'il sera trop tard... Il y a, dans le peuple, à l'égard de la guerre, une espèce de fatalisme affreux... Ça s'explique, d'ailleurs : dès l'ecole, les gosses ont l'esprit faussé — par la façon dont on leur parle des guerres anciennes, de la gloire, du drapeau, de la Patrie... — par le prestige qu'on donne aux défilés de troupes, aux parades militaires... — et ensuite, par le service obligatoire... Nous payons cher, aujourd'hui, ces insanités ! »

Roy, écoutait, narquois.

Antoine avait repris son agenda et l'examinait avec attention.

— « Au revoir », dit-il brusquement, en remettant son chapeau. « Je n'aurai jamais fini mes visites... A ce soir ! »

Les deux hommes restèrent seuls. Roy vint se planter devant le Calife :

— « Puisque, un jour ou l'autre, il fallait bien qu'on " y aille ", avouez du moins que ça ne s'annonce pas trop mal ! »

— « Ah, taisez-vous, mon petit ! »

— « Mais non... Réfléchissez, pour une fois, sans parti pris !... Nous sommes, à tout prendre, en assez bonne posture... La France a le plus grand intérêt à ce que la guerre éclate d'abord entre la Russie et l'Allemagne : ça nous assure le concours des Russes, — et ça nous laisse le rôle de soutien, qui est toujours le plus favorable... D'autre part, nous avons eu le temps — je veux l'espérer — de préparer en douce notre mobilisation, sans avoir essuyé cette fameuse attaque brusquée qui était la terreur de notre Etat-Major. Tout ça augmente nos chances... »

Studler le regardait en silence.

— « Allons ! » fit Roy, « si vous êtes de bonne foi, vous

serez bien forcé d'en convenir avec moi : le moment
n'est pas mal choisi pour vider cette vieille querelle, et
relever enfin l'honneur national! »

— « L'honneur national! » grogna Studler, hors de
lui.

La porte s'ouvrit et Jousselin entra.

— « Vous discutez toujours? » fit-il, avec lassitude.

(Lui, il était en blouse. Il ne se faisait pas plus d'illusions que les autres; il savait que, dans vingt et un jours,
il ne serait sans doute plus là pour constater le résultat
des ensemencements auxquels il venait de consacrer sa
matinée; mais il se faisait un devoir de travailler comme
si de rien n'était. — « D'abord, ça empêche de penser »,
avait-il dit à Antoine, avec un triste sourire au fond de ses
yeux gris.)

— « Partout le même refrain imbécile! » lui cria Studler, en haussant les épaules. « Ici, l'honneur français!
Là-bas, l'amour-propre de l'Autriche! En Russie, le
prestige slave à défendre dans les Balkans... Comme s'il
n'y avait pas mille fois plus d' " honneur " à assurer la
paix des peuples, même en reconnaissant qu'on s'est
trop avancé, qu'à déchaîner un massacre général! »

Il enrageait de voir les nationalistes revendiquer toujours pour eux seuls le monopole de la noblesse, du désin-
téressement, des vertus héroïques, lui qui, sans adhérer
à aucun parti, n'ignorait pas combien les
militants révolutionnaires, acharnés, dans toutes les
capitales, à lutter contre les forces de guerre, avaient,
plus que quiconque, le sens de la grandeur et de l'abné-
gation, la volonté de se dépasser pour un idéal difficile,
la ferveur et la force d'âme qui font les héros.

Il ne regardait ni Jousselin, ni Roy; son œil de pro-
phète avait un éclat fixe et concentré.

— « L'honneur national! » grommela-t-il, de nouveau. « Tous les grands mots sont déjà mobilisés, pour
endormir les consciences!... Il faut bien masquer l'ab-
surdité de tout ça, empêcher tout sursaut de bon sens!
Honneur! Patrie! Civilisation!... Et derrière ces miroirs
à alouettes, qu'est-ce qu'il y a? Des intérêts industriels,
des compétitions de marchés, des combines de politiciens

et d'hommes d'affaires, l'insatiable cupidité des classes dirigeantes de tous les pays! Absurde! Sauvegarder la Civilisation? Par les pires actes de sauvagerie? en déchaînant les instincts les plus bas?... Défendre la cause du Droit et de la Justice? Par l'assassinat anonyme? en faisant le coup de feu sur des pauvres types qui ne nous veulent aucun mal, et qu'on aura, eux aussi, décidés à marcher contre nous, à l'aide des mêmes boniments? Absurde! Absurde! »

— « Bravo, Calife! » lança Roy, dédaigneusement.

— « Allons, allons », fit Jousselin avec douceur, en lui posant la main sur l'épaule.

Il avait pour le petit Manuel Roy, leur benjamin, les mêmes sentiments qu'Antoine. Il l'aimait, sans bien démêler pourquoi. Pour son courage tranquille, pour sa généreuse naïveté. Dans ce guerrier plein d'impatience et si simplement prêt au sacrifice, il apercevait une beauté, à laquelle lui, justement, homme de laboratoire et de spéculation dans l'absolu, ne pouvait pas être insensible. Il respectait, en Roy, cet idéal de pureté, cette foi ingénue dans la régénération par la guerre, — qui allaient sans doute être payés avec du sang...

— « L'honneur... », murmura-t-il. « Je crois que c'est une grande faute d'avoir laissé des valeurs morales s'introduire là où elles n'ont pas de sens : dans la lutte économique qui divise les Etats... Ça fausse, ça empoisonne tout. Ça paralyse toute transaction réaliste. Ça déguise en conflits sentimentaux, idéologiques, *en guerres de religions*, ce qui ne devrait être, et n'est rien de plus, qu'une concurrence entre des firmes commerciales! »

— « Caillaux, en 1911, l'avait bien compris », observa fougueusement le Calife. « Sans lui... »

Roy, agressif, lui coupa la parole :

— « Vous préféreriez sans doute voir votre Caillaux aux Affaires étrangères que de le voir en cour d'assises?... »

— « Certes, s'il était resté au pouvoir, croyez bien, mon petit, que nous n'en serions pas où nous en sommes!... Sans lui, la guerre générale, cet heureux événement dont l'approche semble combler d'aise vos amis et vous, serait,

pour le bonheur des peuples, arrivée trois ans plus tôt!...
Il ne parlait pas d'honneur national, lui : il parlait affaires;
il se cramponnait, envers et contre tous, au plan positif,
au plan des intérêts en jeu!... Grâce à quoi, il a pu éviter
le pire! »

Jousselin vit un mauvais regard s'allumer dans les
yeux de Roy. Il se hâta d'intervenir :

— « Je crois aussi que, sur ce plan-là, pour peu qu'on
s'y tienne obstinément, il n'y a pas d'antagonismes qui
ne puissent être résolus par des arrangements diplomatiques, par de réciproques concessions. Les intérêts
transigent plus facilement que les sentiments!... Je crois,
moi aussi, qu'un Caillaux... Et, si la guerre a lieu, il est
fort probable que les historiens, qui ont bien su faire
un sort au nez de Cléopâtre, sauront aussi, parmi la
complexité des causes du conflit, donner son importance
au fatal coup de revolver du *Figaro*... »

Roy partit d'un éclat de rire assuré :

— « Je préfère ne pas vous répondre », dit-il gaiement,
« et laisser ce soin à l'avenir! »

LVIII

— « Allons avec eux », avait dit Jacques à Jenny.
Ils étaient une dizaine qui s'étaient retrouvés au *Café
du Croissant* pour s'en aller ensemble à Montrouge, où
devait parler Max Bastien.

(Dans tous les arrondissements, ce soir, — à Grenelle,
à Vaugirard, aux Batignolles, à la Villette, — les sections
socialistes tenaient de petits meetings. A la Bellevilloise,
Vaillant avait annoncé qu'il prendrait la parole; on s'attendait à des bagarres. Au Quartier Latin, les étudiants
avaient organisé un rassemblement à Bullier.)

Ils avaient pris l'autobus jusqu'au Châtelet, le tramway
jusqu'à la porte d'Orléans; puis un autre tramway jusqu'à la place de l'Eglise. Là, il avait fallu descendre, et
gagner à pied, par les rues populeuses, le théâtre désaf-
fecté où avait lieu la réunion.

La soirée était étouffante; l'air des faubourgs, empuanti.
Toute la population, après manger, était dehors, désœu-
vrée, inquiète. Dans les grandes artères retentissaient les
cris des vendeurs de journaux, qui colportaient dans la
banlieue les éditions du soir.

Jenny chancelait sur les pavés de ces vieilles rues. Elle
était fatiguée. Le poids de son voile de crêpe, l'odeur de
teinture qui s'en dégageait à la chaleur, lui donnaient un
commencement de migraine. Elle se sentait dépaysée,
dans ses vêtements de deuil, parmi ces hommes dont la
plupart étaient en tenue de travail; d'instinct, elle avait
retiré ses gants.

Jacques, qui marchait à côté d'elle, s'apercevait bien
qu'elle avait peine à suivre; il hésitait à lui donner le
bras; devant ses amis, il la traitait en camarade. Il lui

jetait de temps à autre un coup d'œil encourageant, tout en causant avec Stefany des dernières nouvelles parvenues à *l'Humanité*.

Stefany fondait son optimisme sur l'agitation ouvrière, qui, selon lui, était en recrudescence. Les protestations publiques se multipliaient. Il y avait le manifeste du Parti socialiste, celui du Groupe socialiste parlementaire, celui de la Confédération générale du Travail, celui de la Fédération de la Seine, celui du Bureau interfédéral de la Libre Pensée.

— « Partout on se démène, partout on menace! » affirmait-il; et ses yeux de jais étincelaient d'espoir.

Un socialiste irlandais, qui revenait de Westphalie, et qui dînait au *Croissant*, lui avait appris que ce soir même, à Essen, en plein centre métallurgique allemand, au siège des usines de guerre de Krupp, devait se produire une imposante manifestation pacifiste. L'Irlandais prétendait même que, dans des réunions privées, un grand nombre d'ouvriers avaient prôné le sabotage du travail, afin d'empêcher le gouvernement impérial de persévérer dans ses visées belliqueuses.

Dans le courant de l'après-midi, cependant, il y avait eu une alerte sérieuse. Un bruit alarmant, venu d'Allemagne, s'était répandu dans les salles de rédaction. On annonçait que le Kaiser, — après avoir, sur un ton d'ultimatum, fait demander à Sazonov des éclaircissements à propos de la mobilisation russe, et après avoir reçu, comme réponse, que cette mobilisation était partielle mais *ne pouvait plus être suspendue*, — avait donné l'ordre de préparer le décret de mobilisation. Pendant deux heures, on avait réellement cru que tout était perdu. Enfin, l'ambassade d'Allemagne avait démenti : et en termes si formels, qu'il semblait bien, en effet, que la nouvelle de la mobilisation allemande fût fausse. On apprit qu'elle avait été lancée à Berlin par le *Lokalanzeiger* : réplique, sur l'autre versant de la frontière, de l'incident du *Paris-Midi*. Ces douches successives entretenaient l'opinion dans une fébrilité dangereuse. Jaurès redoutait plus que tout les méfaits de ces paniques. Il ne cessait de répéter que le devoir, dans chaque groupement,

dans chaque foyer, était de lutter contre ces peurs imprécises qui livraient les esprits à la hantise de la légitime
défense, et faisaient le jeu des ennemis de la paix.

— « Tu l'as vu, depuis son retour ? » demanda Jacques.

— « Oui, je viens de travailler deux heures avec
lui. »

A peine revenu de Belgique, avant même d'aller au
Groupe socialiste parlementaire rendre compte des
résultats qu'il rapportait de la confrontation de Bruxelles,
le Patron avait rassemblé ses collaborateurs pour procéder avec eux aux préparatifs du congrès international,
convoqué à Paris le 9 août; le Parti français avait dix
jours pour assurer la réussite de cette importante assemblée du socialisme européen; il n'y avait pas une heure à
perdre.

Sa présence à *l'Humanité* avait ranimé les énergies. Il
revenait tout réconforté par la ferme position des socialistes allemands, confiant dans les promesses qu'il en
avait obtenues, et plein d'un nouvel entrain pour activer
la lutte. Indigné par l'attitude du gouvernement dans
l'affaire de la salle Wagram, il avait aussitôt pris la
résolution de tenir tête aux pouvoirs, et d'offrir aux
défenseurs de la paix une éclatante revanche, en organi-
sant pour le dimanche suivant, 2 août, un vaste meeting
de protestation.

— « Courage », dit Jacques, en touchant le bras de
Jenny. « C'est là. »

Elle vit un peloton d'agents embusqués sous un porche.
Des jeunes gens vendaient *la Bataille syndicaliste*, *le
Libertaire*.

Ils s'engagèrent dans une impasse où des hommes,
debout, s'attardaient par groupes à pérorer, au lieu
d'entrer dans le théâtre. Pourtant, la séance était commencée. La salle était pleine.

— « Tu viens pour entendre Bastien ? » dit à Jacques
un militant qui sortait. « Paraît qu'il est retenu à la
Fédération, et qu'il ne viendra pas. »

Jacques, déçu, faillit faire demi-tour. Mais Jenny
n'était pas en état de repartir tout de suite. Sans s'occu-

per de ses amis, il dirigea la jeune fille vers les premiers
rangs, où il avait aperçu deux places libres.

Le secrétaire de la section, un nommé Lefaur, présidait, assis, sur la scène, devant une table de jardin.

L'orateur, debout devant la rampe, était un conseiller
municipal de Montrouge. Il répéta plusieurs fois que
la guerre était un *achronisme*.

On bavardait, entre voisins, sans paraître écouter.

— « Silence! » glapissait, par intervalles, le président,
en tapant du plat de la main la table de fer.

— « Regardez de près les visages », dit Jacques, à voix
basse. « On pourrait presque classer les révolutionnaires
d'après leurs physionomies. Il y a ceux qui portent la
révolution dans la mâchoire, et ceux qui la portent dans
les yeux... »

« Et lui? » songea Jenny. Au lieu de regarder ses voisins, elle examinait la figure de Jacques, son menton
saillant et volontaire, son regard mobile, un peu dur,
énergique et lumineux.

— « Allez-vous prendre la parole? » murmura-t-elle,
timidement. Elle s'était posé la question tout le long du
chemin. Elle souhaitait qu'il parlât, pour l'admirer davantage; mais elle le redoutait aussi, par une sorte de pudeur.

— « Je ne pense pas », répondit-il, en glissant sa main
sous le bras de la jeune fille. « Je ne parle pas bien en
public. Les quelques fois où ça m'est arrivé, j'ai toujours
été paralysé par le sentiment que les mots m'entraî-
naient, dénaturaient les nuances, trahissaient ma vraie
pensée... »

Elle n'aimait rien tant que de l'entendre ainsi s'analyser pour elle; et pourtant, il lui semblait en général
que, ce qu'il disait de lui, elle le savait déjà. Tandis qu'il
parlait, elle sentait, à travers l'étoffe, la chaleur de la
main qui soutenait son coude, et elle en était si bouleversée qu'elle ne pouvait plus penser qu'à cela, à cette
douce brûlure qui pénétrait sa chair.

— « Vous comprenez », poursuivait-il, « j'ai toujours
un peu l'impression de mentir, d'affirmer plus que je ne
crois... Impression intolérable... »

C'était exact. Mais il était vrai, également, qu'il éprou-

vait, à prendre la parole, une ivresse capiteuse; et qu'il
réussissait presque toujours à créer, entre ses auditeurs
et lui, un échange, une communion.

A la tribune, un autre militant, un gros homme à la
nuque congestionnée, remplaçait le conseiller municipal.
Sa voix de basse avait, dès les premiers mots, capté
l'attention. Il jetait à ses auditeurs une succession de formules péremptoires, sans qu'il fût possible de suivre les
associations de ses idées :

— « Le pouvoir est tombé aux mains des exploiteurs
du peuple!... Le suffrage universel est une sinistre fou-
taise!... L'ouvrier est un serf de la féodalité industrielle!...
La politique des munitionnaires capitalistes a accumulé
sous le plancher de l'Europe des barils de poudre, prêts
à sauter!... Peuple, veux-tu te faire trouer la peau pour
assurer des dividendes aux actionnaires du Creusot?... »

Des applaudissements nourris ponctuaient automatiquement chacune de ces affirmations courtes, essoufflées,
qu'il assenait en coups de massue. Il avait l'habitude des
ovations : à la fin de chaque phrase, il s'interrompait
net pour les attendre, et restait une minute la bouche
ouverte, comme si un hanneton lui était entré dans le
gosier.

Jacques se pencha vers la jeune fille :

— « C'est stupide... Ce n'est pas ça qu'il faut leur
dire... Il faut les convaincre qu'ils sont le nombre, qu'ils
sont la force! Ils le savent vaguement; mais ils ne le
sentent pas! Il faudrait qu'ils l'apprennent par une expérience directe, décisive. C'est pour ça — aussi — qu'il
est tellement important que le prolétariat, cette fois,
gagne la partie! Le jour où il aura vu, dans les faits,
qu'il peut, par ses seuls moyens, mettre un obstacle
infranchissable aux politiques d'agression, et faire reculer les gouvernements, alors il connaîtra vraiment sa
force, alors il aura pris conscience qu'il peut tout! Et,
ce jour-là!... »

Cependant, le public commençait à se lasser des formules incohérentes de ce deuxième orateur. Dans un
coin du théâtre, une discussion privée s'échauffa, dégé-
néra en dispute.

— « Silence! » hurlait le secrétaire Lefaur. « Instructions du Comité central... La discipline du Parti... Du
calme, citoyens!... »

Il avait une terreur manifeste de tout désordre qui pût
provoquer une intervention de la police; et son unique
souci était que la réunion s'achevât sans tumulte.

L'arrivée devant la rampe d'un troisième orateur, le
dernier inscrit de la soirée, rétablit momentanément le
silence. C'était Lévy Mas, un professeur d'histoire à
Lakanal, connu par ses écrits socialistes et ses démêlés
avec l'Université. Il s'était donné pour thème de retracer
les relations franco-allemandes depuis 70. Il refit, avec
un grand déploiement d'érudition, un exposé de la question : et, vingt-cinq minutes après avoir commencé son
discours, il arrivait à peine au meurtre de Sarajevo. Il
parla de « la courageuse petite Serbie », avec une voix
de gorge, qui fit trembler son lorgnon sur son nez pointu.
Puis il se lança dans un parallèle entre les groupes d'alliances, entre les traités austro-allemands et franco-
russes.

La salle, excédée, devenait houleuse.

— « Assez! Au fait! »

— « Un programme d'action! »

— « Quoi faire? Comment empêcher la guerre? »

— « Silence », répétait Lefaur, de plus en plus inquiet.

— « Révoltant! » murmura Jacques à l'oreille de Jenny.
« Tous ces gens sont venus là pour recevoir un mot
d'ordre, simple, clair, pratique; et on va les laisser rentrer chez eux, la tête farcie d'histoire diplomatique, avec
l'impression que tout ça est trop compliqué pour eux...
qu'il n'y a rien à faire qu'à attendre l'inévitable! »

Des interruptions fusaient :

— « Où en est-on? Où nous mène-t-on? »

— « On veut savoir la vérité! »

— « Oui! La vérité! »

— « La vérité, citoyens? » s'écria Lévy Mas, faisant
front à l'orage. « La vérité, c'est que la France est une
nation pacifique, et qu'elle le prouve, magnifiquement,
depuis deux semaines, à la confusion de tous les Etats
impérialistes! Notre gouvernement, qu'on peut critiquer

pour sa politique intérieure, a une tâche difficile! Le devoir du Parti socialiste est de ne pas compliquer sa tâche! Certes, nous nous refusons à faire nôtres les boniments nationalistes que la bourgeoisie inscrit à son programme! Mais, — et il faut le dire bien haut, et il faut le clamer à la face du monde — pas un Français ne refuserait de défendre son territoire contre une nouvelle invasion de l'étranger! »

Jacques bouillait.

— « Vous entendez? » dit-il, en se penchant de nouveau vers Jenny. « Rien ne peut mieux préparer un peuple à la guerre!... Il suffira de lui faire croire, demain, à l'imminence d'une attaque allemande, pour lui faire accepter tout ce qu'on voudra! »

Elle leva sur lui son regard bleu :

— « Parlez! Vous! »

Il regardait l'orateur, sans répondre. Il sentait, autour de lui, le mécontentement grandir. Il percevait, surtout, dans l'indécision de cette foule, une fièvre latente, généreuse, favorable à l'action révolutionnaire, et dont il était criminel de ne pas tirer profit.

— « Oui! » fit-il soudain.

Et, brusquement, il leva la main pour demander la parole.

Le président le dévisagea une seconde avec attention, puis, délibérément, détourna les yeux.

Jacques griffonna son nom sur un bout de papier; mais il n'y avait personne pour le porter jusqu'à Lefaur.

Dans le brouhaha grandissant, Lévy Mas achevait son discours :

— « Certes, la situation est délicate, citoyens! Mais elle n'est pas désespérée, tant que le gouvernement aura l'appui du peuple pour soutenir, avec autorité, la paix menacée! Relisez les articles de notre grand Jaurès! Ceux qui, de l'autre côté des frontières, nous cherchent insolemment querelle, doivent sentir que, derrière nos hommes d'Etat et nos diplomates, la France socialiste est unanime pour la défense pacifique du Droit! »

Il rajusta son lorgnon, échangea un coup d'œil avec le président, et, sans demander son reste, s'éclipsa dans la coulisse. Il y eut quelques applaudissements d'amis personnels, coupés de protestations vagues, de timides sifflets.

Lefaur était debout. Il faisait de grands gestes pour rétablir le calme. On crut qu'il voulait parler, on se tut un instant. Il en profita pour crier :

— « Citoyens, la séance est levée! »

— « Non! » rugit Jacques, de sa place.

Mais déjà l'assistance, tournant le dos à la scène, se ruait vers les trois portes de sortie qui ouvraient sur l'impasse. Le claquement des sièges à ressorts, les cris, les discussions, faisaient un vacarme qu'il était impossible de dominer.

Jacques était hors de lui. Il ne fallait, à aucun prix, que ces hommes de bon vouloir, en quête d'instructions précises, pussent quitter cette salle en plein désarroi, sans savoir ce que l'Internationale attendait d'eux!

Il se fraya un passage jusqu'au bord de la fosse d'orchestre. La scène, séparée de la salle par ce trou sombre, était inaccessible. Il écumait de rage :

— « Je demande la parole! »

Il longea la fosse jusqu'à la baignoire d'avant-scène, prit son élan, sauta dans la loge, gagna le couloir, trouva une porte qui menait aux coulisses, bouscula des gens, et fit enfin irruption sur le plateau, qui était désert. Il criait toujours :

— « Je demande la parole! »

Mais sa voix se perdait dans le tumulte. Devant lui, le théâtre creusait son gouffre poussiéreux, aux trois quarts vide, déjà. Il se précipita vers la table de jardin, et, frénétiquement, se mit à frapper dessus, avec ses deux poings comme sur un gong.

— « Camarades! Je demande la parole! »

Ceux qui étaient encore dans la salle — une cinquantaine d'hommes, peut-être — se retournèrent vers la scène.

Des voix s'élevèrent :

— « Ecoutez!... Silence!... Ecoutez!... »

Jacques continuait à taper sur la table, comme s'il eût sonné le tocsin. Il était pâle, échevelé. Son regard cou-

rait d'un point à l'autre de la salle. A pleins poumons,
il hurlait :

— « La guerre! La guerre! »

Un demi-silence se fit tout à coup.

— « La guerre! Elle est sur nous! En vingt-quatre
heures, elle peut s'abattre sur l'Europe!... Vous demandez la vérité? La voilà! Avant un mois, vous qui êtes
là ce soir, vous pouvez tous être massacrés!... »

D'un geste véhément, il redressa la mèche qui l'aveu-
glait :

— « La guerre! Vous ne la voulez pas? *Ils* la veulent,
eux! Et ils vous l'imposeront! Vous serez des victimes!
Mais vous serez aussi des coupables! Parce que, cette
guerre, il ne tient qu'à vous de l'empêcher... Vous me
regardez? Vous vous demandez tous : " Que faire? "
Et c'est pour ça que vous êtes venus ici, ce soir... Eh
bien, je vais vous le dire! Car il y a quelque chose à
faire! Il y a encore une possibilité de salut! Une seule!
L'union dans la résistance! Le refus! »

Plus calme, étrangement maître de lui, forçant sa voix
et martelant ses mots pour se faire entendre, il reprit,
après une courte pause :

— « On vous dit : " Ce qui rend les guerres possibles,
c'est le capitalisme, la concurrence des nationalismes,
les puissances d'argent, les trafiquants d'armes. " Et,
tout ça, c'est vrai. Mais, réfléchissez. La guerre, qu'est-ce
que c'est? Est-ce seulement un conflit d'intérêts? Malheureusement, non! La guerre, c'est des hommes, et du sang!
La guerre, c'est des peuples mobilisés, qui se battent!
Tous les ministres responsables, tous les banquiers, tous
les trusteurs, tous les munitionnaires du monde, seraient
impuissants à déchaîner des guerres, si les peuples refusaient de se laisser mobiliser, si les peuples refusaient
de se battre! Les canons et les fusils ne partent pas tout
seuls! Il faut des soldats pour faire la guerre! Et ces
soldats, sur lesquels le capitalisme compte pour son
œuvre de profit et de mort, c'est nous! Aucun pouvoir
légal, aucun décret de mobilisation, ne peut rien sans
nous, sans notre consentement, sans notre passivité!
Notre sort dépend donc de nous seuls! Nous sommes

les maîtres de notre destin, parce que nous sommes le nombre, parce que nous sommes la force! »

Soudain, tout chancela. Un brusque vertige... Dans un éclair, sa responsabilité lui apparut. Avait-il eu raison de prendre la parole? Etait-il sûr de posséder la vérité?... Pendant une minute, rongé de scrupules, il fut sans défense contre un découragement total.

A ce moment, un mouvement se fit au fond du théâtre. Les retardataires avaient renoncé à sortir, et ils se rapprochaient lentement de la scène, semblables à la limaille de fer aspirée par l'aimant. En un clin d'œil, son angoisse céda, s'évanouit sans laisser aucune trace. Et, de nouveau, tout ce qu'il pensait, tout ce qu'il voulait dire à ces hommes dont l'interrogation muette montait vers lui, lui sembla clair, indiscutable.

Il fit un pas en avant, et se penchant par-dessus la rampe, il cria :

— « Ne croyez pas les journaux! La presse ment! »

— « Bravo! » fit une voix.

— « La presse est à la solde des nationalismes! Pour masquer leurs convoitises, tous les gouvernements ont besoin d'une presse mensongère qui persuade à leurs peuples qu'en se massacrant les uns les autres, chacun d'eux se sacrifie héroïquement à une cause sainte, à la défense sacrée du sol, au triomphe du Droit, de la Justice, de la Liberté, de la Civilisation!... Comme s'il y avait des guerres *justes!* Comme s'il pouvait être juste de condamner des millions d'innocents au martyre, à la mort! »

— « Bravo! Bravo! »

Les trois portes du fond, ouvertes sur l'impasse, s'étaient garnies de curieux qui, insensiblement poussés par ceux du dehors, finissaient par entrer et prendre place dans les fauteuils.

— « Silence! Ecoutez! » chuchotèrent des voix.

— « Tolérerez-vous plus longtemps qu'une poignée de criminels, débordés par des événements qu'ils avaient pourtant préparés, jette sur les champs de bataille des millions d'Européens pacifiques?... Les volontés de guerre, elles ne sont jamais du côté des peuples! Elles sont uniquement du côté des gouvernements ! Les peuples n'ont pas d'autres ennemis que ceux qui les exploitent ! Les peuples ne sont pas ennemis les uns des autres ! Il n'y a pas un travailleur allemand qui souhaite quitter sa femme, ses enfants, son métier, pour prendre un fusil et canarder des travailleurs français ! »

Un murmure approbateur parcourut l'assistance.

Jenny se retourna. Maintenant, ils étaient deux ou trois cents, davantage peut-être, qui, le visage tendu, écoutaient.

Jacques se penchait vers cette masse mouvante, muette, et qui pourtant bruissait sur place comme un nid d'insectes. De toutes ces figures, dont il ne distinguait précisément aucune, émanait un appel qui lui conférait une importance bouleversante, imméritée ; mais, du même coup, la violence de ses convictions et de ses espoirs se trouvait décuplée. Il eut le temps de songer : « Jenny écoute. » Il respira profondément, et repartit d'un nouvel élan :

— « Allons-nous rester là, les bras croisés, à attendre stupidement qu'on nous livre au sacrifice ? Ferons-nous confiance aux protestations pacifiques des gouvernements ? Qui a précipité l'Europe dans l'inextricable chaos où elle se débat ? Serons-nous assez fous pour espérer que ces mêmes hommes d'Etat, ces chanceliers, ces souverains, qui, par leurs combines secrètes, nous ont mis à deux doigts de la catastrophe, puissent réussir, dans leurs conférences diplomatiques, à sauver cette paix qu'ils ont cyniquement compromise ? Non ! La paix, aujourd'hui, elle ne peut plus être sauvée par les gouvernements ! La paix, aujourd'hui, elle est entre les mains des peuples ! Entre nos mains, à nous ! »

De nouveau, des applaudissements l'interrompirent. Il s'essuya le front, et haleta, dix secondes, comme un coureur à bout de souffle. Il était conscient de sa puissance ; il sentait chacune de ses phrases pénétrer violemment les cerveaux, et, semblables à ces fusées qui font sauter des poudrières, soulever, à chaque coup, tout un arsenal de pensées séditieuses, qui n'attendaient que ce choc pour exploser.

D'un geste impatient, il exigea le silence :

— « Quoi faire ? » direz-vous. « Ne pas nous laisser
faire !... »

— « Bravo ! »

— « Isolément, chacun de nous ne peut rien. Mais
rassemblés, fortement unis, nous pouvons tout !...
Comprenez bien ceci : la vie du pays, cet équilibre sur
lequel repose la stabilité de l'Etat, elle dépend entièrement des travailleurs. Le peuple dispose d'une arme
toute-puissante ! In-vin-ci-ble ! Et, cette arme, c'est : la
grève ! La *grève générale !* »

Du fond de la salle, une voix forte cria :

— « Pour que les Pruscos en profitent, et nous
tombent dessus ! »

Jacques eut un haut-le-corps, et chercha l'interrupteur
des yeux :

— « Au contraire ! L'ouvrier allemand marchera avec
nous ! Je le sais ! Je reviens de Berlin ! J'ai vu ! J'ai vu
les manifestations Unter den Linden ! J'ai entendu les clameurs de paix sous les fenêtres du Kaiser ! L'ouvrier
allemand est aussi prêt que vous à faire la grève générale !
Ce qui le retient encore, c'est la peur de la Russie. A qui
la faute ? A nous, à nos dirigeants, à notre absurde alliance avec le tsarisme, qui a augmenté pour l'Allemagne
le péril russe. Mais réfléchissez : qu'est-ce qui pourrait
le mieux assurer la sécurité du peuple allemand, — c'est-
à-dire arrêter la Russie dans la voie de la guerre ? C'est
vous ! C'est nous, Français, par notre refus de nous battre !
En décidant la grève, nous, Français, nous faisons coup
double : nous paralysons le tsarisme dans ses volontés
de guerre, et nous supprimons tout obstacle à la fraternisation de l'ouvrier allemand et de l'ouvrier français !
Fraternisation dans la grève générale, déclenchée en
même temps contre nos deux gouvernements ! »

La salle, soulevée, voulut applaudir. Mais Jacques ne
lui en laissa pas le temps :

— « Car la grève, c'est le seul acte qui peut encore
nous sauver tous ! Songez-y ! Sur un simple appel lancé
par nos chefs, le même jour, à la même heure, partout à
la fois, la vie du pays peut s'arrêter, bloquée net !... Un

ordre de grève, et c'est, en un instant, toutes les usines,
tous les magasins, toutes les administrations, qui se
vident! Sur les routes, les piquets de grévistes empêchent
le ravitaillement des villes! Le pain, la viande, le lait,
sont rationnés par le comité de grève! Plus d'eau, plus
de gaz, plus d'électricité! Plus de trains, plus d'autobus,
plus de taxis! Plus de lettres ni de journaux! Plus de
téléphone ni de télégraphe! L'arrêt brutal de tous les
rouages sociaux! Dans les rues, une foule errante, en
proie à l'angoisse. Pas d'émeutes, pas de bagarres : le
silence et la peur!... Que pourrait le gouvernement contre
ça? Comment, avec sa police et ses quelques milliers de
volontaires, tiendrait-il tête à cet assaut? Comment im-
proviserait-il des stocks? Comment distribuerait-il des
vivres à la population? Incapable seulement de nourrir
ses gendarmes et ses régiments, pressé par la panique de
ceux-là mêmes qui soutenaient sa politique nationaliste,
quel recours lui resterait-il, sinon de capituler? Combien
de jours... — non, je ne dis pas : combien de jours; je
dis : combien d'heures — pourrait-il lutter contre ce
blocus, contre l'arrêt total de toute la vie publique? Et,
devant une pareille manifestation de la volonté des
masses, quels sont les hommes d'Etat qui oseraient encore
envisager l'éventualité d'une guerre? Quel est le gouvernement qui se risquerait à distribuer des fusils, des car-
touches, à un peuple insurgé contre lui? »
Des applaudissements déchaînés hachaient maintenant chacune de ses phrases. Il rassembla toute son
énergie pour dominer le vacarme. Jenny voyait sa figure
s'empourprer, sa mâchoire trembler, les muscles et les
veines de son cou se gonfler sous l'effort.
— « L'heure est grave, mais tout dépend encore de
nous! L'outil dont nous disposons est si formidable que
je ne crois même pas que nous aurions besoin de nous
en servir! La seule menace de la grève, — si le gouvernement avait la certitude que le monde des travailleurs sera
vraiment unanime à y recourir — suffirait à changer, du
jour au lendemain, l'orientation d'une politique qui nous
mène à l'abîme!... Notre devoir, mes amis? Il est simple,
il est clair! Un seul objectif : la paix! Union par-dessus

toutes nos querelles de partis! Union dans la résistance!
Union dans le refus! Groupons-nous autour des chefs
de l'Internationale! Exigeons d'eux qu'ils mettent tout
en œuvre pour organiser la grève et préparer ce grand
assaut des forces prolétariennes, dont dépend le sort du
pays, et celui de l'Europe! »

Il s'arrêta net. Il se sentait soudain vidé de toute
substance.

Jenny le dévorait des yeux. Elle le vit battre des cils,
hésiter, lever le bras et agiter la main. Un sourire épuisé
crispait ses lèvres. Comme ivre, il tourna sur lui-même,
et disparut entre deux portants.

La foule hurlait :

— « Bravo!... Il a raison!... A bas la guerre!... La
grève!... Vive la paix!... »

Les ovations continuèrent, plusieurs minutes. Les auditeurs restaient là, debout à battre des mains, à crier, pour
rappeler l'orateur.

Enfin, comme l'orateur ne reparaissait pas, ils se
ruèrent, en tumulte, vers les sorties.

L'orateur, il était effondré dans la pénombre des coulisses. Assis sur une caisse derrière un entassement de
vieux décors, trempé de sueur, fiévreux, brisé, il demeurait là, les cheveux en désordre, les coudes sur les genoux
et les poings dans les yeux, n'ayant d'autre désir, dans ce
naufrage, que de rester le plus longtemps possible seul,
perdu, caché à tous.

C'est là que Jenny, conduite par Stefany, le trouva
enfin, après plusieurs minutes de recherches.

Il dressa la tête, et, rasséréné soudain, sourit à la jeune
fille, arrêtée devant lui. Elle le regardait au visage, les
yeux fixes, sans un mot.

— « S'agit maintenant de sortir d'ici », grommela
Stefany, derrière eux.

Jacques se leva.

La salle, vide, était plongée dans l'obscurité. Du
dehors, on avait fermé les portes. Mais, dans un angle de

la scène, une ampoule qui brûlait en veilleuse les guida vers un couloir : il menait à une sortie de service, derrière le théâtre. Ils longèrent une cave à charbon, et débouchèrent dans une courette encombrée de planches, de tréteaux. Elle donnait dans une ruelle qui paraissait déserte.

Mais, à peine y furent-ils engagés, que deux hommes se détachèrent de l'ombre.

— « Police ! » articula l'un d'eux, en tirant, avec un geste de prestidigitateur, un carton de sa poche, et en le fourrant sous le nez de Stefany. « Voulez-vous me faire voir vos papiers, s'il vous plaît ? »

Stefany tendit à l'inspecteur sa carte de presse :

— « Journaliste ! »

Le policier jeta distraitement les yeux sur la carte. C'était l'orateur qui l'intéressait.

Par bonheur, Jacques, dans ses pérégrinations de la journée avec Jenny, était passé chez Mourlan reprendre son portefeuille. Toutefois, il avait imprudemment gardé dans une poche de son pantalon les papiers de l'étudiant genevois, qui lui avaient servi à passer la frontière allemande. « S'ils me fouillent... », songea-t-il.

L'inspecteur ne poussa pas le zèle jusque-là. Il se contenta d'examiner à la lueur d'un réverbère le passeport de Jacques, et de vérifier, d'un coup d'œil professionnel, la ressemblance de la photo d'identité. Puis il griffonna quelques indications sur son carnet, en mouillant plusieurs fois son crayon.

— « Où êtes-vous domicilié ? »

— « A Genève. »

— « Où habitez-vous, à Paris ? »

Jacques eut une seconde d'hésitation. Il avait appris chez Mourlan que la chambre de la rue du Jour, où il avait logé avant son voyage et qui lui offrait toute sécurité, n'était plus libre. Il ne s'était pas encore mis en quête d'un nouveau gîte. Il pensait aller coucher ce soir dans le garni de la rue des Bernardins, au coin du quai de la Tournelle. Ce fut l'adresse qu'il donna, et dont le policier prit note.

Puis l'homme se tourna vers Jenny, qui se tenait tout

près de Jacques. Elle n'avait sur elle que des cartes de
visite, et, par hasard, une enveloppe de Daniel, qui était
restée dans son sac à main. L'agent ne souleva aucune
difficulté, et n'inscrivit même pas le nom de la jeune fille
sur son carnet.

— « Merci », dit-il poliment.

Il toucha le bord de son chapeau, et s'éloigna, suivi
de son acolyte.

— « La société se défend », constata Stefany, moqueur.

Jacques, maintenant, souriait :

— « Me voilà repéré... »

Jenny avait saisi son bras et s'y agrippait. Ses traits
étaient décomposés :

— « Qu'est-ce qu'ils vont vous faire? » demanda-t-elle,
d'une voix blanche.

— « Mais rien, voyons! »

Stefany se mit à rire :

— « Que voulez-vous qu'ils nous fassent? Nous
sommes parfaitement en règle. »

— « La seule chose qui m'embête un peu », avoua
Jacques, « c'est d'avoir donné mon adresse à l'hôtel
Liébært. »

— « Tu en seras quitte, demain, pour aller loger ailleurs. »

La nuit était chaude. La ruelle exhalait un relent fétide.
Jenny se serrait contre Jacques. Elle n'en pouvait plus
d'émotion. Elle trébucha sur les pavés inégaux, se tordit
la cheville, et serait tombée, s'il ne lui avait pas donné le
bras. Elle s'arrêta un instant, et s'appuya de l'épaule au
mur d'un hangar. Son pied lui faisait mal.

— « Oh! Jacques... », murmura-t-elle. « Je me sens si
fatiguée... »

— « Appuyez-vous sur moi. »

Elle lui devenait plus chère encore, à cause de sa lassitude.

La ruelle aboutissait à un boulevard, où des groupes
bruyants achevaient de se disperser.

— « Asseyez-vous tous les deux sur ce banc », dit
Stefany, avec autorité. « Moi, je file devant, pour ne
pas manquer le dernier tram. Il y a une station de taxis

devant l'Hôtel de Ville. Je vais vous en envoyer un. »

Lorsque, trois minutes plus tard, l'auto vint se ranger contre le trottoir, Jenny eut honte de sa faiblesse :

— « C'est stupide : j'aurais très bien pu marcher jusqu'au tramway... » Elle s'en voulait de l'entrave qu'elle était dans la vie de Jacques, elle qui, de tout temps, avait mis un point d'honneur à écarter les attentions.

Mais, à peine fut-elle dans la voiture, qu'elle se débarrassa de son chapeau et de son voile, pour mieux se pelotonner contre lui. Elle sentait, le long de sa joue, se soulever cette poitrine d'homme, sonore et chaude. Sans bouger la tête, elle leva la main, et, à tâtons, chercha la figure de Jacques. Il sourit, et elle s'en aperçut en touchant la bouche. Alors, comme si elle avait seulement voulu s'assurer qu'il était vraiment là, elle retira sa main, et, de nouveau, se blottit entre ses bras.

La voiture ralentit. « Déjà? » se dit-elle, avec un sentiment de regret. Mais elle se trompait; ils n'étaient pas arrivés; elle reconnut la porte d'Orléans, l'octroi.

Elle murmura :

— « Où allez-vous passer la nuit? »

— « Eh bien, chez Liébært. Pourquoi? »

Elle faillit dire quelque chose, mais se tut. Il se penchait sur elle. Elle ferma les yeux. Les lèvres de Jacques s'attardèrent longuement sur ses paupières baissées. A ses oreilles, bourdonnaient des paroles indistinctes : « Mon petit... Ma chérie... Chérie... » Elle sentit la bouche tiède glisser le long de sa joue, frôler l'aile du nez, atteindre ses lèvres, qui se crispèrent instinctivement. Il n'osa pas insister, releva la tête, et, accentuant l'étreinte de ses bras, il la serra passionnément contre lui. D'elle-même, cette fois, elle lui tendit sa bouche. Mais il ne s'en aperçut pas : il s'était redressé; il se dégagea, et ouvrit la portière. Elle s'aperçut alors que l'auto était arrêtée. Depuis combien de minutes? Elle vit la façade, la porte de sa maison.

Il descendit le premier, et l'aida. Pendant qu'il payait le chauffeur, elle fit, comme une somnambule, les trois pas qui la séparaient de la sonnette. Une folle tentation lui traversa l'esprit. Mais sa mère pouvait être revenue... A la pensée de Mme de Fontanin, elle éprouva une brusque secousse, et toute son inquiétude la reprit. D'une main qui tremblait, elle appuya sur le bouton.

Quand Jacques la rejoignit, la porte venait de s'entre-bâiller, et la lumière s'était allumée devant la loge.

— « Demain? » fit-il précipitamment.

Elle baissa affirmativement la tête. Elle ne pouvait articuler un mot. Il avait pris sa main et la pressait entre les siennes.

— « Pas le matin... », reprit-il, d'une voix saccadée. « A deux heures, voulez-vous? Je viendrai? »

Elle fit un second signe d'acquiescement. Puis elle lui retira sa main, et poussa le battant.

Il la vit traverser d'un pas raide la zone éclairée et disparaître dans l'ombre, sans s'être retournée. Alors il laissa retomber la porte.

(A suivre.)

TABLE

SEPTIÈME PARTIE

(Suite)

TABLE   325